LA CONQUISTA
DE LA ESPERANZA

LA CONQUISTA DE LA ESPERANZA

25 ANIVERSARIO
CASA EDITORA ABRIL
1980 · 2005

Edición: *Temis Tasende Dubois*
Corrección: *Lilian Sabina Roque / Juliana Venero Bon /*
           Irene Hernández Álvarez
Ilustración de cubierta: *Kcho*
Diseño de cubierta: *Lamas*
Diseño y realización: *Mayra Fuentes Mesa*

ISBN 959-210-365-8

ISBN 959-224-170-8

Primera edición, Grupo Editorial Planeta, 1995
Primera edición cubana, Editora Abril, 1996
Segunda edición, Ediciones Verde Olivo, 2004
Tercera edición, 2005

Casa Editora Abril
Prado No. 553 entre Dragones y Teniente Rey,
La Habana Vieja, Ciudad de La Habana, Cuba
CP 10200
Email: eabril@jovenclub.cu
Internet: http://www.editoraabril.cu

Ediciones Verde Olivo
Avenida Independencia y San Pedro.
Apartado 6919. CP 10603
Plaza de la Revolución, Ciudad de La Habana.

Nota a la edición

La primera edición de este libro fue publicada en México en 1995 por iniciativa del Foro por la Emancipación e Identidad de América Latina, y de su director, Heinz Dieterich Steffan. Al año siguiente apareció la primera edición cubana, publicada por la Casa Editora Abril.

Es necesario hacer un poco de historia: Fue Dieterich quien le propuso a la Oficina de Publicaciones del Consejo de Estado participar en la edición de La conquista de la esperanza, con los textos que habían aparecido originalmente en el libro Diario de la guerra, publicado por dicha Oficina en 1986, con una segunda edición en 1991.

Para convertir el Diario de la guerra en La conquista de la esperanza, se realizó un doble trabajo: el texto general de Diario de la guerra, del historiador Pedro Álvarez Tabío, fue condensado por su autor a petición del editor mexicano, mientras que una parte del espacio ganado fue aprovechada para incluir fragmentos nuevos de los diarios de campaña de Raúl Castro y Ernesto Che Guevara que no habían sido utilizados en las ediciones de Diario de la guerra.

Esta segunda edición cubana de La conquista de la esperanza es básicamente igual a la primera, salvo unas pocas precisiones introducidas en el texto general por su autor, algunos fragmentos nuevos de los diarios de campaña de Raúl Castro y Ernesto Che Guevara y varias fotos.

En el caso del prólogo del intelectual mexicano Paco Ignacio Taibo II, se han insertado algunas notas a pie de página que aclaran inexactitudes o imprecisiones del texto original.

La presente edición se publica en saludo al VIII Congreso de la Unión de Jóvenes Comunistas.

LA EDITORIAL

Introducción

Fin de la novela –fin del héroe–, fin del autor, hizo apuntar Gorki en la última hoja de su obra, antes de morir. Fin de la Revolución cubana, fin del guerrillero heroico, fin de los autores de la historia; preconizaron muchos intelectuales del Primer y Tercer Mundo, aún hace algunos meses, cuando el futuro del proyecto parecía estar sellado.

Fueron cresta de la gran ola del posmodernismo y su "incredulidad frente a los metarrelatos" –la dialéctica del espíritu; la hermenéutica del sentido, la emancipación del sujeto razonante o de la clase obrera–, de cuyas "inconsistencias" no se esperaba ya una "salida salvadora, como la de Marx". La "función narrativa pierde sus actores", constataba Jean François Lyotard, "el gran héroe, los grandes peligros, los grandes periplos y el gran propósito". Habían arribado los tiempos del fin de la metafísica, de la antropología newtoniana y del ocaso de la historia.

Sin embargo, los oráculos del capital se equivocaron una vez más.

Sobreviviendo al tremendo huracán económico-político del año 1993, pertrechado el barco de nuevo durante 1994; vemos salir el viejo *Granma*-socialismo viento en popa hacia las metas de un socialismo diferente, pero, en fin, socialismo, en el año 1995.

Mientras esto sucede en las latitudes del socialismo tropical, donde el caimán barbudo da señales insospechadas de vida, los cronistas toman nota de las vicisitudes del capitalismo tropical latinoamericano: en el triángulo de las Bermudas de la creciente deuda externa, de las devaluaciones crónicas y la inmisericorde destrucción de las economías nacionales por el libre comercio, está hundiéndose el milagro económico del neoliberalismo, dejando a sus chamanes sin palabras y a los pueblos víctimas sin pan.

Todo parece indicar, pues, que el paciente "historia" –diagnosticado moribundo– está reconvaleciente y nos está devolviendo al "héroe, los grandes peligros, los grandes periplos y el gran propósito", tal como Albert Camus había previsto acertadamente en su famosa sentencia sobre el carácter eterno del arte y de la rebelión.

De todo esto trata *La conquista de la esperanza,* que presenta la crónica del "pequeño ejército loco" de guerrilleros cubanos e internacionalistas –como diría cariñosamente Augusto César Sandino–, quienes deciden enfrentarse al régimen golpista de Fulgencio Batista, instalado por los Estados Unidos en el corazón del Caribe. En los testimonios fieles del "Comandante de la esperanza", Ernesto Che Guevara, y del siempre guerrillero de la utopía, Raúl Castro Ruz, se revive la historia de los tres primeros meses de la guerrilla del Movimiento 26 de Julio (M-26-7), desde su salida de México el 25 de noviembre de 1956 hasta el 19 de febrero de 1957.

Y para no dejar esa epopeya como la figura del *deus ex machina* del teatro griego –que aparece desde la nada para resolver milagrosamente los complejos dramas humanos de un solo golpe–, precede a los documentos testimoniales la reconstrucción histórica de los preparativos de la expedición liberadora en México del verano y otoño de 1956, investigada minuciosamente por el historiador Paco Ignacio Taibo II.

El derecho a la rebelión contra el despotismo está en la raíz misma de nuestra existencia política, alega Fidel Castro en su histórica autodefensa ante el tribunal de Batista que se reunió el 16 de octubre de 1953 en Santiago de Cuba para juzgar a los asaltantes de los cuarteles Moncada y Carlos Manuel de Céspedes. Conocido como *La historia me absolverá,* es uno de los grandes discursos de rebeldía frente a la razón del Estado que –como el *J'acusse* de Emile Zolá y la defensa de Georgi Dimitrov ante el nacionalsocialismo alemán– desenmascaró a los magistrados de la corte como simples ejecutores de la voluntad política establecida y convirtió a los acusados en fiscales de los crímenes del poder.

Dicho texto, escrito en la temerosa soledad de la cárcel, es probablemente el documento que con más claridad ilustra la esencia de la utopía concreta que motivó a los jóvenes combatientes del Movimiento 26 de Julio a tomar el camino de las armas. La intrépida y pública invocación del derecho al tiranicidio frente al contratiempo militar del Moncada, resume la praxis de los revolucionarios como inminentemente humanística y democrática. Humanística, porque el móvil de su eventual motivación es el amor a los niños sin escuela y futuro, a los adultos sin trabajo y protección social, a los viejos desamparados y obligados a mendigar en la calle, en fin, su amor a las mayorías que bajo el régimen del capitalismo tercermundista viven condenadas a la miseria, la marginación y la alienación. Es democrática, porque da sustancia a lo que en las democracias formales ya no es más que una frase vacía: la soberanía del pueblo. De raíz antigua e institucionalizada en los documentos constitutivos de la modernidad política –como *Tratados sobre el gobierno civil* de John Locke, *El contrato social* de Jean-Jacques Rousseau, la *Declaración de independencia* del Congreso de Filadelfia y la *Declaración de los Derechos del hombre y del ciudadano* por la Revolución francesa–, el supremo mando de la voluntad general (Rousseau) disfruta en los estados burgueses de una existencia exclusivamente ideológica: todo aquel que ante un gobierno ilegítimo burgués pretende hacer valer la soberanía popular se convierte *ipso facto* en subversivo y traidor a la patria, con las consecuencias represivas de sobra conocidas.

Los diarios plantean, en esencia, tres tópicos de debate: el antiguo problema de la legitimidad del insurgente en armas, la delicada antropología del guerrillero heroico y la vigencia de la vía revolucionaria como vehículo de transformación profunda.

El primer aspecto se resuelve con facilidad. Según la propia filosofía política constitutiva de la democracia burguesa, la facultad de gobernación de los miembros del Estado se deriva solo de la soberanía popular. Es decir, la *volonté générale* delega su último poder por vía de partidos políticos al legislativo, el que, a su vez, constituye los órganos correspondientes a las diversas funciones que ejerce la sociedad política. Al malograrse esa estructura gobernativa –por usurpación, abuso, corrupción, etcétera–, el gobierno se convierte en un gobierno *de facto* que infringe las prerrogativas del poder soberano y –mediante un acto de reconstitución de sus derechos fundamentales– repara el daño hecho por los agentes de la inconstitucionalidad.

Si la axiomática de la soberanía popular no presenta mayores complejidades político-jurídicas o éticas –a diferencia de su implementación político-operativa–, la figura del revolucionario ha despertado interminables debates a través de la historia.

En el acta policiaca de Karl Marx se encuentra la acotación de un oficial prusiano que define al "sujeto en cuestión" como peligroso, porque "Marx es un soñador que piensa y un pensador que sueña". Si ambas cualidades –capacidad intelectual analítica y visión estratégica– se ven enriquecidas por las virtudes de la honestidad, sensibilidad social y voluntad de cambio, tenemos el perfil completo del revolucionario.

El Che conceptualiza en su campaña boliviana al guerrillero-revolucionario como "el escalón más alto de la especie humana". Abarca, de esta manera, una compleja gama de determinaciones antropológicas que no se agotan en el transformador, el demiurgo, el mártir, el héroe, el disciplinado acotador de órdenes, el abnegado trabajador o el cazador de la utopía completa.

No es fácil reunir tantas virtudes en una persona, hecho que explica porqué solo una minoría suele alcanzar este último escalón en la pirámide de la superación humana que forma la base del juicio del Che. Sirva de consolación, a los que no trascienden los peldaños inferiores a la cima, que aun la aproximación al ideal –que es la norma prevaleciente en la vida empírica del universo, mientras que lo perfecto se presenta como excepción– no vuelve carente de sentido la existencia humana. Las aportaciones a la construcción de la utopía concreta se pueden realizar desde varios ángulos, en diversos niveles, tiempos históricos y con diferentes pesos específicos, siendo determinante, en última instancia, la obra final colectiva.

Definitivamente, es la fuerza de la idea la que impulsa al revolucionario en su "autoasignada" y gigantesca tarea de mover el monte de inercia que representa una sociedad establecida. Esa idea es, en esencia, conciencia, amor, y razón ética, tal como lo expresó Esquilo hace dos mil quinientos años en su inmortal obra sobre la rebeldía de Prometeo contra la injusticia de los poderes establecidos.

"Traspasaste la norma de justicia de los dioses" –de la clase dominante–, "para dar beneficio a los mortales" –a los pobres–, comenta el verdugo la razón de la condena y el castigo a Prometeo. Y la *Fuerza* la resume en forma imperativa la moraleja: "Pague esa culpa a los dioses: aprenda a someterse al dominio de Zeus y a no andar con intentos de amor a los hombres". Y le recitan la eterna advertencia de las clases dominantes y sus ideólogos a las mayorías sometidas: "¡no nace aún quien haya de liberarte!".

Con lucidez, el rebelde castigado responde, explicando su justa causa política: "No bien Zeus se colocó en el trono paterno, hizo distribución de dones a los dioses, dando a cada uno de su propio galardón y dispuso en todo el mando. Pero de los mortales desdichados ni cuenta mínima hizo... antes bien tenía el intento de aniquilar su raza y hacer brotar una nueva. Y ante esta tentativa nadie se enfrentó: yo fui el único. Yo tuve la osadía, yo fui el que me opuse a que los mortales bajaran al Hades hechos trizas...".

La idea del amor constituye un estrato espiritual compartido, hoy día, tanto por el revolucionario como por el creyente cristiano. Sin embargo, la diferencia específica entre ambos puede ser tan grande como su cercanía.

El amor al prójimo que profesa el cristiano convencional –al que pertenece, desde luego, la amplia mayoría de los jerarcas eclesiásticos– es un amor derivado de su vinculación a Dios. Dios hizo al hombre a su imagen y semejanza, y este, por participar de la sustancia divina, adquiere su valor frente al otro.

Se trata, pues, de un amor de segunda mano –producto del animismo precristiano sobreviviente en las diversas denominaciones cristianas– y una ética que en la vida cotidiana cae con suma facilidad presa de la razón instrumental y sus consabidas mezquindades.

Sin embargo, sale una rama verde de este árbol seco del cristianismo convencional, cuyos creyentes se empeñan en trabajar de manera diferente en la viña del Señor. Siguen el ejemplo de Jesús en la reforma agraria, en la demanda a la democratización de la economía, y en la lucha por el mejoramiento de la situación de los marginados, que en el Tercer Mundo, hoy día, constituyen la mayoría de la población. Camilo Torres en Colombia, Oscar Arnulfo Romero en El Salvador, Samuel Ruiz en Chiapas, Pedro Casaldáliga en Brasil; los anales de estos humanistas con horizonte metafísico-religioso son largos y muestran no pocas hojas de dignidad.

El objetivo final y el compromiso personal tienden a unificar a cristianos progresistas y a revolucionarios socialistas en la lucha. Donde puede haber diferencia es en lo referente al recurso del método: ¿habrá de predicarse el cambio confiando únicamente en el poder del verbo, o será preciso complementarlo con la fuerza de la espada? En Camilo Torres y Samuel Ruiz se personifican ambas disyuntivas.

La idea del amor se manifiesta en el comentario de un campesino boliviano que recuerda al Che después de su asesinato: "El Che ayudaba mucho a la gente pobre que no tenía nada. Les daba medicina, los curaba y pagaba todo lo que compraba. Él no pasaba sin hacer una obra de caridad". No por eso dejaba de ser severo, cuando consideraba que la situación lo ameritaba, como trae a la mente un viejo veterano de la Sierra Maestra que relata una experiencia en que el Che castigaba a un combatiente con tres días de ayuno por haber incurrido en una falta disciplinaria.

Son contradicciones inevitables, entre el principio de la realidad y el amor al ser humano, que se agudizan dentro de las condiciones extremas de la guerra, tanto la convencional como la irregular. Los testimonios del Che y de Raúl lo documentan, no solo en la trágica problemática humana de la traición y ejecución de Eutimio Guerra, sino en los sufrimientos impuestos por la naturaleza, la férrea disciplina bélica, las angustias existenciales y la duda de los reveses. "Días de sacrificio y gloria" los llama acertadamente Raúl en una parte de su "cuaderno de bitácora" de la odisea por la Sierra Maestra que empezó en Tuxpan, Veracruz, "rumbo a la salida del sol" y terminó a mediados de febrero con la constatación de Fidel de que "el tiempo está a nuestro favor".

El tiempo está a favor de los pequeños –cantaría Silvio Rodríguez años después– porque se han logrado unificar las principales fuerzas antagónicas al régimen en una plataforma de lucha común; porque Batista ha cerrado todos los cauces de cambio institucional –dejando únicamente abierto el recurso del método armado–; y porque el puñado de combatientes es una auténtica vanguardia del pueblo, conducida por cuadros excepcionales como Fidel, Raúl, Juan Almeida, Camilo Cienfuegos y, "un argentino comunista de pésimos antecedentes expulsado de su país. El apellido, por supuesto, Guevara".

Es ese factor subjetivo dotado de las virtudes de disciplina, voluntad, organización, disposición al trabajo, sacrificio, sensibilidad para los cambios de táctica y estrategia, y la imprescindible dosis de buena suerte; el que posteriormente, en una idealista y vulgarizante interpretación de la experiencia cubana –conocida como teoría del foco–, induce a algunos sectores de la juventud latinoamericana al intento de emular el ejemplo del Movimiento 26 de Julio.

Había llegado el momento de sustituir el arma de la crítica por la crítica de las armas. Porque si las condiciones objetivas de miseria y opresión del caso cubano estaban presentes en la mayoría de los países de *Nuestra América,* y los panoramas nacionales de los partidos políticos mostraban el mismo perfil de corrupción y representación oligárquica como en la isla; entonces el camino de la solución debía ser el escogido por Fidel y el M-26-7. La vanguardia político-militar como factor clave de la liberación nacional parecía ser la lección inequívoca de la lectura del triunfo cubano, reforzada y concientizada con extrema urgencia por el genocidio estadounidense en Vietnam.

El intento fracasó. Por cierto, no siempre con la certeza previsible que *post festum* se quiere asignar a tales vuelos del Dédalo, tal como muestra la propia experiencia del Che en Bolivia, donde los campesinos de La Higuera –después del asesinato del guerrillero heroico– colocaron su foto al lado de su Cristo redentor.

Las armas se quedaron sin el pueblo –y muchas veces sin los partidos políticos– en esos históricos tiempos de la Organización Latinoamericana de Solidaridad (OLAS) y de la Conferencia Tricontinental de La Habana (1966) que procuraron avanzar el proyecto bolivariano de la *Patria Grande*, malogrado por las oligarquías criollas después de la muerte de *El Libertador*. Socialismo o barbarie parecía ser la alternativa no solo para América Latina, sino para el mundo entero, donde los pueblos en descolonización trataron de romper las cadenas del racismo, de la marginación y la miseria impuestas desde la fatídica fecha de 1492. Esa lucha épica culminó en la derrota estadounidense en Vietnam –epopeya jamás escrita por pueblo alguno de la edad moderna–, y sus protagonistas eran los guerrilleros heroicos: el Tío Ho y el maestro de primaria, general Giap, en Asia; Amílcar Cabral en África, el Che en América, y los millones de combatientes anónimos que rodearon al guerrillero como el agua al pez.

Era indiscutible que el progreso de la humanidad avanzaba sobre las alas de la liberación nacional y que Vietnam había abierto la puerta hacia la ofensiva final contra el sistema capitalista. Angola, Mozambique, Guinea-Bissau y todavía Nicaragua, se beneficiaron de los nuevos espacios abiertos hacia una sociedad justa y democrática poscolonial. Pero pronto, estos espacios comenzaron a cerrarse, los tiempos de los pequeños se fueron acabando y la puerta de la historia mostró ser una puerta revolvente, a través de la cual el capitalismo neoliberalizado volvió a usurpar el espacio del progreso. El canto del guerrillero heroico desapareció y su memoria histórica fue relegada al Parque Jurásico de las ideologías.

Mientras tanto, la "nueva izquierda latinoamericana" –democratizada y modernizada al son de la socialdemocracia europea y al ton del liberalismo estadounidense– y la vieja derecha del subcontinente hicieron méritos con el amo hemisférico. Montados sobre los jinetes dureros del capitalismo real existente y de la democracia real inexistente, sustituyeron –en aras de la *realpolitik* y del pragmatismo– el gran proyecto histórico de la soberanía del pueblo, por el nuevo totemismo de la soberanía del mercado mundial. De esta manera, el lugar del sujeto-mundo cristiano –Dios– y del espíritu mundial de Hegel se ve ocupado por la nueva noción mistificadora, dotada de la misma fuerza determinista arrolladora que las anteriores, pero carente de los contenidos progresistas de la filosofía de la historia mundial hegeliana.

Si Hegel es un entusiasta aclamante de la "hermosa aurora" de la Revolución francesa que avanza la reconciliación entre el poder absoluto del Estado y la libertad individual del ciudadano, como último fin de la historia –un fin eminentemente ético–; los flamantes exorcistas de la esperanza solo reconocen el poder absoluto del nuevo tótem que –cual Jahvé del Viejo Testamento– hace y deshace a su entera libertad. Al *homo sapiens* no le queda otro papel en la evolución histórica que aceptar sumisamente el *dictum* de la predestinación divina o del hado que dispone de él a su antojo, como en los tiempos más oscuros de la prehistoria humana.

La "oferta" del capitalismo para el siglo XXI consiste, por ende, en el regreso incondicional a la postración del individuo –único ente del universo dotado de razón– ante el despotismo de la ley del valor, apenas disfrazado con la ideología abstracta del mercado mundial y su correspondiente "filosofía" socialdarwinista.

En la interminable novela negra escrita por el capitalismo, el único héroe tolerado es el mercado. La razón y la ética son los villanos, que han de ser puestos en cadenas para no perturbar el orden divino de las ganancias y de la civilización del capital.

"Condenadme, no importa, la historia me absolverá", concluyó Fidel su histórica defensa ante los fiscales de Batista. Y la historia lo "absolvió" al darle al Movimiento 26 de Julio, y demás fuerzas democrático-populares de Cuba, el triunfo de la lucha insurreccional.

La tiranía local de Batista fue derrotada y se implantó la soberanía popular en la isla. La gran batalla contra la tiranía mundial del capital empieza a librarse en diferentes frentes y con diferentes facetas. Es la batalla por la restitución de la soberanía popular y los derechos elementales del hombre, que han sido expropiados por el capital bajo la bandera de su nuevo tótem. En esta batalla los héroes serán los pueblos y sus vanguardias, que pondrán fin a la novela negra del capital para convertirse en autores de su propio destino. Tal como muestran los diarios de la rebeldía y de la dignidad, desde el *Prometeo encadenado* hasta las crónicas de Raúl y del Che.

HEINZ DIETERICH STEFFAN

16

Sobre los diarios del Che y de Raúl Castro

A lo largo de la guerra revolucionaria librada en las montañas cubanas de la Sierra Maestra en la segunda mitad de la década de 1950, el mando del Ejército Rebelde no solía estimular a los combatientes a que llevaran diarios de campaña. Sobre todo en las difíciles condiciones de los primeros meses de lucha, durante los cuales la fuerza guerrillera se veía obligada a una movilidad constante y carecía de bases estables de operaciones, existía el peligro permanente de que en una mochila ocupada o en el bolsillo de un combatiente caído en acción, el hallazgo de un diario por parte del enemigo pudiera significar la posesión de informaciones valiosas sobre la composición de las fuerzas rebeldes, la identidad de los colaboradores campesinos o la ubicación de los puntos de tránsito frecuente de la guerrilla.

Esta norma, sin embargo, no fue cumplida estrictamente, por suerte para la historia de esa lucha. Fueron varios los soldados y jefes rebeldes que, robando casi siempre tiempo al descanso entre los combates y las marchas agotadoras por el monte, anotaban al final de cada jornada, en pequeñas libretitas o en lo que hubiese a mano, sus vivencias, impresiones y sentimientos de aquella epopeya en la que estaban envueltos y de la que eran protagonistas.

Algunos de esos diarios han servido después a sus autores para reconstruir con bastante precisión y vivacidad aquellos intensos meses de lucha dura y compleja. Dos ejemplos entre los resultados más felices de esos empeños son los libros escritos por Juan Almeida, jefe del Tercer Frente del Ejército Rebelde, y el desenfadado librito de Enrique Acevedo sobre sus experiencias como soldado guerrillero. La historia del proceso revolucionario cubano se enriquece cada vez que sale a la luz uno de estos textos, forjado, más que escrito, en la propia gesta que se narra en ellos.

Otros combatientes no tuvieron la suerte de terminar con vida la contienda, y sus diarios han quedado ahí para uso de los historiadores, en espera de que sean publicados algún día. Es el caso, por mencionar solo dos, de los diarios de campaña de Pedrín Sotto y Nano Díaz. Y está el diario único de Crucito, poeta campesino y soldado, caído en la primera acción en Pino del Agua, verdadera crónica rimada de la guerrilla.

Dos de los combatientes del Ejército Rebelde que, desde los primeros momentos amargos del desembarco y la dispersión inicial, tuvieron la perseverancia y la visión de futuro de recoger día a día las dramáticas incidencias de la lucha en las montañas, fueron Raúl Castro, capitán jefe de un pelotón del contingente expedicionario del yate *Granma* y más tarde comandante del Segundo Frente; y Ernesto Che Guevara, quien vino en el *Granma* como médico de la expedición y, por sus excepcionales condiciones como combatiente y como jefe guerrillero, fue muy pronto designado, con el grado de comandante, a la cabeza de la primera columna surgida de la fuerza original, y más adelante protagonizó la notable hazaña de la invasión al centro del país y dirigió el Frente de Las Villas hasta el final de la guerra.

Partes de esos dos diarios, correspondientes a los primeros ochenta días de campaña en la Sierra Maestra, son las que aparecen en este libro.

Esas once semanas, a partir del desembarco de los ochenta y dos expedicionarios que llegaron a la costa cubana a bordo del yate *Granma* el 2 de diciembre de 1956, fueron decisivas para el desarrollo posterior de la guerra, y están cargadas de hechos de enorme significación que le dan a ese período, relativamente breve, una intensidad excepcional. Es la etapa que comienza con las terribles vicisitudes del propio desembarco y lo que ocurrió después, incluida la dispersión del destacamento expedicionario en Alegría de Pío, que quizás fue el momento más difícil para las fuerzas revolucionarias durante toda la guerra. Vienen luego el reencuentro del pequeño puñado de combatientes que permaneció en pie de lucha y los primeros pasos hacia la consolidación del naciente Ejército Rebelde, que culminan pocas semanas después con las dos primeras acciones victoriosas de la guerrilla. Es entonces cuando se gesta y consuma la traición que puso en gravísimo peligro a la Revolución. El período referido concluye con otros dos hechos trascendentales: el primer testimonio en la prensa mundial acerca de la existencia de la fuerza rebelde en Cuba y la vitalidad de la Revolución cubana, y el primer contacto desde el inicio de la guerra con la Dirección Nacional del Movimiento 26 de Julio para organizar la conducción de la lucha revolucionaria en todo el país.

Todos estos acontecimientos son narrados por el Che y Raúl en sus diarios, en cuyas páginas se plasma además la áspera y hermosa realidad cotidiana de la vida guerrillera, con su cuota constante de heroísmo, sacrificio, tesón, voluntad y optimismo. Muchas otras cosas se encontrarán también en estas anotaciones, entre ellas dos de las premisas estratégicas de esa lucha: la búsqueda permanente del íntimo conocimiento del terreno en que debería desenvolver su acción la guerrilla, y la ampliación incesante de la base social de la fuerza rebelde entre la población campesina de la Sierra.

Raúl fue anotando en pequeñas libretas, con prolija minuciosidad, todos los incidentes de la expedición y de la campaña guerrillera. Día por día, a veces hora por hora, y en ocasiones hasta minuto por minuto, el combatiente llenaba las hojas de sus libreticas. Hoy no podemos menos que admirar la extraordinaria entereza y serenidad, el agudo sentido de la historia, que demostró desde aquel momento para haber sido capaz de mantener este copioso diario, en el que se mezcla la dramática realidad de esos días con un criollísimo sentido del humor, en medio de las circunstancias más penosas que pueden concebirse: el hambre, el acoso, la sed, la incertidumbre por la suerte de Fidel y los demás compañeros en los días posteriores a la primera dispersión, el frío, la fatiga. Tenemos que llegar, por fuerza, a la conclusión de que solo la certeza absoluta en la victoria final puede haber impulsado a Raúl a elaborar este documento único en su clase, que constituye un legado histórico de importancia incalculable.

En cuanto al diario de campaña del Che, las notas que él iba tomando –concisas, escuetas– son chispazos, jirones de una realidad muchas veces angustiosa, apuntes para el recuerdo. La personalidad que después todo nuestro pueblo conoció y aprendió a admirar, respetar y querer –a tal punto que su caída en combate fue uno de los momentos que caló más hondo en nuestra sensibilidad colectiva–, se revela ya en este documento objetivo, crítico, perspicaz, que solo podía haber sido escrito por una voluntad indoblegable y un revolucionario apasionado.

Los diarios del Che y de Raúl dicen mucho de la naturaleza de la Revolución cubana y del carácter de sus combatientes. En sus páginas encontramos no pocas respuestas a aquellos que todavía hoy se preguntan las razones de la supervivencia del proceso revolucionario frente al cúmulo de adversidades y obstáculos que, a lo largo de estos cuarenta y cinco años desde la victoria popular del 1 de enero de 1959, ha debido y ha sabido enfrentar la Revolución cubana, y de su vigor y frescura siempre renovados.

Amigos y enemigos podrán aprender o reafirmar en esos diarios de campaña la significación de las ideas y los principios en la lucha revolucionaria, la importancia decisiva en esa empresa de factores tales como el esfuerzo, la voluntad de luchar, la decisión y la constancia, el valor y el espíritu de sacrificio, la confianza en el pueblo y en el resultado final de la lucha. Esas son, precisamente, las experiencias que ha legado la Revolución cubana a todos los que en otras partes del mundo se han propuesto y se propondrán en el futuro echar su suerte con los pobres de la tierra y luchar por el mejor destino de sus pueblos.

Por eso estos diarios son documentos de valor perdurable y de plena vigencia en nuestros días.

PEDRO ÁLVAREZ TABÍO

El verano
y el otoño del 56

Chuchú Reyes, Jimmy Hirzel, Raúl Castro, Félix Elmuza y Ernesto Che Guevara. Veracruz, México, 1956.

En la memoria de los supervivientes, el verano-otoño del 56 en la Ciudad de México se recuerda como ingrato: polvoroso, frío, húmedo de lluvias, áspero. Memoria de cubano al que la ausencia del sol y las palmeras inquieta, desazona, pone nervioso. Si al menos fuera Veracruz, pero no, se trata del D.F., el altiplano, la enorme ciudad.

En las fotos de aquellos días parecen un montón de muchachos pobres, "pobres pero formales", se diría entonces; las manos siempre en el bolsillo –buscando el dinero que no ha de aparecer–, orejones a causa de aquellos terribles cortes de pelo a la moda de los 50 y con un bigotito que dibuja el labio superior; tan ajenos a los magníficos, irreverentes barbudos y peludos que bajarían de la Sierra Maestra y del Escambray tres años más tarde.

Se encuentran muy formalmente trajeados, con trajes raídos y un poco guangos, como a los cubanos les gusta vestirse para enfrentar un poco al mundo, para hacer del desenfado reto. Gente seria por demás, de sonrisa tristona o mirada nostálgica.

Las fotografías no mienten.

Son personajes, en la vejez cándida pero terrible de las fotografías, no exentos de tragedia (pasada y futura): Fidel, vivo aún por casualidad, sobreviviente milagroso a la masacre posterior al Moncada, bajo permanente amenaza de muerte; el marino Norberto Collado, quemado por la policía batistiana, colgado de los testículos y arrojado a un vertedero; Efigenio Ameijeiras, taxista, que un día descubrió, repasando las páginas de la revista *Bohemia,* mientras circulaba en el tráfico de La Habana, que su hermano había sido asesinado tras el asalto al Moncada; Camilo Cienfuegos, el sastre, mago del pluriempleo, con la cicatriz en la pierna producto de un disparo policiaco obtenido en las manifestaciones estudiantiles; el organizador maravilloso Juan Manuel Márquez, quien venía como Fidel de las filas de una corriente política tradicional, la Ortodoxia, y había sido esencial en la construcción de las redes del 26 de Julio en Estados Unidos, quizá la figura más conocida, junto con los Castro, del Movimiento, y recientemente apaleado hasta casi morir por los agentes de la dictadura...

Serán cualquier cosa, menos culpables de inocencia. Forman parte de una generación y en particular de un grupo que tiene deudas de sangre con la dictadura, un sentido trágico de la vida, una relación muy peculiar con la historia.

Es anecdotario sabido que tres años antes, en operaciones en que sobraba valor y faltaba preparación, habían atacado los cuarteles del ejército en Santiago de Cuba y Bayamo para iniciar un movimiento que habría de derrocar a la dictadura de Batista y fueron masacrados. En el repliegue, los combatientes fueron liquidados por los soldados y la policía, y los prisioneros sometidos a crueles torturas; pocos de ellos se salvaron, en muchos casos gracias a pequeños accidentes. Algunos están vivos, como se decía entonces, "de milagro".

Van llegando a México al inicio del 56 en pequeños grupos de dos o tres, en solitario. Trabajaban en la ruta para completar los pasajes, desde La Habana, Camagüey, Miami, Costa Rica, San Francisco, con un teléfono, una dirección de contacto, un nombre; no para formar parte de un exilio derrotado y quejoso, sino para participar en una invasión armada a la isla. Una frase de su dirigente, resulta particularmente cautivante, es una especie de promesa terrible. Para fines del 56, "seremos libres o seremos mártires".

Y Fidel, abogado de treinta años, es conocido no solo por sus habilidades retóricas, sino porque sus hechos suelen acompañar a las palabras. Él es el personaje clave de esta historia. Establecido en México desde julio del 55, los ha venido convocando y convenciendo, en un alud de mensajes, conversaciones hasta la madrugada, reuniones, cartas, notas, artículos publicados en los resquicios que la censura le deja en la prensa cubana. Y los ha convocado a una empresa sin retorno, sin misterios y sin ambigüedades: la invasión armada de la isla. Fidel Castro, y con él un importante núcleo de la juventud cubana, piensa que no se puede seguir combatiendo a la dictadura de Batista desde el civilismo y la oposición social, que hay que crear un polo armado, que la intentona del Moncada en esencia era justa, por lo tanto, se trata de nuevo de convocar la hora de las armas.

El plan original, que mientras se va fraguando, va descartando opciones alternativas, es organizar un desembarco en el oriente de la isla. La invasión es concebida como una especie de sueño épico, que enlaza con las tradiciones independentistas del siglo XIX, con Guiteras en los años 30, con la permanente historia cubana del exilio y el retorno armado.

Fidel Castro despliega durante el primer año de su estancia en México una actividad febril, se reúne, visita, pide, escribe, activa redes solidarias. En el interior de Cuba lentamente se va creando una estructura con varias prioridades: el financiamiento de la operación, el reclutamiento de los que participarán en la invasión, la propaganda y la organización de células de acción. Esta red al mismo tiempo se convertirá en la resistencia urbana del 26 de Julio.

Una figura clave para concretar los planes de Fidel es un tuerto singular, que ha perdido su ojo en combate, Alberto Bayo, coronel del ejército republicano español exilado en México. Fidel hace contacto con él desde 1955. Bayo le ofrece, al conocer los planes del revolucionario cubano, darles una serie de conferencias sobre la guerra de guerrillas, de la que es experto por haber combatido en la guerra colonial española en África y estudiado los procedimientos de Abd-el-Krim, además, durante la guerra fue asesor del Ministerio de Defensa y ferviente partidario de las acciones irregulares en la retaguardia.

Fidel no solo le toma la palabra, sino que lo empuja más allá, recordándole a Bayo que él también es de origen cubano, y le pide que entrene al grupo que habrá de integrarse. El coronel acepta.

En la primavera y el verano del 56 el pequeño núcleo de emigrados comienza a crecer con la llegada de reclutas. Una red sostenida con saliva, pluma y papel, comienza a dar lentamente resultados organizativos, conquistando activistas originados

Foto de Raúl tomada en un estudio con el propósito de enviársela a su madre. México, D.F., 10 de agosto de 1956.

De derecha a izquierda, de pie: Chuchú Reyes, Juan Almeida, José Ponce, Antonio López (Ñico), Electo Pedrosa, Horacio Rodríguez, Luis Orlando Rodríguez y tres amigos; agachados: Gilberto García y René Rodríguez. México D.F., 1956.

en los partidos cubanos tradicionales de la oposición, la Ortodoxia, las fuerzas de Prío, y también en el movimiento estudiantil y en la izquierda no comunista.

Es a un par de cuadras de una tienda de abarrotes, llamada
La Antilla,* en el departamento C del número 49 de la calle
Emparán, en el centro de la Ciudad de México, en la casa de
una emigrada cubana amiga de los Castro, María Antonia González, casada con el luchador de lucha libre mexicano Avelino
Palomo, alias Medrano, donde se crea el centro fundamental
de contacto. Si las revoluciones por hacerse tienen corazón y
cabeza, sin duda también tienen hogar.

Allí, y a otras casas de seguridad en la Ciudad de México,
arribarán Gino el italiano, un ex partisano que ha hecho la resistencia antinazi durante la guerra mundial con la guerrilla del
Véneto y que reside en Cuba; el moncadista Ciro Redondo; Miguel Sánchez, conocido como el Coreano por haber combatido
en la reciente guerra con el ejército norteamericano; Guillén
Zelaya, el único mexicano; Calixto García, uno de los primeros
exiliados, que intentó ser beisbolista en México y terminó como
extra de cine; el dominicano Ramón Mejía del Castillo, mejor
conocido como Pichirilo...; y el flaco y espigado Ñico López
Fernández, un ex combatiente del 26 de julio en Bayamo, exilado de todos los exilios, de Cuba a Guatemala donde se había
hecho amigo de Ernesto Guevara, exilado en México durante
un año, de retorno en Cuba para fundar el Movimiento, recla-
mado por Fidel como indispensable nuevamente en México; el
campesino de Matanzas y ex comunista Universo Sánchez; y
Ramiro Valdés, de una familia pobre de Artemisa, quien tenía
en su gloria haber tomado una de las postas del cuartel Moncada.

El también ex combatiente del Moncada, Juan Almeida,
describe:

> El apartamento es pequeño, apretado, como si
> en la noche anterior hubieran dormido muchas

---

* El nombre de la tienda era Las Antillas. *(Salvo indicación en contrario, todas
las notas aclaratorias que aparecen a pie de página son de la Oficina de Asuntos
Históricos del Consejo de Estado.)*

personas en aquel lugar. Cuando en una casa duermen más de tres, cuesta mucha exigencia para que recojan las cosas temprano. Es un local sencillo de sala, comedor, un dormitorio, baño, cocina pequeña y un patiecito largo y estrecho. Hay camas plegables distribuidas entre la sala y el comedor, algunas más en el cuarto. Después conocimos que se ponen de noche y se quitan de día.

Al inicio de febrero del 56, Faustino Pérez,* un médico que era cuadro clave de la dirección del Movimiento 26 de Julio, había viajado a México con ocho mil dólares, resultado de las penosas colectas en Cuba. Durante la estancia de los cubanos en México el peso se devaluó a 12,50 por dólar, es la única vez que una devaluación sirve a una causa popular, porque los fondos de los cubanos crecieron casi tres pesos por dólar.

Con este primer dinero se puede poner en marcha la red. Los recién llegados son repartidos en casas de seguridad alquiladas: Pedro Baranda 8; Insurgentes norte 5, arriba de un salón de belleza; Kepler y Copérnico, en Anzures; Cuzco 643; Morena 323, a las que se añadirían más tarde Coahuila 129 y Emilio Castelar 213...**

Se vivía de acuerdo a un "reglamento del orden interior", era una adaptación del que se había usado en la preparación del asalto al Moncada: compartimentados por grupos, sin comunicación entre sí; el trabajo casero estaba organizado por turnos y a las doce de la noche se cerraba la puerta. Las violaciones al reglamento podían ser castigadas con varios días de encierro.

La tesorería del Movimiento pagaba a los reclutas alimentación, transporte, hospedaje y diez pesos por cabeza a la semana para gastos menores. Se estimulaban los ingresos personales

* Faustino Pérez viajó a México a mediados de febrero.
** Las casas-campamento de Emilio Castelar 213 y Coahuila 129 no fueron alquiladas hasta el segundo semestre del 56.

El Che con su hija Hildita y su esposa Hilda Gadea. México D.F., 1956.

Ángel Sánchez, el Che y Carlos Bustillo. México D.F., 1956.

vía familiar o apoyos de amigos, y cada recluta debía entregar el cincuenta por ciento si lo recibido era menor de veinte dólares y sesenta por ciento si se trataba de más.

Este grupo homogéneo se enriqueció con la incorporación de cinco extranjeros, entre ellos un personaje con el que Fidel se relacionó en México desde un año antes, un doctor argentino de veintiocho años que combinaba sabiamente sus dosis de pasión política con la ironía. Ernesto Guevara se encuentra en México en calidad de superviviente, tras haber vivido muy de cerca el golpe de la CIA en Guatemala contra el gobierno progresista de Jacobo Arbenz. Está casado con Hilda Gadea, una emigrada peruana aprista (Raúl Castro fue el padrino de su boda). Vive en México en medio de los exilios latinoamericanos. Médico en el Hospital General, vendedor de libros del Fondo de Cultura Económica, fotógrafo ambulante, vendedor de juguetes durante las Navidades, Guevara será muy pronto capturado por la magia de hipnotizador de serpientes de Fidel y bautizado por los cubanos como el Che.

El encuentro inicial se produjo en la casa de María Antonia, a iniciativa de Raúl Castro, quien a su vez había conectado con el argentino gracias a Ñico López, quien había compartido el exilio con él en Guatemala. La conversación entre Fidel y Guevara duró diez horas y a los dos interlocutores les ha de quedar profundamente grabada en la memoria; allí repasaron sus versiones de América Latina, hablaron de política y, sobre todo, de revoluciones. A este primer encuentro se sucederán otros y, al final de una reunión en la calle Rhin –donde vivía con Hilda Gadea– al abandonar Fidel la casa y dejarlos solos, el Che le confiesa a su esposa que el plan de Fidel es una locura, pero una locura posible y que se va con los cubanos. La nave de los utópicos adquiere nuevos remos.

Entrenamientos y supervivencia. Fotos e imágenes.

Fotos cándidas en las que los cubanos aparecen con enormes sombreros de charro en los que puede leerse un "Viva México".

Fidel con lentes oscuros, como un gángster de película de Orol, un rostro en el que se adivina poco...

Los hermanos Cienfuegos, Osmany y Camilo,* en un cabaret, las botellas al frente, oyendo música cubana, abrazados, nostalgiando La Habana desde San Juan de Letrán.

El Che tomando fotos en el Parque España** con una Retina de 35 milímetros, que le ha prestado, para que se busque la vida, el refugiado español Rafael Castillo Baena, dueño de Foto-Taller; eso sí, sin cobrarle, "ya se la irá pagando con lo que saque de las fotos de las fiestas infantiles".

Fidel, quien apenas si puede hablar por la gripe, escribe:

> Aunque ya son las cuatro y cinco de la mañana, todavía estoy escribiendo. ¡No tengo ni idea de cuántas páginas habré escrito en total! He de entregarlo al correo a las ocho de la mañana. No tengo despertador y si me duermo, puedo perder el correo; por tanto, no me acostaré... tengo la gripe, con tos, y me duele todo el cuerpo. No me quedan cigarros cubanos, y realmente los echo de menos.

Juan Almeida comiendo tacos de carnitas frente a los carros del Tepeyac mientras pasea a su amiga mexicana de inconfundible nombre, Lupita.

Raúl Castro, a quien le ha entrado en la sangre ser torero, le da capote a la más mínima oportunidad a sus amigos, que poco a poco lo van abandonando. Le pide a María Antonia que actúe de toro. Lo suyo es una pasión sin perspectivas.

Y esta es una historia de hombres y mujeres. Mujeres, muchas mujeres, no hay misoginia en el 26. La cubana será una revolución de hombres y mujeres. Ochenta y dos han de ser los hombres que se suban finalmente en el *Granma,* sin una mujer, aún ha de pasar la oleada igualitaria de los años 60 para que las mujeres puedan participar en las luchas guerrilleras de igual a igual; pero esto no ha de querer decir que las mujeres no

---

* Camilo Cienfuegos no llegó a México hasta octubre del 56.
** El Che acostumbraba tomar fotos en el Bosque de Chapultepec, no en el parque España.

cuentan en el Movimiento 26 de Julio; el Movimiento tiene una impronta femenina, son mujeres en su mayoría las que crean las redes de financiamiento, las constructoras de infraestructura, en Cuba, en Santiago, en México. En el D.F. se destaca María Antonia, infatigable, organiza sin dinero, monta casas de seguridad y a veces paga rentas con lo que ha obtenido de hipotecar sus tiliches; Orquídea Pino, la mexicana Piedad Solís, casada con Reinaldo Benítez; Melba Hernández, una de las activistas claves en la operación del Moncada y miembro de la Dirección Nacional, que junto con su esposo Jesús Montané colabora en la creación de la infraestructura de la red mexicana y en su difícil financiamiento.

Los entrenamientos resultan a nuestros ojos un tanto absurdos, juegos de adolescentes con mucho tiempo libre y mucha disciplina, pero sin duda eran mucho más que eso, y evidentemente no fueron ineficaces: largas caminatas por la calle Insurgentes, más sesiones de remo en el lago de Chapultepec o en Tequisquiapan, ascensos al cerro de Chiquihuite o al Ajusco, a veces con carga en las mochilas.

Viviendo casi todos ellos en el centro-sur de la ciudad, se citaban en el cine Lindavista, a ocho o nueve kilómetros de sus casas de seguridad y de allí emprendían nuevas caminatas hacia Zacatenco, en el profundo norte del D.F. A cargo de estas interminables marchas en una ciudad que les resultaba exótica, estaba Arsacio Vanegas.

Fidel recordaría años más tarde que el Che era la voluntad pura, porque a pesar del asma, "todas las semanas intentaban subir al Popocatepetl". Nunca llegaba arriba, pero todas las semanas lo intentaba.

Quedan para la memoria las fotografías de las remadas del grupo en el lago de Chapultepec, que más que hacerlos parecer como el núcleo de una joven revolución a punto de desatarse, los confunden con estudiantes universitarios fugados de sus clases.

Resulta sorprendente la habilidad de Fidel, moviéndose en un medio que no le es habitual para obtener cosas: armas, botas, casas, gimnasios para entrenar, mensajeros, dinero, automóviles, contactos, transportes, sellos de correo, papel para imprimir. Sus redes se extendían de manera extraña, el luchador Arsacio Vanegas, que era amigo de María Antonia y Palomino, no solo les prestaba el gimnasio que había alquilado en las calles de Bucareli para entrenar defensa personal,* también colaboraba en labores de impresión de documentos.

Al iniciarse el año 56, Fidel consiguió un permiso para que él y sus hombres practicaran en un campo de tiro llamado Los Gamitos, en las afueras de la Ciudad de México, que era usado como centro de prácticas de clubes de cazadores. Allí los cubanos disparaban con rifles de mira telescópica contra platos, dianas o contra guajalotes vivos a quinientos metros. El que rompía un plato recibía el sonido con satisfacción, más aún el que tumbaba un guajalote, porque de premio se lo llevaba a casa.

En esa época, el coronel Bayo deja todo botado para dedicarse al entrenamiento a tiempo completo de los cubanos, abandona sus clases en la escuela de aviación, inclusive su mueblería. El módico salario que le pagan los cubanos, el mismo que al resto de los cuadros, termina devolviéndoselos. Perderá la mueblería y sus escasos ahorros en la aventura, estará además a punto de ir a la cárcel...

Finalmente, Bayo alquila un rancho en Chalco, el Santa Rosa, de nueve por dieciséis kilómetros, una propiedad de un viejo villista, al que engaña sugiriéndole que será comprada por un importante político salvadoreño, y que mientras se hacen las obras de remodelación, bien puede rentársela en una cantidad simbólica. El ex villista acepta y cobra tan solo ocho dólares. El Che habrá de ser nombrado jefe de personal del rancho, mientras Bayo está a cargo de los entrenamientos que consisten de nuevo en largas caminatas y manejo de armas.

El proceso para armar la expedición, que Fidel calcula en alrededor de un centenar de hombres, ha sido complejo. Fidel

* Arsacio Vanegas no les "prestó" su gimnasio de Bucareli para entrenar a los cubanos, sino más bien sirvió de contacto para su alquiler y como entrenador.

junto con Juan Manuel Márquez ha encontrado a un personaje clave, Antonio del Conde, rebautizado por los cubanos como el Cuate, que inicialmente por dinero y más tarde por una mezcla de solidaridad y espíritu de aventura, se vuelve un colaborador invaluable.

El Cuate es el dueño de una pequeña armería en la calle Revillagigedo 47, en el centro de la Ciudad de México, y comenzará a suministrarles armas y más tarde a armar fusiles que los cubanos compran despiezados en la fábrica de armas. Se consiguen también algunas armas en Toluca y Puebla. Jesús Reyes, Chuchú, viaja con el Cuate para hacer compras en armerías norteamericanas de la frontera. Usando una red de contrabando, estas armas se hacen llegar a la Ciudad de México. El Cuate contaba con un sótano en su casa de Cruz Verde, donde se organizó un primer almacén.

En principio se habían obtenido, entre otras, veinte automáticas Johnson, algunas subametralladoras Thompson, veinte fusiles de caza con mira telescópica, dos fusiles antitanque de calibre 50, una ametralladora ligera Máuser y una Star de culatín plegable, a más de mochilas, cantimploras y botas de Guanajuato.

Tanta actividad, y tan relativamente transparente, no podía dejar de inquietar a la dictadura y comenzó a montarse un complot para matar a Fidel. A mediados del 55 fue enviado a México un ex policía universitario de nombre bastante ridículo, Evaristo Venereo,* quien se puso a las órdenes del agregado naval de la embajada, el capitán de navío Nicolás Cartaya, con la misión de infiltrarse en el M-26. Evaristo comenzó a observar las casas donde se reunían los miembros del Movimiento, pero al ser detectado regresó a Cuba. Más tarde los servicios cubanos contrataron a un cubano que tenía cuentas pendientes con la poli –quien llevaba el singular apodo de Arturo el Jarocho– y a un venezolano, quienes se comprometieron a matar a Fidel, por diez mil dólares.

* Evaristo Venereo llegó a México en 1954.

El Che durante una de las prácticas en el campo de tiro Los Gamitos. México, 1956.

Raúl Castro. Rancho Santa Rosa, Chalco. México, junio de 1956.

Tenían un plan bastante primitivo, pero podía funcionar: secuestrarlo utilizando uniformes de la policía mexicana y luego llevarlo fuera de la ciudad y matarlo, falsificarían más tarde una carta dirigida a María Antonia donde Fidel explicara que se había tenido que alejar por misteriosas razones. Eso no solo iba a privar al Movimiento de su jefe principal, también crearía una situación de descontrol que paralizaría la invasión.

Y aquí, los historiadores cubanos cuentan que "fuentes confiables" le avisaron del plan a Fidel; y también se cuenta que otras personas le informaron al Jarocho, o a la embajada cubana, que Fidel conocía el plan, que "alguien se lo había soplado". Denunciado por las dos esquinas, el intento de asesinato se desarticulaba.

¿Quién había informado a Fidel? ¿Quién había informado a los organizadores del complot?

Conocido es que desde el inicio de la estancia de Fidel en México, funcionarios de la embajada se habían aproximado a autoridades mexicanas para sondear, denunciar, ofrecer dinero, y que muchas de estas aproximaciones habían resultado exitosas.

El México del 56 se oscurece al paso del tiempo, no es el México de dos años más tarde, cuando la insurgencia del ferrocarril, los grandes movimientos de maestros, telegrafistas, choferes, estudiantes, abrieron un espacio de disidencia social. Los primeros años del régimen de Adolfo Ruiz Cortines se caracterizaron por una profunda apatía social, persecución anticomunista, rígido control. No había en el gobierno ni el más remoto resto del cardenismo, ni por cierto mayores simpatías por los movimientos revolucionarios latinoamericanos. El golpe de la CIA en Guatemala había sido aceptado apáticamente por las autoridades mexicanas, y se toleraba la presencia en México de varios exilios. En ese clima, las abiertas actividades de los cubanos no podían ser vistas con simpatía, aunque fueran dirigidas contra una dictadura. Tarde o temprano el rejuego de los agentes cubanos habría de tocar los resortes adecuados en el aparato represivo mexicano, quien, parece ser, inició en esos días una investigación sobre los cubanos y sus posibles conexiones con el comunismo.

Hacia junio del 56, mientras la dictadura batistiana monta complots para asesinar a Fidel, este encargó al Cuate y a Jesús Reyes la compra de un pequeño barco para transportar desde el Golfo de México a los expedicionarios, de preferencia una torpedera. Ambos viajan por Estados Unidos tratando de localizar entre los deshechos de guerra un *pt boat* o algo que se le parezca. La búsqueda resulta infructuosa en medio de la chatarra bélica, entre otras cosas, por la dificultad para conseguir permisos de importación para México.*

No obstante, en una de las múltiples visitas que se hacen por el país, a la búsqueda de zonas de entrenamiento útiles para la dispersión del grupo y probar las armas, los cubanos encuentran en un embarcadero cercano a Tuxpan un yate blanco de recreo que está en venta, y que a primera vista parece un desastre, un desastre útil. El barco es propiedad de un gringo, un tal Robert B. Erickson, y aunque tiene bandera mexicana se llama *Granma* (será por la abuela del gringo). Lamentablemente solo mide sesenta y tres pies y tiene una sola cubierta. Los observadores piensan que puede ser útil para una expedición de enanos, y ni siquiera muchos.**

Sin embargo, la racha de buena suerte se corta cuando el 20 de junio del 56, las presiones de la embajada y sus aproximaciones para corromper a la policía mexicana dan resultado. Ese día se pone en marcha la maquinaria, que opera, además de con sus propios informes, con la información que le suministran los espías y los infiltrados batistianos.

En la noche del 20, Fidel se encuentra revisando la casa de seguridad de Kepler y Copérnico acompañado por Ramiro Valdés, Cándido González y Universo Sánchez; en la casa se

---

* La gestión para adquirir el *pt boat* funcionó y se pagó la primera parte de su costo, pero cuando se fue a liquidar la última para trasladarlo a México, el gobierno de los Estados Unidos negó el permiso.
** La localización del yate *Granma* no sucedió en este período, sino a fines de septiembre del 56.

encuentran Ciro Redondo y media docena, de reclutas más. De repente los cubanos se dan cuenta al mirar por la ventana, que hay unos sujetos extraños revisando el carro de Ciro, un traqueteado Packard 1942. Fidel, oliéndose lo peor, divide al grupo, sale caminando con Universo y Ramiro, y, a varias cuadras, son asaltados por la policía; Fidel trata de oponer resistencia y sacar la pistola, pero la entrega al ver que los policías armados usan como escudo a Universo y Ramiro.

Los policías les hacen un recorrido por el D.F., en el automóvil los amenazan y les piden identificación, a lo que Fidel responde que se identificará cuando proceda ante las autoridades responsables. Finalmente, los llevan a la Dirección Federal de Seguridad y, días después, a la cárcel de Miguel Schultz en la colonia San Rafael, una pequeña estación carcelaria que era el paso obligado previo a la deportación de extranjeros manejada por la Secretaría de Gobernación y, tan solo su nombre provocaba pesadillas a los exiliados y extranjeros residentes en México, sobre cuyas cabezas pesaba el fantasma del artículo 33, que permitía su deportación.

Mucho dinero debe haber movido la embajada cubana, y a niveles más que altos en el aparato de gobernación, buscando que los agentes de la Dirección Federal de Seguridad desmontaran la red de los futuros invasores, detuvieran a Fidel y a otros cuadros del 26 de Julio, los entregaran a Migración y esta dependencia los deportara a Cuba.

A Cándido González y Julio Díaz los detienen al salir de la casa y los torturan en la Sexta Delegación. Atados de pies y manos los prisioneros son sumergidos en piletas de agua helada. Al mexicano Zelaya, que llega a reclamar preguntando por ellos, también lo detienen. No serán los únicos en sufrir torturas, también Chuchú Reyes fue torturado para que dijera quién era el misterioso Cuate que les suministraba las armas.

Mientras tanto, Ciro Redondo ha logrado salvarse de las redadas, pero está preocupado porque dentro de su Packard hay un cargamento de armas. Cuando intenta abrir el coche para ocultarlas, es detenido y conducido también, junto con Benítez, a la cárcel de Miguel Schultz.

A las once de la mañana del día 21 se produce un nuevo asalto, ahora contra la casa de María Antonia en Emparán 49. Los agentes usan los mismos tres toques en la puerta que estaban acordados y que funcionaban como señal en clave. Ahí caen María Antonia y Almeida; el infiltrado Evaristo Venereo se escapa por la ventana del baño... La policía recoge documentación que le permite ubicar el rancho de Santa Rosa.

Obviamente ha habido una delación, no solo se trata de una operación policiaca, sino de acciones combinadas con los infiltrados batistianos...

En el único golpe de suerte que se produce en aquellos dos primeros días, Carlos Bermúdez, que ha contemplado la detención de Fidel, pudo enviar un aviso al rancho, donde Raúl ha tenido tiempo de esconder las armas.

Quizá la más misteriosa de las intervenciones en el *affaire* cubano es la de Fernando Gutiérrez Barrios, un ex capitán del ejército de menos de treinta años, jefe de Control e Información de la Dirección Federal de Seguridad –la policía política de la Secretaría de Gobernación–, órgano temido de un gobierno conservador, perseguidor de radicales y que no se caracterizaba por sus simpatías por los exiliados latinoamericanos. Él es el hombre con el que se entrevista Fidel en Miguel Schultz. Almeida dirá más tarde que Gutiérrez Barrios notó que se encontraba ante "gente decente" y les dio un trato delicado "para evitar una confrontación".

¿Cuál es el papel real de Gutiérrez Barrios? ¿Por qué la estima que los cubanos del *Granma* le tienen? ¿Había intervenido anteriormente en la historia? ¿Tenía que ver con el "doble soplo" que se había dado acerca del intento de atentado a Fidel? Esta es una pequeña historia dentro de la gran historia que queda aún por contarse.

Fidel, sabiendo que la policía conoce de la existencia del rancho de Santa Rosa, decide acompañar a los federales al centro de entrenamiento para evitar un tiroteo. La caravana de automóviles llega a Chalco el 24 de junio a las seis de la tarde. Ahí Fidel les pide a los combatientes que guarden la disciplina, que la policía mexicana se va a hacer cargo de todo... Son detenidos el Che, Calixto García y una docena más de revolucionarios. Se escapan Raúl y un pequeño grupo.

Los interrogatorios varían de la amabilidad a la brutalidad. El Che, al que se acusa de comunista, es amenazado con torturar a su esposa e hija; desde ese momento se niega a colaborar en los interrogatorios, diciendo que si son tan salvajes para hacerlo, no cuenten con él, que hasta ese momento les ha estado suministrando información sobre sí mismo, pero que a partir de ese momento será mudo.

Las detenciones se amplían a los colaboradores no cubanos, son detenidos el hijo de Bayo, Alberto Jr., y el escultor español Víctor Trapote, acusados de suministrar al M-26 dinamita. Finalmente se han de encontrar en la cárcel veintisiete hombres y una mujer.

La dieta carcelaria de Miguel Schultz, a la espera de lo peor, es de sopa y pan, con un frío que pela las paredes y que a los cubanos les parece mayor aún de lo que es. Frío que congela el alma. Miedo a ser asesinados, a ser deportados a Cuba, donde quién sabe qué podría suceder en las cárceles batistianas. Miedo a que todos esos meses de preparativos se fueran al diablo.

Y ahora se produce una extraña espera. Con el destino en manos de otros. Con el destino "de prestado", se diría entonces.

En el exterior, Raúl y Juan Manuel Márquez —este último retorna de emergencia desde los Estados Unidos— se hacen cargo de montar una defensa. Se localizan dos abogados, Ignacio Mendoza y Alejandro Guzmán, quienes aceptan asumir la defensa y de inmediato solicitan que se levante la incomunicación. Al mismo tiempo, aparece en los periódicos un documento firmado por Raúl y Márquez aclarando que los cubanos detenidos están en guerra con la dictadura batistiana, pero que han sido ajenos a cualquier actividad política en México.

Si la tensión es grande, la moral es aún más alta. Una de las fotos de Miguel Schultz —que no es propiamente una cárcel, sino un centro temporal de paso para emigrantes a los que se va a deportar— es festiva, es una especie de fotografía de familia,

Raúl, Fidel y Juan Manuel Márquez. Foto tomada en la zona de Toluca o en Abasolo, Tamaulipas, México, aproximadamente en septiembre de 1956.

Fidel (al centro, con espejuelos oscuros) junto a María Antonia González y otros de sus compañeros. Agachados, de izquierda a derecha: el Che, Ramiro Valdés, Juan Almeida y Ciro Redondo. Prisión de Miguel Schultz. México D.F., junio o julio de 1956.

donde abundan las sonrisas. Resalta el traje blanco del Che, tendido en la primera fila como portero de fútbol; la sonrisa blanquísima de Almeida; y la actitud orgullosa de María Antonia, en el centro del grupo, con lentes oscuros y una pequeña bandera cubana. Fidel, siempre con traje, un bigote recortado, de nuevo el pelo muy corto, apoya la mano en la espalda de Almeida. Mientras, en los patios de Miguel Schultz, de altas y carcomidas paredes de yeso, los cubanos cantan el himno nacional.

Existe otra foto de Guevara en la que se ve a un Che extremadamente joven, en camisa, sin barba ni bigote, que pasea por el patio de la prisión cargando a su hija Hilda, todavía una bebé que se chupa el dedo.

Hay una última fotografía más informal aún que las anteriores, donde se puede ver uno de los galerones-dormitorio de la cárcel migratoria: camas de metal blanco, de hospital; un tremendo caos de sillas, mesitas de noche, libros, ropa; y allí, en medio, Fidel, de traje oscuro, contempla al Che Guevara que, sin camisa, se está fajando* los pantalones. La foto ha sido tomada por el fotógrafo profesional Cándido Mayo, quien se la vendió a los agentes batistianos, y habría de aparecer años más tarde en los archivos del Servicio de Inteligencia Militar (SIM).

En esos momentos el Movimiento cuenta con un par de docenas de hombres aún en libertad. Mientras Raúl y Márquez se mueven en la clandestinidad de la Ciudad de México tratando de encontrar resortes para evitar la deportación de los detenidos, otro grupo, en el que se encuentra el mexicano Zelaya, se desplaza a Veracruz a la casa del escultor cubano J.M. Fidalgo, donde se disfrazan de estudiantes cubanos sin recursos y piden a Gobernación permiso de residencia. Más tarde se dispersan en varias casas de seguridad en el puerto. El grupo crece en esos meses cuando llegan nuevos reclutas. A pesar de que, obviamente, están vigilados y la policía los visita a fines de septiembre, no se practican detenciones.

---

* Fajar: Rodear o envolver con faja. *(Nota del Editor)*

Es entonces cuando Raúl y Márquez, desde el exterior, inician contactos por varios caminos con el ex presidente Lázaro Cárdenas para que abogue por ellos ante el gobierno. Cárdenas recibe a los defensores de los cubanos, quienes le piden que interceda ante el secretario de Gobernación, pero el ex presidente va más allá y dice que lo hará directamente con Ruiz Cortines.

El 6 de julio, las autoridades migratorias liberan a Trapote, el 9 de julio a veinte más, con una fórmula extraña: "En virtud de que la documentación migratoria estaba en vigor, han sido puestos en libertad, pero no obstante, se les ha invitado a abandonar el país en vista de que violaron su condición migratoria". Quedan en libertad, pero vigilados, Universo Sánchez, Ciro Redondo, el hijo del coronel Bayo y varios más, con la simple obligación de ir a firmar una vez a la semana. Permanecen, pues, encarcelados Fidel, el Che y Calixto García. Los dos últimos por tener vencida su documentación migratoria. Parece ser que el gobierno mexicano no quiere cargar con el paquete de hacerle un favor público a la dictadura de Batista, y tampoco le atrae la idea de liberar a la totalidad de los revolucionarios cubanos. Ahora se trata de establecer el principio del poder, la respuesta al obsesivo "¿quién manda aquí?", que ha sido el maniaco sentido final de la política mexicana desde los años 40. Y como no son nunca caminos directos los que conducen a Roma en las tierras mexicanas, se le hacen a Fidel ofertas de una benévola deportación al Uruguay, a las que el dirigente del 26 se niega, puesto que desarticularían los planes de la invasión.

El 24 de julio Fidel sale libre. ¿Cuáles fueron los términos de la negociación? ¿Fue suficiente la presión del ex presidente? Fidel se compromete con sus dos compañeros que permanecen como rehenes a no abandonarlos, a no iniciar la expedición sin ellos. Se rumora que hay una fuerte "mordida" por el medio, pero los rumores no tienen base porque la tesorería del Movimiento está en la ruina; el caso es que más de tres semanas después, el Che y Calixto abandonan la cárcel de Miguel

Schultz. Hay constancia de una entrevista final de Fidel con Lázaro Cárdenas en la casa del jefe de sus ayudantes, Luis Sánchez Gómez, pero no se conoce el diálogo que allí se produjo.

Forzados a una clandestinidad más rigurosa, con las casas de seguridad quemadas, sin fondos, obligados a obtener nuevos domicilios y a reorganizar el entrenamiento, entre el núcleo de exilados comienza un movimiento frenético para fortalecer la seguridad, proteger las armas que se han salvado y reconstruir las finanzas del Movimiento.

Se intenta establecer un campamento en Mérida y varios en el D.F. María Antonia se encarga de la red de domicilios, tiene que empeñar bienes y ropa propios en el Monte de Piedad para sufragar gastos.

Simultáneamente se produce la fase final del reclutamiento. A fines de octubre retorna de La Habana el médico Faustino Pérez. Se suma Camilo Cienfuegos, quien al principio no es aceptado porque, persiguiendo el rumor de que "algo grande se cocina en México", se lanzó a descubrirlo para participar en ello desde su exilio en los Estados Unidos. El hecho de que no venga avalado por las redes del 26 de Julio genera una particular desconfianza, aunque habla de él su pasado de activista en el movimiento estudiantil contra la dictadura.

Pero no solo llegaban los militantes para nutrir las fuerzas de la invasión, también apareció por México una nube de agentes del Servicio de Inteligencia Militar, que, entre otras cosas, tomaban fotos en el aeropuerto a los que llegaban. Así se produjo un incidente en enero de 1956, en el que Raúl Castro le arrebató la cámara a un agente, lo insultó y lo obligó a replegarse.

A lo largo de estos últimos meses se efectúan varias entrevistas claves, que definen las relaciones de los futuros invasores con las fuerzas sociales opositoras en el interior del país. Reuniones cordiales, pero en las que Fidel no renuncia a cambiar o posponer su plan ante las presiones.

El primero de estos encuentros, y quizá la más importante, sucede en los primeros días de agosto cuando Frank País, un joven maestro de escuela y el hombre clave en la organización revolucionaria en el oriente cubano, se entrevista por primera vez con Fidel. Frank fue reclutado por el Movimiento 26 de Julio tras la salida de Cuba de Fidel; los dos personajes no se conocen. Frank es partidario de posponer la invasión hasta que las redes urbanas que se han estado creando estén mejor preparadas, para hacer coincidir un movimiento insurreccional con el desembarco. Fidel se mantiene fiel a sus promesas políticas. Ambos salen muy bien impresionados de la entrevista. En Frank, Fidel ha encontrado al coordinador urbano que el 26 necesitaba. Los marcos generales de la acción combinada quedan establecidos ahí. Una insurrección se producirá en paralelo con el desembarco.

Es también en agosto cuando Fidel se entrevista con la otra figura central de la oposición en Cuba, el dirigente estudiantil y del Directorio Revolucionario, José Antonio Echevarría. En agosto del 56 se firma entre ambos una carta común y se traza un pacto de coordinación revolucionaria. Fidel avisa de sus intenciones al Directorio y este se compromete a apoyar con acciones armadas el desembarco en La Habana, su zona de máxima influencia.

Un último contacto se produce en esos meses, esta vez con representantes del movimiento comunista, miembros del Partido Socialista Popular (PSP), en particular con el dirigente estudiantil, compañero de Fidel en la Universidad de La Habana, Flavio Bravo. De la entrevista salen acuerdos de coordinación mínimos, porque, en principio, el PSP está en contra de la idea de la invasión y quiere convencer a Fidel y al Movimiento 26 de Julio de las bondades de la política de un frente amplio opositor a la dictadura, con acciones cívicas. Fidel hace oídos sordos.

En septiembre, Fidel decide que no puede demorar más la compra del barco que llevará a la expedición y, a falta de algo mejor, se decide optar por el *Granma*. Ahora el problema es el precio. Erickson pide diecisiete mil dólares, que incluyen la venta del barco por quince mil y la condición de que se lleven

El Che con su hija Hildita en el patio de Miguel Schultz. México D.F., 1956.

Celebrando el cumpleaños 25 de Raúl, en casa de María Antonia González. De derecha a izquierda: Luis Crespo, Raúl, María Antonia y Héctor Aldama; debajo: Horacio Rodríguez. México D.F., 3 de junio de 1956.

por otros dos mil una casita en las márgenes del río Tuxpan, que le sería inútil al dueño una vez que se haya librado del barco. Fidel apela al ex presidente Prío Socarrás, exilado en los Estados Unidos, y del que no tiene una buena opinión, un politiquero más en el exilio; pero estos no son momentos de hacerle asco a los apoyos posibles y, sin barco, no hay expedición. "Sería la única colaboración que aceptaríamos", le dirá al periodista norteamericano Herbert Matthews meses más tarde.

Antonio del Conde, el Cuate, actúa como comprador, e inmediatamente comienzan los trabajos de acondicionamiento del yate, donde pueden caber unas veinticinco personas. Hay que aumentarle la potencia a los dos motores diesel Grey General y despejar el espacio para llevar un número mayor de expedicionarios.

Un grupo comandado por el Cuate –quien contrata algunos mecánicos– cambia y afina los motores, arregla los desperfectos, porque el yate estaba bastante lastimado a causa del naufragio que había sufrido en el 55 durante un ciclón; se añaden tanques de agua, y se desmantela obra muerta y lastre inútil.

Fidel renta un nuevo rancho en Abasolo, Tamaulipas, por su condición remota, y se nombra a Faustino Pérez responsable militar. A finales de octubre se concentran allí dieciséis de los futuros expedicionarios. Luego, veinte más.

No está exento de tensiones este impulso final. En la Ciudad de México siguieron los allanamientos. A mediados de noviembre la policía mexicana les incauta un cargamento de armas y caen dos casas de seguridad. Fidel anda diciendo a todo aquel que le quiera oír que hay que salir, aunque sea con diez armas. El 21 de noviembre se producen dos deserciones en el rancho de Abasolo y esto pone en peligro todo el plan. Fidel toma la decisión de que la salida será el 25. El mensaje, enviado a Cuba después de partir el yate, pondría en marcha los preparativos de una insurrección en Santiago de Cuba.

La orden de movilización circula entre los grupos dispersos de los futuros invasores a partir del 22 de noviembre. La cita es el 24 en un embarcadero, río Tuxpan arriba, a pocos kilómetros de un pequeño puerto en el estado de Veracruz.

El aviso de salida debe haber sido imprevisto. El Che, que se encontraba refugiado y clandestino en un cuartico de azotea de unos amigos revolucionarios guatemaltecos, deja la cama deshecha, la bombilla de mate tirada y los libros abiertos. Días más tarde, cuando sus amigos se inquietan y abren el cuarto violentando el candado, descubren los restos de sus lecturas finales en México: varios textos marxistas, un libro de Arciniegas y un manual de cirugía de campaña. El grupo que se encuentra de paso en Tecolutla, procedente de Veracruz y Jalapa, abandona el hotel dejando sus pertenencias y, quizás, sin pagar la cuenta.

El 24 de noviembre, finalmente y bajo la lluvia, los expedicionarios se concentran en Tuxpan. Hombres que arriban tras kilométricas jornadas en autos u ómnibus de la Ciudad de México, de Veracruz y Jalapa, de Ciudad Victoria, donde se habían concentrado en hoteluchos los reclutas que antes estaban en el rancho de Abasolo. A causa de una confusión organizativa, un pequeño grupo al mando de Héctor Aldama se queda varado en el hotel Aurora de Poza Rica; nunca han de recibir la orden de movilización.

En la memoria de Faustino Pérez: "el silencio de la medianoche solo era violado por el mortificante y persistente ladrido de los perros alarmados de la vecindad".

Hay un pequeño grupo que actúa como comité de despedida. Melba Hernández, Piedad y Antonio, el Cuate, observan cómo el pequeño yate se va llenando de hombres. Los voluntarios suben atropellándose al barco, porque ha corrido el rumor de que no van a caber en un bote tan pequeño y muchos pueden quedarse en tierra. Después de tantos meses de espera nadie quiere marginarse.

Cubierto con una larga capa, Fidel supervisa durante las primeras horas las operaciones de carga. Las provisiones eran escasas: dos mil naranjas, dos jamones rebanados, cuarenta y ocho latas de leche condensada, una caja de huevos, cien tabletas de chocolate y cuatro kilos de pan.

A la una y treinta de la noche del 24 al 25, los dos motores del *Granma* se ponen en movimiento. El barco abandona el

55

espigón –una simple tabla apoyada en la orilla– con las luces apagadas. La navegación está prohibida a causa del mal tiempo, un norte azota el Golfo de México. Hay lluvia constante y un fuerte viento. Sánchez Amaya, uno de los expedicionarios, recuerda: "En aquel pedazo de tabla no se podía dar un paso".

Van ochenta y dos hombres en el yatecito, amontonados, codo con codo, arrebujados contra el frío de su última noche mexicana. Son guapos, pero se encuentran en un estado a medio camino entre el desconcierto, el miedo y la esperanza. Y son guapos no en el sentido castizo español o mexicano de la palabra, sino en el sentido cubano de valientes, echados para adelante. Y están guapeando al proponerse derrocar a una dictadura militar con esos ochenta y dos hombres mal armados en ese barquito frágil. Y este guapear final es el último equívoco en el abandono de México, donde ser guapo no es ser valiente, y ser pendejo es ser pendejo y no cobarde. Se terminan un par de años de dudas, de construir una empresa imposible. Como se decía entonces, "ahora Dios dirá".

Durante media hora el *Granma* navega por el río Tuxpan hacia la desembocadura que se encuentra en la boca del puerto, sorteando un faro y un puesto de la marina mexicana, para salir a mar abierto, donde la tormenta les pega fuerte y se van dando bandazos.

En el amasijo de hombres que era el *Granma*, trabajo le tomó al Che encontrar las pastillas contra el mareo perdidas en un botiquín oculto entre los bultos de armas y las mochilas, pastillas que todos habrían de necesitar en las siguientes horas...

Luego, historia conocida, pero hay que volver a esas fotografías viejas para verlos por última vez. Muchos, tal como había anunciado Fidel, al final del 56 serían mártires: asesinados después del fallido desembarco, en la emboscada de Alegría de Pío, en la persecución en Macagual o en río Toro... Muchos terminarían la expedición en la cárcel; otros más, los menos, serían libres en la Sierra Maestra.

Pero ahora, el *Granma* va bailando sobre las olas y sometido a las inclemencias del norte que azota el golfo; y México se queda atrás, en una memoria que con el paso del tiempo, para los protagonistas de la historia, resultará benévola, en la que se recordarán las ayudas y las sonrisas, y no las mordidas y los policías que torturaban; las largas caminatas por Insurgentes y los tacos, y no el frío y la soledad. Quedará en la memoria la entrevista con Cárdenas, y no los patios de altas paredes de la cárcel de Miguel Schultz.

Paco Ignacio Taibo II

Raúl y el Che. Sierra Maestra, 1957.

RUMBO A
LA SALIDA DEL SOL

Domingo 2 de diciembre

El amanecer sorprende al yate *Granma* frente a la costa de Los Cayuelos, a unos dos kilómetros al suroeste de la playa de Las Coloradas, punto previsto para el desembarco de los expedicionarios. Atrás ha quedado una semana de azarosa travesía.

Las primeras anotaciones del diario de campaña de Raúl Castro se refieren precisamente a estos siete días de navegación:

La noche del 24 de noviembre llegamos al pueblo de [hay un espacio en blanco: se trata de Tuxpan]. A la 1 y media o dos de la madrugada, partimos a toda máquina; una vez mar afuera, cantamos 2 himnos. Al poco rato, por mar picada, todo el mundo vomita y se sienten mareos. La segunda noche es la peor, nadie comía, poco a poco se van recuperando. Solo un día y una noche fueron de calma. Hay que racionar los alimentos y el agua. Se pasa hambre. Iban 82 a bordo [...]

Por la tarde [del sábado 1 de diciembre] se les explicó la situación y el plan a grandes rasgos. Por la planta de radio receptora oíamos al Estado Mayor de la Marina y sabíamos la posición de los barcos. Una colilla de cigarro tenía un valor incalculable. Todo el mundo uniformado y con sus respectivas pertenencias, toman posiciones en todos los lugares de nuestro pequeño barco, para batirnos, era la orden, contra cualquier obstáculo que nos encontráramos en la recta final.

Como a las 10 de la noche cae [Roberto Roque] al agua turbulenta, y sin gasolina para luz, la premura y solo buscándolo con una linterna, se estuvo a punto de abandonar la búsqueda, hasta que un grito desesperado de él nos indicó más o menos el lugar donde estaba, tragó mucha agua; en un mar agitado, y con botas, estuvo más de 25 minutos.

Una revisión de los tanques revela que queda combustible para apenas unos minutos de navegación. Fidel pregunta al capitán:

—¿Ese es el territorio firme de Cuba? ¿Tú estás absolutamente seguro de que no estamos en Jamaica ni en un cayo?

—Sí.

—Bueno, entonces ponme los motores a toda velocidad y enfila por ahí mismo hacia la costa, hasta donde llegue.

Así se hace. El *Granma* encalla en el fango a unos sesenta metros de la orilla.

Aproximadamente a las seis y media de la mañana comienza el desembarco. Raúl Castro se queda a bordo hasta el final con su pelotón, el de retaguardia. El avance se dificulta mucho. Los expedicionarios resbalan, se atascan, se hunden. El agua les llega al pecho o la cintura. Algunos, de estatura más pequeña, apenas pueden sacar la cabeza. Al cabo de un rato, exhaustos, empapados y cubiertos de fango, los ochenta y dos hombres van llegando a las primeras raíces de los mangles.

El lecho fangoso del manglar es movedizo y traicionero. Una nube de jejenes y mosquitos se cierne sobre cada uno de los hombres y los azota.

Al fin, la vegetación va cambiando. Han entrado en un terreno más arenoso. Luis Crespo hace las veces de vigía y descubre a lo lejos una línea de cocoteros, indicio de la tierra firme. Más adelante observa una casa y hacia ella se encamina el grupo donde va Fidel.

Raúl narra en su diario de campaña el enfrentamiento a este primer enemigo de los expedicionarios del *Granma*:

Como a las 5:30 o 6:00 a.m., por equis motivos, se tomó en línea recta y encallamos en un lugar lodoso para meternos en la peor ciénaga que jamás haya visto u oído hablar de la misma. Me quedé hasta el último tratando de sacar la mayor cantidad de cosas, pero después, en aquel maldito manglar tuvimos que abandonar casi todas las cosas. Más de cuatro horas sin parar apenas, atravesando aquel infierno. [...] Me iba encontrando, a lo largo del camino, compañeros casi desmayados.

Los primeros combatientes, agotados, pisan tierra firme más de dos horas después de haber penetrado en el manglar. Poco a poco va saliendo el contingente, cada grupo por un lugar distinto.

—No tenga miedo –le dice Fidel a Ángel Pérez Rosabal, el dueño de la casa que ha descubierto Crespo–. Yo soy Fidel Castro. Estos hombres y yo venimos a libertar a Cuba.

El campesino ofrece preparar algo de comer. Busca un puerquito, dispuesto a sacrificarlo, pero en ese momento se escuchan unas detonaciones provenientes de la costa. Se trata del guardacostas 106 que llega desde el noreste.

Pero la tropa expedicionaria no puede saber si el cañoneo es el preludio de un ataque por tierra. Fidel da la orden de reiniciar la marcha. Son ya algo más de las once de la mañana.

Fidel ha impartido la orden de avanzar a toda costa, aun en caso de dispersión, hacia la Sierra Maestra, para llegar a ella cuanto antes.

La anotación completa correspondiente a ese día, la primera en el diario de campaña del combatiente Ernesto Guevara, expresa con su laconismo característico:

Cae Roque al agua. Desembarcamos en un manglar, perdemos todo el equipo pesado. Se extravían 8 hombres encabezados por Juan Manuel Márquez. Caminamos poco sin guía en el bosque.

Alrededor del mediodía, la columna pasa junto a un ranchón y un pozo; poco después hacen un alto en el claro de un pequeño bosque. Extenuados y hambrientos, los expedicionarios descansan.

Durante toda la tarde sobrevuelan y ametrallan la zona una avioneta de reconocimiento Beaver y dos aviones de la Marina de Guerra. Raúl anota:

Hicimos tiempo por los alrededores, hasta bien avanzada la media tarde, para ver si aparecían los compañeros, con un avión constantemente dando vueltas y a cosa de 2 kilómetros de nosotros empezó a ametrallar el bohío donde pensábamos comer algo.

Raúl concluye las anotaciones de ese día con estas palabras:

Avanzamos por una manigua de mucha hierba, pero de pocos árboles. Había que tirarse en el suelo a cada rato. Ese día no habíamos probado bocado alguno de comida. Estuvimos dando varias vueltas completamente perdidos, hasta que valiéndose de las orientaciones del primer campesino pudimos orientarnos algo. Dormimos todos extenuados esa noche y sin comer (74 h). Faena inmensa la de ese 2 de diciembre.

Lunes 3 de diciembre

Amanece el día 3 de diciembre. A media mañana, en El Mijial, la vanguardia llega a la casa de Zoilo Pérez Vega, conocido en la zona por Varón Vega. La familia prepara comida. Matan unas gallinas, hacen caldo para los más débiles, cocinan yuca y ofrecen ricos panales de miel. Raúl escribe:

Al levantarnos sentíamos como si la tierra se moviera; eran los efectos del barco que aún nos duraban. Seguimos camino en fila india. El avión Catalina de la Marina nos obligaba a escondernos a ratos.

Al final de un camino de zona maderera y carbonera, nos encontramos con el bohío de un campesino joven [José Rafael Pérez Vega], su señora y dos niños de 9 a 12 años. Distribuimos las extenuadas escuadras en plan de lucha, todo el mundo completamente extenuados, serían como las 11 de la mañana. Mataron gallinas y con un trocito de carne de gallina y yuca abundante y miel de postre, fue nuestra primera comida caliente desde el 25 de noviembre por la madrugada que salimos de México. Allí recibimos algunas noticias: el ametrallamiento de los bohíos el día anterior y la amenaza de bombardearlos a las 12 del día siguiente; que habían matado al jefe de la policía de Santiago (después resultó ser J. P. [el jefe de la policía] Marítima); que hubo choques en Guantánamo; confirmada la noticia del ataque a la cárcel de Boniato; etc. Estas noticias nos las dio el joven campesino, que las había oído su papá en un radio de otro bohío.

Los guerrilleros toman agua hasta saciarse y prosiguen la marcha poco después del mediodía. Raúl anota:

Momentos antes de partir, detuvimos a un campesino leñador que pasaba por allí [Fidencio Labrada] y partimos con dos guías voluntarios y el detenido, como a la 1 y 30 p.m. Solo en el Estadó Mayor se sabía hacia dónde iríamos. Ya oscureciendo, y después de una agotadora jornada con varios intervalos de pequeños descansos, por un camino muy bien protegido por los árboles que lo cubrían arriba, llegamos a un claro del bosque donde tres campesinos estaban haciendo carbón, pero resultó que cuando estos vieron a nuestra vanguardia, con el negrito Armando [Mestre], camuflado con hierbas en la cabeza y una ametralladora en la mano, se dieron a la fuga dejando hasta las hachas. [...] Inmediatamente los muchachos acamparon (el grueso) en el bosque y un grupo fue a preparar comida al bohío de los carboneros que estaba en un claro como a treinta metros del lugar. El menú fue: unas cucharadas de arroz blanco con frijoles negros. Aquello fue un pequeño y delicioso banquete. Yo me separé de mi pelotón y requisé algunas bobe [boberías] que nos hacían falta: azúcar, papas, boniatos, cebollas; nos habíamos encontrado allí una gran factura y algunos cigarros y tabacos. Yo preparé en el jarro de mi cantimplora unas cucharadas de azúcar parda y arriba de eso le eché mi ración de frijoles y arroz, los revolví y resultó un tremendo plato.

Antes de retirarse del lugar, los combatientes dejan, atado a un palo cerca de la puerta del bohío de los carboneros, un billete de cinco dólares y una nota que dice: "Por los víveres". Primera ocasión en que aplicarán una política que será mantenida durante toda la guerra: insistir invariablemente en pagar todo lo que la tropa consumiera de los magros recursos de las familias campesinas de la Sierra. Junto al trato respetuoso y la ausencia

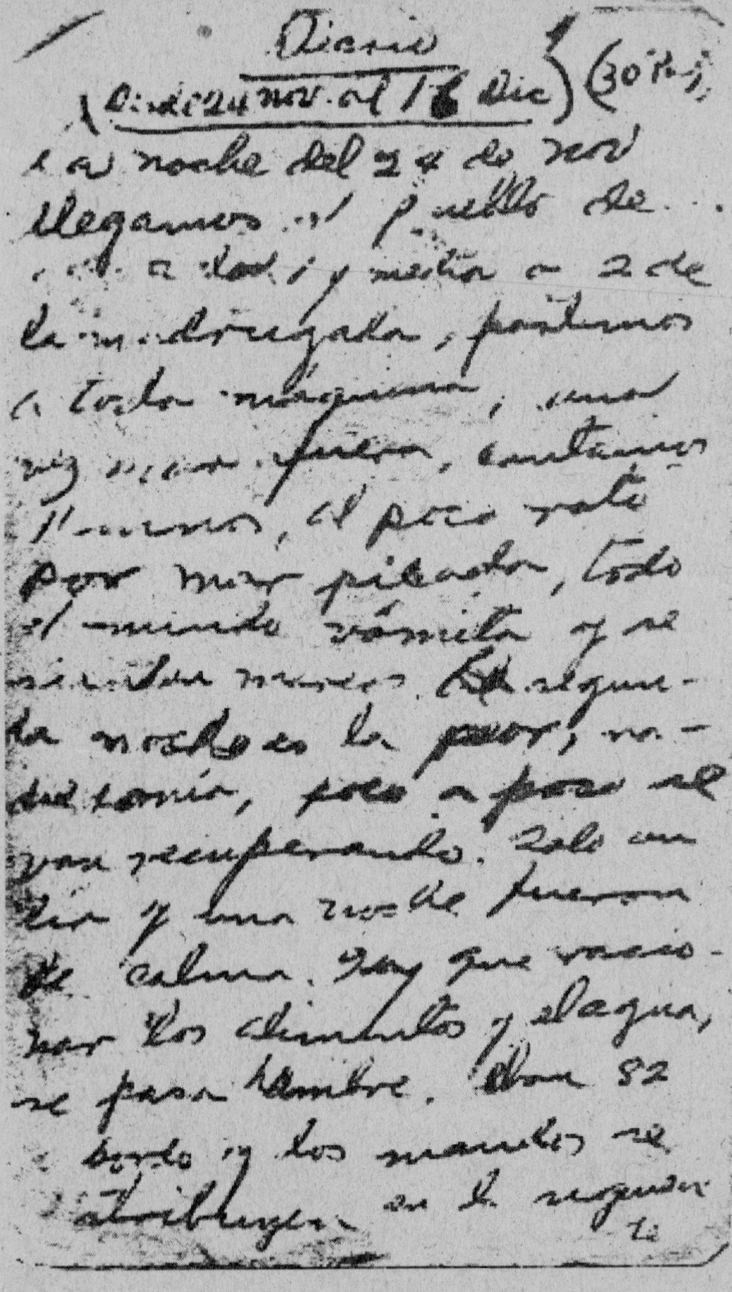

Diario
(Diario del 24 nov. al 16 dic) (30 pág.)
La noche del 24 de nov
llegamos al pueblo de [illegible]
[illegible] a las 1 y media o 2 de
la madrugada, partimos
a toda máquina, unos
[illegible] [illegible], contamos
[illegible], al poco rato
por mar picado, todo
el mundo vomita y se
sentían mareos. La segun-
da noche es la peor, [illegible]
[illegible], solo a poco se
van recuperando. Solo un
día y una noche fueron
de calma. Hay que racio-
nar los alimentos y el agua,
se pasa hambre. Somos 82
a bordo y los mandos se
distribuyen en la siguiente

Facsímile de la primera hoja del diario de Raúl.

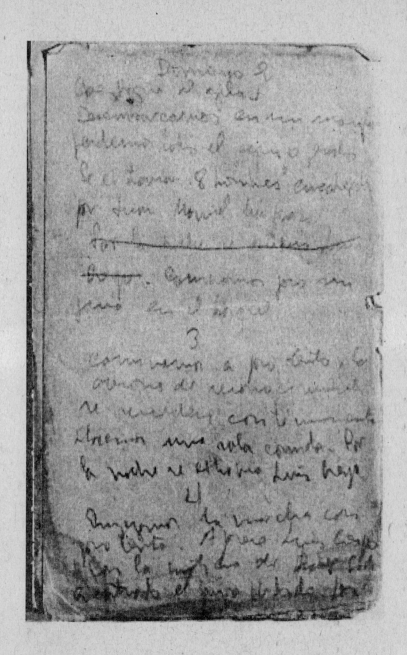

Facsímile de la primera hoja del diario del Che.

absoluta de abusos, vejámenes y violencia contra la población de la montaña, esta política pronto establece un marcado contraste con la conducta de las fuerzas represivas de la tiranía que no pasa inadvertida para los humildes pobladores campesinos de la Sierra.

El Che resume así los acontecimientos del segundo día en tierra cubana:

Caminamos a paso lento, los aviones de reconocimiento se suceden continuamente. Hacemos una sola comida. Por la noche se extravía Luis Crespo.

Raúl escribe:

Partimos con la tristeza de perder a un compañero más, Luis Cr. [Crespo]. Ya habíamos perdido a 9 compañeros por extravío, sin tener un solo combate. Debido a lo espeso del bosque, no pudimos separarnos mucho del bohío, así que acampamos cerca, distribuimos las guardias y a dormir. Se sentían unos cangrejos grandísimos caminar por las malezas que parecían tanques de guerra pequeñitos.

Martes 4 de diciembre

La noche no ha transcurrido tranquila en el campamento de la columna expedicionaria. A la ansiedad por llegar a la Sierra Maestra se suman las informaciones recibidas de los campesinos acerca de la movilización de las fuerzas de la dictadura y el cerco tendido por los guardias. Durante la noche se escuchan unos tiros.

Al amanecer, apenas la columna se ha puesto en movimiento, aparece Crespo con el campesino Augusto Cabrera. Traen la noticia de que el grupo de Juan Manuel está a salvo en casa de Augusto.

Raúl anota:

Yo iba completamente detrás de mi pelotón cuando me avisaron de la retaguardia de que siguiendo nuestro camino se acercaban desconocidos. Di orden de alto y cuando fuimos

a ver, fue grande nuestra sorpresa al reconocer a Luis Cr.
[Crespo]. Y a un buen campesino que lo acompañaba cuyo
nombre en clave es Aug. [Augusto] (con el apellido del com-
pañero Israel) [Cabrera]. Habían pasado la noche comple-
ta localizándonos, y mejor todavía era la noticia de que en
casa de este campesino estaban los ocho compañeros que
se perdieron desde el primer día. Inmediatamente partieron
Luis Cr., Chibás [Andrés Luján] y el campesino a buscarlos.
El Estado Mayor parte hacia adelante con dos escuadras
de automáticos y una de mirillas. Los demás esperamos aquí
el regreso de los perdidos, y mientras, escribo estas líneas
en la espera. [Raúl] Suárez me ofrece media papa cruda
con azúcar parda y [David] Royo me comenta muy sabicho-
so: "aparecieron porque hoy es 4 de diciembre, día de Santa
Bárbara", al mismo tiempo que se tocaba el pecho.

Poco después de las ocho de la mañana, en medio de la alegría general, se produce el reencuentro del grupo extraviado.
Fidel da la orden de reemprender la marcha.

En el diario de Raúl, la jornada se refleja en estos términos:

Partimos en fila india todo el destacamento. Íbamos por un
camino que después se convirtió en vereda. En poco tiempo
tuvimos que ocultarnos más de treinta veces de los aviones.
Torcimos por un trillo muy bien protegido arriba y al poco
rato salimos a un claro donde se hacía carbón.

Han llegado a la casa que comparten Jesús Luis Sánchez y
Alfredo Reytor, en Agua Fina. Se calman momentáneamente
el hambre y la sed. A la caída de la noche el destacamento
continúa la marcha, siempre hacia el este.

Relata Raúl:

Inmediatamente después de oscurecer, partimos. Tomamos
dos guías voluntarios [Jesús Luis y Pancho Capote], a los
que se despidió después de un buen tramo y los despista-
mos porque por una guardarraya de un cañaveral torcimos
hacia otro rumbo del que ya teníamos conocimiento: con-
sistía en ir por las guardarrayas a la izquierda y el lindero

del bosque a la derecha, y desde ahora caminaríamos siem-
pre de noche y dormiríamos de día. Cuando hubiéramos
dejado atrás toda esa zona, doblaríamos hacia el noreste y
cruzaríamos un llano de cañaverales como de treinta kiló-
metros. A las doce de la noche nos acostamos en el caña-
veral durante cuatro horas.

El Che escribe ese día:

Empezamos la marcha con paso lento. Aparece Luis Crespo
con la noticia de haber solo encontrado el grupo perdido.
Los esperamos y continuamos lentamente hasta Agua Fría
[Agua Fina] donde comimos. Salimos por la noche y ca-
minamos hasta las 12:30. Hacemos un alto en un cañaveral
3 horas. Se come mucha caña y se dejan rastros, camina-
mos hasta el amanecer.

Han llegado a las cañas de Alegría de Pío.

Miércoles 5 de diciembre

El batey de Alegría de Pío está situado aproximadamente al
noreste de Agua Fina. Es en el borde sur de los cañaverales, en
el límite del monte, donde acampa la columna expedicionaria
en la mañana del 5 de diciembre.

  El lugar escogido para el campamento no es el más idóneo.
La vegetación no es lo suficientemente densa como para ocultar
por completo la presencia de los expedicionarios. Detrás de la
posición que ocupa la columna, una ligera elevación del terreno
impide observar un avance del enemigo en esa dirección. No
obstante, se decide acampar en vista del agotamiento general
de la tropa a causa de las jornadas anteriores.

  El vuelo de las avionetas es constante. A poca distancia
de allí, el ejército ha establecido su puesto de mando en el
batey. Desde el día anterior han estado arribando guardias a
la zona. En la mañana del día 5 llegan refuerzos en camiones.
Un informante les confirma al mediodía la presencia de los
revolucionarios por los alrededores.

A media tarde se prepara la comida en el campamento. Leamos el relato de Raúl:

Seguimos caminando en la misma forma hasta poco después de las seis de la mañana que empezó a aclarar. Acampamos en un pequeño cayito de árboles pequeños que hace esquina con un cañaveral y en la parte de atrás tenía otro cañaveral más pequeño, que quedaba entre el monte firme y el cayito nuestro. Teníamos que pasar el día completo allí y no moverse para nada. Se designó un miembro de cada escuadra para que buscara caña, que estaba a 15 ó 20 metros, por eso se escogió el lugar. A las 4 p.m. se nos entregó medio chorizo y una galleta a cada uno. En la escuadra de mi pelotón donde yo estaba, también comimos 1 salchicha de lata y un traguito de leche condensada por cabeza. Serían las cuatro y media de la tarde cuando vino la hecatombe: parece que las guardias de postas eran muy pocas y estaban prácticamente dentro del improvisado campamento, y la cuestión es que fuimos sorprendidos por el ejército, y como a esa hora, de nuestra tranquilidad nos sacó un disparo primero y después una descarga cerrada, degenerando en nutrido tiroteo que duró largo rato. Como las balas atravesaban el follaje de los arbolitos que nos protegían y muchas picaban y silbaban cerca de nosotros, la confusión y el correcorre eran tan grandes, que de lo único que tuve tiempo fue de agarrar mi canana de balas y mi fusil, dejando abandonada, como todo el mundo, la pesada mochila.

Una compañía de soldados reforzada –alrededor de ciento cuarenta hombres– se había acercado a la posición por entre la caña y las hierbas del campo. La pequeña elevación del terreno se interponía entre ambos grupos. Los guardias se desplazaban en fila india y el contacto con los expedicionarios los sorprendió tanto como a estos.

A causa de la posición inicial del enemigo, al otro lado de la altura, el tiro por ambas partes era generalmente alto. El jefe de la tropa enemiga, capitán Juan Moreno Bravo, ordena un alto el fuego e intima a los combatientes a la rendición.

—¡Aquí no se rinde nadie! —grita el jefe del pelotón del centro, Juan Almeida, quien se desplaza de inmediato hacia la posición que ocupa el Estado Mayor en busca de órdenes. Lo mismo dice Camilo Cienfuegos cuando algún expedicionario sugiere rendirse.

Se reanuda el combate. Agachado junto a un árbol, Raúl Suárez dispara con furia. De pronto, lanza un grito de dolor. Una bala le ha destrozado la muñeca izquierda. Faustino Pérez le venda la mano lo mejor que puede. José Ponce cae con un balazo en el pecho y se retira ayudado por otro combatiente. Emilio Albentosa es herido gravemente en el cuello, pero logra también internarse en la caña.

El Che, que ha soltado la mochila de medicinas que traía a cambio de una caja de balas abandonada por otro combatiente, se incorpora para encaminarse al cañaveral y recibe un impacto a sedal en el cuello que lo hace caer al suelo. Faustino se le acerca y lo ve cubierto de sangre. Le parece tan grande la hemorragia que piensa que la bala le ha partido la arteria yugular o la subclavia, lo cual en esas condiciones significa la muerte.

Humberto Lamothe se ha quitado las botas poco antes del inicio del combate. Tiene los pies destrozados y está tan exhausto que casi no puede mantenerse en pie. Al igual que Oscar Rodríguez e Israel Cabrera, no logra escapar. Quizás dos, de estos tres combatientes, mueren en la acción. El tercero es posiblemente herido grave y asesinado después por los soldados. Para el enemigo, son las tres primeras bajas que logra infligir al contingente expedicionario. Para la historia, son los tres primeros mártires del *Granma*.

El desplazamiento del fuego enemigo indica que los guardias se están desplegando con la intención de rodear a la columna revolucionaria. Desde el cañaveral, del otro lado de la guardarraya, Fidel continúa disparando mientras intenta reagrupar al destacamento para realizar una retirada organizada. Pero en la confusión del combate los expedicionarios pierden el contacto dentro de la caña y el contingente queda completamente disperso.

El Che apunta en su diario de campaña:

Acampamos en un bosquecito a la orilla de un cañaveral en una hondonada rodeada de sierras. A las 4:30 fuimos sorprendidos por fuerzas enemigas. El Estado Mayor se retiró al cañaveral y ordenó la retirada en esa dirección. La retirada tomó proporciones de fuga. El Estado Mayor abandonó mucho implemento. Yo traté de salvar una caja de balas y en ese momento una ráfaga hirió creo que mortalmente a Arbentosa [Albentosa] y a mí de refilón también en el cuello. La bala dio primero en la caja y me tiró al suelo, perdí el ánimo un par de minutos. Pepe Ponce tenía una herida en un pulmón. Raúl Suárez en una mano. Al retirarme detrás mío quedaba el comandante [Onelio] Pino gritando rendición y [José] Fuentes en las mismas condiciones, más los heridos graves. Formamos un grupo y salimos del cañaveral. [Juan] Almeida, Ramiro Valdés, [Reinaldo] Benítez, [Rafael] Chao y yo.

Setenta y nueve combatientes se retiran del campo de batalla. Ha sido un serio revés. En la dispersión que se produce, los expedicionarios terminan divididos en veintiocho grupos. Trece combatientes quedarán solos, entre ellos Juan Manuel Márquez. Cinco y tres de los grupos están compuestos solo por dos y tres combatientes, respectivamente. En todo caso, comienza para cada uno de ellos la odisea de la supervivencia.

Grupo de Fidel

Desde el cañaveral, Fidel sigue impartiendo órdenes a los combatientes que se retiran. A su lado está Universo Sánchez. Los dos disparan con sus fusiles de mirilla. Llega junto a ellos Juan Manuel Márquez.

—Fidel –le dice a gritos entre el ruido ensordecedor de los disparos–, ya se fue todo el mundo. Hay que retirarse porque te van a coger vivo.

Comienzan a retirarse entre los surcos, en dirección general hacia el este. Avanzan a saltos, de tramo en tramo; en una de estas etapas, Juan Manuel no llega. La caña es baja y rala. Resulta peligroso permanecer en ella. No obstante, Fidel ordena a Universo que vuelva atrás a buscar al compañero. Dos veces regresa el combatiente sobre sus pasos, pero Juan Manuel no aparece. En vista de ello, siguen adelante, atraviesan varios cañaverales y pronto llegan a la guardarraya que separa el último campo de caña de un pedazo de monte.

Deciden esperar la noche para cruzar, ya que suponen, con razón, que la zona está repleta de soldados. Los dos han conservado sus fusiles, Fidel con cien balas y Universo con cuarenta. Cuando ya está empezando a oscurecer, ven acercarse una figura que de lejos parece un soldado.

—Tírale cuando esté bien cerca —dice Fidel a Universo.

Este apunta su fusil de mira telescópica, pero cuando la figura se aproxima se da cuenta de que se trata de Faustino Pérez.

—¡Médico! ¡Médico! –lo llaman en voz baja.

Los tres combatientes cruzan la guardarraya en la oscuridad y se internan unas cuantas decenas de metros en el monte. Allí pasan la noche en vela.

Grupo de Raúl

En medio de la confusión del combate, Raúl se interna en la caña seguido de Ciro Redondo, Efigenio Ameijeiras, René Rodríguez, Armando Rodríguez y César Gómez. Todos han conservado sus armas.

Raúl describe la retirada de su grupo:

En cuestión de segundos, seguido de algunos compañeros, pude llegar al cañaveral cercano y salir de aquel bosquecito diminuto que parecía un tiro al blanco, y precisamente el blanco éramos nosotros. Al cruzar de un cañaveral a otro, vi a Miguel Saav. [Saavedra], seguido de algunos compañeros, venir por una guardarraya y seguir detrás de nosotros. Pero momentos después no los volvimos a ver más. Al parecer, se desviaron y tomaron por otro rumbo. Aún se sentían disparos de fuego a discreción y algunas ráfagas de ametra-

lladoras. *Tres aviones del ejército volaban en esos instantes sobre nuestras cabezas en forma de círculo.*

En breve tiempo atravesamos dos cañaverales, escondiéndonos varias veces en los plantones de caña, al paso de los aviones que volaban bastante bajos y por fin logramos alcanzar el bosque, extenuados y con sed. Avanzamos por medio de las malezas hacia un rumbo, pero ya oscureciendo no sabíamos dónde estábamos. Ya de noche, por un rato siguieron sintiéndose los aviones y algo más tarde, ruido de camiones. Decidimos dormir, cosa que fue imposible por el frío, las pesadillas que me daban, relacionadas con el problema de la sorprendida que nos dieron, y porque era un terreno, el lugar que escogimos para dormir, de piedras dentadas y de mosquitos.

La preocupación por la suerte de Fidel y los demás guerrilleros es la causa principal de este insomnio. Raúl no puede saber que esa noche la pasa en vela a unos pocos cientos de metros de Fidel.

Grupo de Almeida

Cuando los revolucionarios comienzan a retirarse, se nuclea alrededor de Juan Almeida un pequeño grupo de combatientes integrado por el Che, Ramiro Valdés, Reinaldo Benítez y Rafael Chao. Almeida grita que deben dirigirse hasta la línea de monte más cercana y tomar rumbo al sur. En pocos minutos han cruzado la última guardarraya y se internan en la espesura.

Ya una vez al amparo del bosque, comienzan a marchar en un rumbo que suponen los conduce hacia la meta lejana de la Sierra.

El Che anota al respecto:

Nos internamos en la selva y caminamos oyendo el ruido de los cañaverales incendiados. Debimos hacer un alto pues no teníamos orientación ninguna.

Esa noche, el bosque al sur de Alegría acoge a más de cincuenta expedicionarios. A pocos cientos de metros de donde acampan Almeida y los demás de este grupo, Raúl y sus compañeros también se han detenido para pasar la noche.

Pero el abrigo del bosque es tan completo que los oculta a todos entre sí. Lamentable circunstancia que deriva en tragedia para muchos.

Jueves 6 de diciembre

Grupo de Fidel

Al amanecer del día 6, Fidel y sus dos compañeros discuten qué hacer. Él confía en que todos aquellos que hayan logrado escapar y tengan la suerte de no ser capturados o caer en emboscadas, cumplirán su orden de marchar hacia la Sierra.

Fidel prefiere permanecer en el monte y moverse dentro de él hacia el este, en busca de la Sierra. Faustino, apoyado por Universo, argumenta que en la caña es donde podrán encontrar con qué calmar el hambre y la sed. Fidel se irrita ante la testarudez de ambos. Al fin decide ir por aquella dirección que le parece desatinada y suicida. Los tres salen de nuevo a los cañaverales.

Alrededor del mediodía, un avión de exploración los avista. Poco después aparece una escuadrilla de cazas provistos de ametralladoras calibre 50 que comienzan a disparar en el mismo momento en que los expedicionarios se ocultan en un pequeño matorral de marabú. Fidel, adivinando que pronto atacarán el lugar, ordena salir de la maleza y situarse a veinte o treinta metros de distancia, bajo la paja de la caña vieja. Apenas lo hacen cuando los aviones atacan el matorral que han abandonado.

Un pase, otro, otro. Después de cada uno, Fidel llama a gritos a Faustino y Universo para comprobar si están vivos. Luego se mueven hacia un área de caña algo más densa y se hunden en la paja.

COMBATESE EN LA ZONA DE NIQUERO

Huyen los rebeldes

alerta 5¢

DESEMBARCAN
FUERZAS NAVALES
en Cabo Cruz Para Atrapar
A LOS POCOS REBELDES QUE HUYEN

Orden en Santiago; Aniquilada la Banda de Mercenarios

MUERTO FIDEL CASTRO
RATIFICA LA "PRENSA UNIDA"

Procesado
EL PROFESOR DE
LA UNIVERSIDAD

que ocultó
A LOS ASESINOS
DEL TENIENTE CORONEL

BLANCO
Rico

El Discurso de Unión Fraternal

Alberto Salas Amaro

Ataja

14 MUERTOS
y 100 Heridos
EN UN FUEGO

Santa Bárbara

A Fidel lo vence el cansancio, pero antes asegura la culata del fusil entre sus piernas dobladas, le quita el seguro al arma, oprime ligeramente con el dedo el primero de los dos gatillos –el que funge como suavizador para lograr una mayor precisión en el disparo– y apoya la punta del cañón debajo de la barbilla.

No quiere que los guardias lo sorprendan dormido e indefenso, como ocurrió días después del asalto al cuartel Moncada. Así duerme varias horas.

Llega el anochecer. Frecuentes disparos desde diversos puntos evidencian que el lugar está plagado de emboscadas. No es posible regresar al monte. Fidel adopta una táctica que salvará a los combatientes: avanzarán esa noche algunas decenas de metros en busca de alguna caña más adecuada; desde el amanecer se inmovilizarán bajo la paja de la caña para no ser descubiertos por la avioneta; de noche aplacarán la sed y el hambre comiendo caña. Así lo harán hasta que cese la intensa actividad enemiga al considerar limpia de combatientes el área.

Grupo de Raúl

El día 6, Raúl describe en su diario la inusitada actividad de la aviación enemiga por los alrededores. Ignora que uno de los objetivos principales del ametrallamiento es el propio Fidel.

A las seis menos cuarto nos levantamos, empezamos a caminar rumbo a la salida del sol.

Desde muy temprano vinieron tres o cuatro aviones y hasta la hora en que escribo estas líneas (doce del día), no han cesado de dar vueltas. ¡En estos precisos instantes los aviones empiezan a arrojar bombas en zonas muy cercanas a las nuestras (doce menos 5 minutos)!

Detienen el pequeño bombardeo y yo sigo escribiendo y mientras esté con vida, que tal vez se acabe hoy o mañana, seguiré reportando en mi diario en el instante, si no estoy corriendo, las cosas que vayan ocurriendo. En estos momentos estamos los seis compañeros tirados boca abajo y

pegados a un árbol, con algunos metros de separación...
12 en punto. Sigue el violento cruceteo de aviones, en pica-
do unos, otros en vuelo rasante. No han vuelto a disparar.

Tres ráfagas de ametralladora, nueve o diez ráfagas más.
Están ametrallando el bosque.

¡Bueno, esto es emocionante, peligroso y triste! Voy a
descansar un rato y a fumarme un cigarrillo mientras sigue
la fiesta. ¡Confío en que la naturaleza nos proteja hasta que
podamos salir de este cerco! Ignoramos la suerte del resto
del destacamento. Ojalá se salven ellos por lo menos y
puedan seguir la lucha hasta el triunfo de nuestra causa.
(Son las doce y cinco).

René, el Flaco, [René Rodríguez] desde su escondrijo
me pide una colilla de cigarro; lo único que nos queda con
una papa cruda que será la comida de los seis de hoy. Ya ni
agua nos queda. 12 y 30 del día, vuelven los aviones a ame-
trallar, cinco minutos seguidos, las ráfagas suenan más cerca
de nosotros, parece que tiran a rumbo. 12 y 40. Creo que
esta noche tendremos que alejarnos de aquí de todas formas,
ya que tenemos cuatro amenazas: los aviones, los soldados,
el hambre y la sed; sin contar el cansancio y la falta de
dormir. Los aviones vuelan hasta el oscurecer. Una ráfaga
a las 7 a.m. [p.m.]. Más nada el resto del día.

Grupo de Almeida

La configuración del diente de perro resulta sumamente ingra-
ta para el tránsito del hombre. Los filos y las puntas de esta
roca laceran los pies y destrozan cualquier tipo de calzado.
Una caída puede tener peligrosas consecuencias. A la ausencia
de agua se añade la escasez de una fauna comestible por el
hombre.

Este es el inhóspito lugar en que despiertan en la mañana
del día 6 los combatientes que han seguido a Almeida. No les
queda casi agua y llevan varios días sin comer. Comienzan a
caminar.

Almeida y sus compañeros también escuchan el ametrallamiento de que es objeto Fidel. El Che apunta en su diario:

Al amanecer emprendimos la marcha topándonos con una gran cueva. Decidimos pasar allí todo el día. Teníamos una lata de leche y aproximadamente un litro de agua. Oímos ruido de combate a poca distancia. Los aviones ametrallaban. Salimos a la noche orientándonos por la luna y la Estrella Polar hasta que se perdieron y dormimos.

Creen haber caminado hacia el este. En realidad van derivando hacia el sureste, en dirección a los acantilados de la costa.

Viernes 7 de diciembre

Grupo de Fidel

Los soldados siguen rondando por la zona donde están ocultos Fidel, Faustino y Universo. La aviación, en cambio, no muestra tanta actividad como el día anterior. Los tres combatientes pasan todo el día en una inmovilidad absoluta. Saben que, mientras no delaten su presencia, es muy improbable que los guardias se decidan a registrar el interior de los cañaverales.

Fidel ignora cuántos expedicionarios pueden haber sido muertos o hechos prisioneros. Sabe que la Sierra está lejos. Es consciente de que la persecución y la vigilancia se concentrarán especialmente en él.

Grupo de Raúl

El día 7, el grupo de Raúl permanece en el mismo lugar. Han decidido mantenerse dentro del monte pero no lejos de los campos de caña, para proveerse del único alimento. Ese día, Raúl apunta en su diario:

Son las ocho de la mañana cuando empiezo a escribir estas líneas y el día amaneció de una calma espantosa, ni un solo ruido en toda la zona; ni el viento sopla con fuerza como en días anteriores. De los aviones, que esperábamos que a estas horas ya estarían dando vueltas, nada. Estábamos tan acostumbrados a la bulla de los aviones y a sus ráfagas, que la tranquilidad de hoy nos mete miedo.

Anoche un cangrejo me despertó, mientras me comía los pelos de la coronilla de mi cabeza. Si me los sigue comiendo hoy parecería un cura. A las 8 y 50 a.m. pasó un avión, a las 9 y 20 el mismo probablemente pasó muy distante. A las 9 y 30 sonaron dos disparos de rifle por el oeste.

Hoy como a las seis a.m. salimos, llegamos al cañaveral, tres cubrimos la retirada y en operación rápida los otros tres arrancaron algunas cañas; esa será nuestra comida de hoy.

A la una menos cinco p.m. oímos diez o doce disparos de fusil hacia el noreste.

Y más tarde:

Hasta la hora del momento (5 p.m.) no ha pasado nada digno de mención; a media tarde sonaron cuatro disparos con intervalos de varios segundos, parecían disparados por la misma arma. A las 3 y 30 pasó el avión y dio algunas vueltas, no precisamente por nuestra zona; posteriormente dio algunas más y nada más. Ya nos comimos nuestra ración de caña, bastante mala y escasa, pero es peligroso volver al cañaveral. [...]

Aquí hemos decidido (los seis que estamos) esperar a que se marchen un poco los soldados; mientras, nos alimentamos exclusivamente de caña. Si los demás compañeros, sobre todo el Estado Mayor, han logrado irse, la Revolución y nosotros tal vez estaremos a salvo. De nuestra posición solo sabemos dónde están los puntos cardinales, pero de nosotros, solo sabemos que estamos en la provincia de Oriente y bastante lejos de la Sierra Maestra, nuestra meta del momento.

Hoy por la mañana sentí un ligero y pasajero mareo; debe ser debilidad, ya son muchos días sin comer. Creo que por hoy no pasará más nada de importancia. A lo lejos se oye aún el ruido del avión. Son las 5 y 15. Aquí dentro del bosque ya está oscureciendo.

Grupo de Almeida

Durante toda la noche, Almeida y sus compañeros siguen avanzando. La sed los desespera, sobre todo al Che, que va herido en el cuello y ha perdido sangre. Con la bombita de su nebulizador antiasmático, logra extraer de los hoyitos de la piedra algunas gotas de un agua pútrida con la que los combatientes apenas pueden mojarse los labios.

El Che apunta:

Nos internamos en la selva rumbo al este. Tomando agua de los huecos de los arrecifes de coral. La leche se le había volcado a Benítez el día anterior. No comimos nada.

Sábado 8 de diciembre

El día 8 es terrible en la suerte de algunos expedicionarios.

Esa mañana, en la boca del río Toro, son asesinados José Smith, Ñico López, Cándido González, Miguel Cabañas y David Royo. Formaban parte del grupo más numeroso que logra reunirse después de la retirada de Alegría de Pío. Al día siguiente del combate el grupo se había dividido. Smith y otros seis expedicionarios alcanzaron la orilla de los farallones y avanzaron sobre el diente de perro hacia el este. Al amanecer del día 8, exhaustos y atenazados por el hambre y la sed, llegaron a la casa de Manuel Fernández en Boca del Toro. El campesino, conocido como Manolo Capitán, los convenció de que, en las condiciones en que estaban, lo mejor era entregarse, pues se habían dado garantías de sus vidas. Uno de los expedicionarios, Chuchú Reyes, decidió seguir. En la mañana fueron detenidos los otros seis y asesinados todos, menos Mario Hidalgo.

Por la noche, en el mismo lugar, son hechos prisioneros y ametrallados los expedicionarios Raúl Suárez, René O'Reiné y Noelio Capote. Integrantes de un grupo de siete combatientes formado en la dispersión tras la sorpresa en Alegría de Pío, se habían separado de los otros cuatro el día 7, y habían seguido un rumbo similar al del grupo de Smith hasta llegar a la casa de Manolo Capitán, quien los delató.

Los siete expedicionarios separados dos días antes de Smith y sus compañeros se dividen a su vez en dos grupos en la mañana de este día. Poco después, una patrulla enemiga sorprende y captura a tres de ellos –Luis Arcos, Armando Mestre y José Ramón Martínez– en el potrero de Salazar, cerca del río Toro, y los conduce al puesto de mando en el batey de Alegría. A la caída del sol, entre las cañas al norte del batey, el ejército captura a Andrés Luján, Jimmy Hirzel y Félix Elmuza. Los seis prisioneros son sacados por la noche en una camioneta y muertos a tiros en una vereda del monte Macagual.

También esa noche René Bedia y Eduardo Reyes Canto caen acribillados a balazos en una emboscada tendida por los guardias en Pozo Empalado, de la que logra escapar el expedicionario Ernesto Fernández. Más al norte, cerca de Media Luna, es posible que fuera esa noche cuando Miguel Saavedra es asesinado tras haber sido hecho prisionero el día anterior.

Grupo de Fidel

Fidel no conocerá el trágico destino de estos compañeros hasta pasados varios días. El 8 de diciembre su mundo sigue siendo el del cañaveral donde se oculta. En la caña, Fidel resiste y espera.

Grupo de Raúl

El día 8, Raúl anota la actividad que ya se va haciendo habitual todas las mañanas para el pequeño grupo de combatientes:

Nos levantamos temprano como de costumbre y fuimos a buscar caña; dos cubrimos la retaguardia; al regreso no encontramos nuestro campamento. [...] A las 8 y 40 empezó

*un solo avión a dar vueltas bastante largas. No hemos senti-
do más nada por la mañana. Siguió dando algunas vueltas
el avión pero bastante lejos de aquí. Son en estos momentos
las once de la mañana. "Sin novedad en el frente". Decidimos que partiremos a las 2 p.m. rumbo al bohío, que aún no
sabemos a ciencia cierta dónde está, pero aunque esta calma puede ser una treta del enemigo, no podemos seguir aquí
debilitándonos, además no pensamos llegar al bohío, sino
aproximarnos y observar los movimientos hasta ver si cap-
turamos a alguien que nos informe de la movilización de
tropas y de la situación general del país, por lo que se pueda
saber a través de la censura. Me parece que el avión está
dando vueltas ahora por el este, distante aún (11 y 10 a.m.).
Hoy ya me sentí bastante flojo del estómago, pero la moral
y la decisión muy fuertes.*

*Aquí en este intrincado bosque, la única diferencia del
día a la noche es que una es clara y la otra oscura, pero
los mismos bichos, mosquitos sobre todo, abundan a todas horas. Es muy poco el sol que logra infiltrarse por el
espeso follaje de los árboles.*

Ese día creen encontrarse cerca de una casa. Han escuchado
ladridos de perros y cantos de gallos. Deciden acercarse, pero
no llevan a cabo el plan porque sienten algunos disparos y ruidos de camiones.

Y Raúl vuelve a anotar:

*11 y 15: el avión dio una vuelta ahora bastante cerca. Qui-
siera escribir ahora mil cosas que se me ocurren y, sobre todo,
detallar lo más posible nuestra situación, pero temo que se
me agote el poco papel que tengo y no pueda seguir fielmen-
te este "Diario". Perdí la mochila en el encuentro "sorpresa"
del día pasado y nada más tengo lo que tengo encima.*

*Hay dos aviones dando vueltas, pero sobre ninguna zona
determinada, parece que tratan de localizar a alguien, lo
que nos hace albergar esperanzas de que el grueso de nuestro destacamento, el "Antonio Maceo", se haya salvado.*

Esa misma noche escuchan a lo lejos un fuerte tiroteo. Raúl concluye así sus anotaciones:

El día transcurrió sin mayores tropiezos; habíamos decidido ir en busca del bohío, pero, a la media hora de caminata, el vuelo incesante de aviones por zonas cercanas y el ruido parecido a cornetas de camiones bastante cerca nos hizo replegarnos con cuidado a nuestra posición anterior. Además, oímos algunos disparos por esa zona. Volvimos a nuestro antiguo campamentico, según dos compañeros, a las nueve de la noche aproximadamente, sintieron un nutrido tiroteo bastante lejos de aquí hacia el noreste; también hasta el oscurecer estuvieron dando algunas vueltas dos aviones, aunque empezaron bastante tarde. Los mosquitos anoche atacaban en masa.

Hemos decidido firmemente esperar aquí, pase lo que pase, hasta que se aclare la situación por esta zona. Pasando hambre y sed. Solo comiendo caña.

Esa misma noche escuchan a lo lejos un fuerte tiroteo.

Grupo de Almeida

Al mediodía del 8, los combatientes del grupo de Almeida alcanzan el borde de las terrazas superiores de la costa, a la altura de Punta Escalereta. Abajo, detectan lo que parece ser una pequeña lagunita de agua dulce. Poco después, encuentran un paso practicable y comienzan el trabajoso descenso.

Tienen las manos y las rodillas destrozadas por las aristas de la roca. Los brazos y los hombros les parecen de plomo. Pero la posibilidad de calmar la sed les hace olvidar el riesgo de ser descubiertos desde el mar sobre esta pared vertical y desnuda. No saben que, en definitiva, las pocetas que han visto son de agua salobre. La anotación de este día en el diario del Che dice así:

Seguimos rumbo al este, al mediodía avistamos el mar bajo unos farallones de arrecifes muy grandes y con selva intrincada. Al anochecer hicimos alto sin poder llegar abajo.

Aproximadamente por este mismo lugar, bajaron al mar dos días antes los combatientes que, encabezados por José Smith, fueron asesinados en Boca del Toro el propio día 8.

Domingo 9 de diciembre

Grupo de Fidel

Después de cuatro días, el jugo de los pocos tallos que los combatientes se atreven a arrancar no atenúa el hambre. Por las noches, la sed se aplaca a medias con el rocío de las hojas. Enterrados en la paja, el calor los abrasa bajo el sol implacable del cañaveral. No pueden moverse, por temor a ser descubiertos en cualquier momento por la avioneta que no deja de acechar. Apenas pueden hablar en susurros. Pero ese silencio forzoso es insoportable, y Fidel se pone a conversar quedamente sobre sus planes para el futuro de la Revolución.

Grupo de Raúl

La anotación correspondiente a este día en el diario de campaña de Raúl dice:

Nos levantamos a las seis, oscuro aún. Buscamos una buena provisión de cañas. Son las nueve y veinte. Han pasado los aviones pocas veces. Hace como una hora se sintió un disparo de fusil no muy lejos.

Por la tarde pasaron los dos aviones varias veces. Están recorriendo zonas muy largas y parece que doblan por aquí. Armando R. [Rodríguez] fue de recorrido y regresó con unas seis cañas, que vinieron muy bien, pues se nos habían acabado y ya nos estábamos comiendo los nudos y los desperdicios.

Hoy fue el cumpleaños de Ciro, brindamos con caña. Nos acostamos temprano, aún no había oscurecido completamente.

Raúl y Ciro Redondo. Sierra Maestra, montañas al sur de El Hombrito, probablemente en mayo de 1957.

Grupo de Almeida

El día 9, los combatientes del grupo de Almeida logran llegar a la orilla del mar, aproximadamente a dos kilómetros de Punta Escalereta. En una playita excavada en el farallón, los cuerpos fatigados reciben el frescor del agua de mar en la que se sumergen un buen rato. Luego, prosiguen la marcha por los arrecifes de la costa.

Almeida y el Che van delante. Hay luna clara. De pronto topan con un ranchito, dentro del cual se perciben en la penumbra las figuras de unos hombres que duermen. Almeida se acerca con su fusil preparado, pero descubre con regocijo que se trata de tres compañeros del *Granma:* Camilo Cienfuegos, Pancho González y Pablo Hurtado.

Camilo y sus dos compañeros se retiraron juntos del combate, y tomaron un rumbo paralelo al del grupo de Almeida. Durante estos tres días, sufrieron las mismas agonías que los otros expedicionarios: el hambre, la incertidumbre, el cansancio y, sobre todo, la sed. Exhaustos, esa misma tarde encontraron el ranchito y se tendieron a dormir resguardados del sol.

El Che relata así el encuentro en su diario:

Llegamos a la orilla del mar a mediodía tras pasar por un zarzal muy grande. Era imposible avanzar de día por la aviación. Esperamos la noche bajo unas matas con un litro de agua. Al anochecer seguimos el camino, encontramos tunas con frutos y comimos todos los que había. Seguimos avanzando y encontramos en una chocita tres compañeros más que se incorporaron: Pancho González, Cienfuegos y Hurtado.

Ahora son ocho combatientes, todos armados, los que reinician el camino.

Lunes 10 de diciembre

Grupo de Fidel

La actividad del enemigo ha ido decreciendo. Fidel decide que ha llegado el momento de iniciar la marcha hacia la Sierra. Cuando cae la noche, los tres combatientes comienzan a avanzar. Lo hacen con toda precaución. Universo, que dejó sus botas en Alegría y se ha rellenado las medias con paja de caña, ocupa casi siempre la vanguardia. Esa noche avanzan unos cuatro kilómetros en dirección al noreste.

Grupo de Raúl

El lunes 10, Raúl también decide echar a andar. En su diario anota:

Nos levantamos como siempre, a las seis, buscamos cañas. Todo estaba tan tranquilo que decidimos abandonar la monotonía sedentaria del bosque, y aunque habíamos resistido y pensábamos resistir el hambre y la sed hasta donde fuera necesario, a la 1 y 35 de la tarde partimos rumbo al este, siempre por los bosques y esquivando los caminos, tratando siempre de encontrar algún bohío por el camino; comimos yuca y maíz crudos y la inevitable y salvadora caña. Oscureciendo nos internamos más en el bosque y nos acostamos.

Al igual que el grupo de Fidel, han avanzado en esta jornada casi cuatro kilómetros, en una ruta más o menos paralela.

Grupo de Almeida

Durante toda la madrugada del día 10, Almeida, Ramiro, el Che, Camilo y sus compañeros bordean la orilla del mar en dirección al este. Cuando sale el sol, han avanzado apenas dos kilómetros. Logran capturar algunos cangrejos. Les arrancan las muelas y sorben crudas sus partes gelatinosas. En las cantimploras quedan gotas contadas de agua. Durante el día se ocultan entre la maleza costera, y por la noche continúan avanzando. Ya casi no pueden caminar.

El Che narra en su diario:

Al amanecer nos internamos en la selva a buscar agua. Conseguimos muy poca, los que habían comido cangrejo sufrieron mucha sed. De nuevo seguimos por la noche hasta llegar a una bahía que luego supimos se llamaba Boca del Toro. Oímos cantar gallos, esperamos el amanecer.

Martes 11 de diciembre

Grupo de Fidel

Fidel, Faustino y Universo pasan el día ocultos de nuevo entre la caña.

Al oscurecer reinician el avance con las mismas precauciones de la noche pasada. La silueta de la Sierra, que se perfila en la noche de luna, les sirve de punto de referencia y acicate.

Al fin alcanzan el alto de La Convenencia, donde el terreno se desguinda hacia el cauce del río Toro. Después de este río comienza propiamente la Sierra Maestra. Los combatientes empiezan a bajar y llegan a unos cien metros de una casa. Es noche todavía, pero Fidel decide esperar el día siguiente.

Grupo de Raúl

Los seis combatientes al mando de Raúl emprenden de nuevo la marcha al amanecer del día 11. A media mañana llegan cerca de una casa. Raúl describe la escena:

Esperamos que saliera un poco el sol para orientarnos, comimos algunas cañas que nos sobraron la noche anterior y salimos de nuevo. Ya estas caminatas resultan más emocionantes. Como a las 8 y 15 a.m. vimos el mar entre el ramaje de los árboles y nos alegramos un poquito. [...] Seguimos caminando, hacía gran calor; estábamos bastante agotados. Hacía seis días que no probábamos gota de agua ni comida cocida. César era el que andaba más mal de salud. Como a las 10 y 30 de la mañana oímos el ruido de unos guanajos, salimos Armando y yo a explorar y vimos un bohío como a 2 kilómetros. Hicimos un rodeo grande para avanzarle al bohío de forma que si tuviéramos que hacer una retirada, nada más tuviéramos que volver los pasos y retirarnos. Armando y yo tomamos por asalto el primer bohío; yo entré mientras él me cubría la retirada, pero estaba completamente vacío. Ya habíamos visto otro bohío mucho más grande como a 100 metros, dentro de una arboleda que ocupaba como una manzana, por un lado y por otro pegados a los árboles había unos claros de platanales. Para llegar al bohío había que pasar una hondonada. Nos llamó la atención que se sentía mucho ruido de voces de hombres en un bohío tan solitario. Ciro y yo salimos y nos aproximamos a la casa, volvimos y al poco rato salimos de nuevo y nos aproximamos más a la hondonada. Vimos a un campesino amontonando leña, sentimos ruido de radio y vi patas de caballos. También vi a un soldado, pero me pareció que iba vestido de verde y en la cabeza no tenía nada; me pareció verle algo en la cintura. Oímos voces como la siguiente: "Vengan a comer los seis primeros", "traigan los platos de campaña". "Oiga, cabo".

No nos quedaba duda, allí habían concentrado soldados. Decidimos irnos, después de muchas vacilaciones, ya que había quien aseguraba que no eran soldados y además nos habíamos hecho muchas ilusiones.

César Gómez no quiere seguir adelante: está más desmoralizado que agotado. Los demás le advierten que si se queda allí pueden matarlo, pero insiste. Raúl le plantea que no se entregue hasta el otro día, para darles oportunidad de alejarse, y que diga que estaba solo. Siguen la marcha después de recoger el fusil del que se queda. Gómez se entrega al día siguiente.

Al mediodía, sin haber salido del monte en seis días de hambre, sed y fatiga, los combatientes alcanzan el borde de las alturas sobre el río Toro. Relata Raúl:

A la una menos tres minutos nos encontramos frente al último cañaveral, detrás de él la airosa majestad de la Sierra Maestra, nuestra ansiada meta. En cinco minutos cruzamos en línea recta el cañaveral, la única vez que hicimos esto con un cañaveral. [...]

Después de atravesar la caña y una pequeña y estrecha faja de monte, nos encontramos con las primeras fajas o laderas de montañas cultivadas. Vienen a ser algo así como las estribaciones de la Sierra. El espectáculo era magnífico y las perspectivas también, ya que se veían muchos bohíos diseminados por la lejanía. Y después de un corto descanso nos encaminamos al más cercano. Seguimos caminando por el lindero de la faja de bosque al borde de una profunda ladera. Después fuimos descendiendo al fondo de la ladera y vinimos a dar a un despeñadero que tenía como unos 70 metros, pero se podía bajar con cuidado, era de roca viva y se veían rastros de corrientes de agua en época de lluvia. Fui el primero en bajar.

Comienzan a descender por la cara del farallón. Raúl se adelanta. Cuando va llegando, abajo ve que René Rodríguez le hace señas que regrese. Han encontrado al expedicionario Ernesto Fernández. Ha sido una suerte, porque Ernesto les informa que poco más abajo, en el río, está tendida una emboscada de los guardias. Esa noche se quedan junto a Ernesto.

Raúl escribe al final de sus anotaciones de ese día:

Ernesto tenía aquí un poquito de agua, que a traguito por cada uno de nosotros se acabó y un puñadito de arroz que le sobró de la comida. Ahora hay que esperar al campesino que vendrá a las 5 de la mañana. Ernesto tenía algunos cigarritos. En el bohío vacío hallamos ramas de tabaco. Son las 4 y 30 p.m.

Un poco más al norte, a unos escasos dos kilómetros, en La Convenencia, Fidel establece esa misma noche su improvisado puesto de observación.

Grupo de Almeida

Con la luz del día 11, Almeida y sus compañeros divisan el abra del río Toro y, del otro lado, el perfil de la Sierra.

Al poco rato dan con una casa. Los combatientes discuten si deben llamar o no a la puerta. El Che no está de acuerdo. La vivienda le parece demasiado buena, como la de un campesino acomodado que será amigo de los guardias.

Al fin, avanzan hacia la casa. Ramiro, el Che y Benítez comienzan a acercarse de forma sigilosa. Los dos primeros se quedan del otro lado de una cerca de alambre, mientras el otro cruza y sigue aproximándose a rastras. A los pocos minutos regresa a informar que ha visto la silueta de un hombre con un arma larga. Desde atrás, el Che también ha determinado que se trata de un soldado. Rápidamente regresan a donde están Almeida y los demás compañeros, y abandonan el plan de llegar hasta la casa a pedir agua y comida.

La vivienda es la de Manuel Fernández, conocido como Manolo Capitán, el mismo que tres días antes entregó al enemigo nueve expedicionarios, ocho de los cuales fueron asesinados.

Los combatientes dan un rodeo y comienzan a escalar el farallón de la terraza superior, pero el pleno día los sorprende y buscan refugio en una de las múltiples hendiduras de la roca.

Al fin llega la noche. Salen de su escondite y siguen escalando el farallón. Avanzan un kilómetro; pasan por un maizal donde amortiguan el hambre con algunas mazorcas tiernas, y comienzan el descenso hacia el río.

El Che resume estos incidentes en su diario con anotaciones escuetas:

Cerca nuestro había un bohío, se deliberó para ver qué se hacía. Pancho González y yo no queríamos ir, Benítez y Cienfuegos querían hacerlo. Se resolvió hacerlo, pero Benítez al ir a entrar alcanzó a ver un marino y nos retiramos dando un rodeo para situarnos en una cueva contra el farallón. De allí vimos los movimientos de todo el día, incluso un desembarco de tropas: 17 hombres de una lancha. Seguimos de noche, casi totalmente sin agua. Llegamos a un maizal y comimos mazorcas tiernas hasta aplacar un poco el hambre, al amanecer dimos con un arroyo donde tomamos agua hasta reventarnos, llenamos la cantimplora y subimos a un montecito a pasar el día.

Miércoles 12 de diciembre

Grupo de Fidel

Durante toda la madrugada y parte del día 12, bajo un intermitente aguacero, Fidel y sus dos compañeros se turnan en la observación de la casa. Están apostados en el monte, a menos de doscientos metros, en la cima de una pequeña elevación.

A las cuatro de la tarde no se ha divisado nada que resulte sospechoso. La familia campesina se ha dedicado a sus ocupaciones normales. A esa hora Fidel ordena a Faustino que baje hasta la casa a buscar información, y le dice que pida comida para veinte o veinticinco hombres a fin de desorientar acerca del tamaño del grupo expedicionario.

El dueño de la casa se llama Daniel Hidalgo y su esposa, Cota Coello. Al conocer quiénes son los que han llegado, ofrecen lo poco que tienen. Esa tarde los combatientes sacian su hambre vieja con lechón y vianda, y toman agua por primera vez en siete días.

Universo consigue un par de alpargatas en la casa, lo cual le permite botar los mazos de hierba que tiene metidos en las medias.

Fidel interroga a los campesinos. Estos le informan todo lo que han oído sobre el desembarco y los crímenes que han cometido los guardias con los expedicionarios. Le explican también los distintos caminos que pueden seguir para internarse en la Sierra.

La familia Hidalgo Coello no forma parte de la red campesina creada por Celia Sánchez para recibir el desembarco. Ni son militantes del Movimiento 26 de Julio ni han participado jamás en actividades políticas. A muchos como ellos se debe también, en gran parte, el hecho de que una buena cantidad de expedicionarios hayan salvado sus vidas.

Esa noche los combatientes prosiguen la marcha. Un amigo del dueño de la casa los lleva hasta la loma de La Yerba.

Grupo de Raúl

Por la mañana, Raúl escribe en su diario:

Son las 9 a.m. y todavía no ha aparecido nadie, oímos un campesino cantar y recorrer su vega que está cerca. Dormimos aquí en la ladera, a un costado del barranco que bajamos ayer entre las piedras grandes algo desprendidas. Dormimos bastante mal, aunque no había muchos mosquitos ni frío; seguiremos esperando al campesino; según Ernesto, nunca había tardado tanto. El sol nos salió completamente de frente, el amanecer fue bello. Estamos llenos de esperanzas.

Alrededor de las diez de la mañana llegan los campesinos con el desayuno de Ernesto y, para su sorpresa, encuentran que ya no es uno, ahora son seis. Prometen volver más tarde con provisiones para todos, y, en efecto, a las dos regresan Baldomero Cedeño y Crescencio Amaya con agua abundante y un suculento almuerzo. Esa tarde, los expedicionarios se enteran de las terribles noticias de los asesinatos de sus compañeros en la boca del Toro y otros lugares. Raúl concluye sus anotaciones diciendo:

Fue la vez, desde la salida de México, que mejor comíamos. Nos trajeron unos papeles que estaba regando un avión del ejército donde el coronel Cruz Vidal, "jefe de operaciones", nos pedía que nos rindiéramos, que serían respetadas nuestras vidas (?). Nos contaron muchas cosas pero las noticias nacionales las daban bastante vagas. Que mataron a ocho compañeros aquí. *Se fueron y como a las 3 de la tarde se oyó un avión con altoparlante conminándonos a que nos rindiéramos; nos reímos de ellos. Por la tarde vinieron los cuatro campesinos, cuyos nombres no escribo pero los tendremos grabados toda la vida en el corazón. Estuvimos hablando con ellos como dos horas. Por la tarde trajeron café. Por la noche decidimos dormir en un platanal que estaba unos 30 metros más abajo, porque en las piedras no se podía dormir bien. La noche estaba magnífica, sin frío y sin mosquitos. Vine a dormirme como a las 12; parece que la digestión me molestaba, ya que hacía días el estómago no trabajaba. Lloviznó un poquito a las 11.*

Grupo de Almeida

Durante el día 12, el grupo de combatientes se distribuye convenientemente en el monte para evitar una sorpresa. Sin comer en todo el día, por la noche emprenden el camino hacia el noreste. En una casa cercana se escucha el sonido de una orquesta. Son guardias los que están reunidos, festejando sus supuestas hazañas militares contra combatientes desarmados e indefensos. Los combatientes del grupo de Almeida se retiran de la zona. El Che anota ese día:

Por la noche caminamos con rumbo norte. Estuvimos a punto de entrar en otro bohío pero yo que iba delante alcancé a escuchar un brindis "a mis compañeros de armas" y salimos con viento fresco. Encontramos nuevamente el arroyo y seguimos marcha hasta las 12 en que paramos, la gente muy agotada.

Jueves 13 de diciembre

Grupo de Fidel

Después que el práctico los ha conducido hasta la loma de La Yerba, el grupo de Fidel baja hasta la casa donde viven los hermanos Rubén y Walterio Tejeda. Han hecho contacto finalmente con la red de recepción preparada en la zona por gestiones de Celia Sánchez, y en cuya organización trabajaron Guillermo García y Crescencio Pérez. Los hermanos Tejeda forman parte de esa red. Después de comer algo siguen camino y caen sobre el arroyo Limoncito, en la finca de Marcial Areviches, donde establecen campamento.

Poco después del mediodía, Universo está de posta en el acceso al pequeño campamento en el monte cuando detecta a un campesino que se acerca al lugar. Trae un cubo en la mano y viene mirando para todas partes, como si buscara algo. Es Adrián García, el padre de Guillermo, que se ha enterado por Eustiquio Naranjo de que hay expedicionarios en la zona y les trae arroz con guanajo, pan, leche y café.

Aunque Fidel se presenta con el nombre de Alejandro, Adrián García no se deja engañar. Por la conversación con Alejandro, y su evidente autoridad, el campesino llega a la conclusión de que se trata de un jefe. Recuerda, además, unas fotos de Fidel que ha visto publicadas algún tiempo atrás en la revista *Bohemia*. A las pocas horas se ha corrido la voz entre los vecinos de que Fidel Castro está vivo y en la zona. No obstante, Fidel decide no moverse. El lugar es relativamente seguro y está en manos de personas de confianza.

Grupo de Raúl

Este día, Neno Hidalgo lleva informaciones imprecisas de que alguien que pudiera ser Fidel está vivo y ha pasado por la zona en camino hacia la Sierra. Raúl decide continuar de inmediato la marcha y pide que les consiga un práctico. Narra Raúl:

A las 5 y 30 subimos de nuevo a las piedras. Más tarde, 7 a.m., llegaron dos campesinos con café. Decidimos trasladarnos a un ojo de agua que está cerca: son las 9 a.m., esperamos al dueño de estas tierras [Neno Hidalgo] con el desayuno. Llegó el venerable anciano con algunas noticias y un suculento desayuno: una lata de medio galón de café con leche, dos botellas de chocolate y como seis galletas para cada uno. Decidimos irnos esta noche y mandamos a buscar un práctico para guía. A las 2 y 30 vino el almuerzo parecido al de ayer, con cigarros, café y una lata de chorizos llena de harina dulce. [...] Ya nos despedimos de dos de estos buenos cubanos. Los demás fueron por el guía y por algunos víveres para la jornada. Pensamos entrar de lleno en la Sierra esta noche, rumbo noreste. Pensamos pasar entre Pilón y la Vigía (observatorio americano). Hoy limpiamos las armas con luz brillante y aceite de higuereta. Ulises [Efigenio Ameijeiras] continúa deseoso de aventuras, piensa hacerse famoso. Estamos en estos momentos en una ensenadita cubierta de grandes árboles y rodeada de grandes lomas, con la única salida del cauce seco de un arroyo y en el centro el divino ojo de agua de un manantialito. Aquí pasamos un día muy contentos y llenos de esperanzas de encontrarnos en la Sierra con Fidel y nuevas aventuras. Son las 4 y 50 de la tarde. Aquí ya no da el sol y las palomas y torcazas ya vienen a dormir, mientras nosotros preparamos el viaje.

Sin embargo, el plan se frustra. Más adelante, ese mismo día, Raúl asienta en su diario con pesadumbre:

Lamentablemente ya no podemos irnos hoy. No encontraron al guía. Como a las 6 y 30 p.m., ya completamente oscuro, se sintió un ruido azotando las copas de los árboles. Rápidamente nos dimos cuenta de un fuerte aguacero, que no duró mucho, pero nos empapó. Los sacos disponibles los

Raúl oyendo radio. Sierra Maestra, 1957.

*usamos para proteger las armas, y después de escampar
cada vez que tocábamos un gajo nos caía una lluvia de gotas.
Comimos unas raspaduras de coco que nos habían traído
entre las cosas del viaje, pero estaban muy blandas y no
resistirían la jornada.*

*Para dormir fue una verdadera tragedia, pues con la
ropa y la tierra mojada no había dónde meterse. Con Ciro
me acomodé debajo de un cedro abandonado y con la ayuda
de un saco de henequén, de esos de envasar azúcar, pasamos
la noche tiritando de frío y calados hasta los huesos. Por la
mañana descubrí que los malditos cangrejos, que de noche
abundan por miles y de todos los tamaños, me habían comido la manga derecha de mi camisa.*

Grupo de Almeida

A las dos de la madrugada del día 13, los combatientes que
siguen a Almeida llegan a la casa de Alfredo González. El campesino los recibe con amabilidad. Alfredo es miembro de un
grupo de adventistas cuyo pastor, Argelio Rosabal, está comprometido en el apoyo a la expedición. De inmediato comienza
lo que el Che califica de un "festival ininterrumpido de comida".

Empiezan a llegar vecinos curiosos. Algunos traen más comida. Ofelia Arcís viene con una caja de dulces y tabacos, al
ver el aspecto de los combatientes, con las ropas raídas y el
hambre y las tensiones de once días incrustadas en el rostro, se
echa a llorar.

—Denle una tacita de café –dice el Che–, que ella se ha
emocionado al vernos.

El Che escribe:

*Todo el día [12] sin alimento y con poca agua. Al caer la
tarde emprendimos la marcha con rumbo norte y en dirección a un pueblo que luego supimos era Pilón. A la 1 de la
mañana [del día 13], contra mi consejo se fue a un bohío,
nos recibieron muy bien y nos dieron de comer, la gente se
enfermó de tanto comer.*

Pasamos el día encerrados. Vinieron a vernos muchos adventistas y al anochecer salimos 4 a casa de uno de ellos: Almeida, Pancho González, Chao y yo. Benítez y Ramiro van a otra casa. Cienfuegos a otra. Hurtado lo debía acompañar, pero prefirió quedarse porque se sentía mal. Nos enteramos de que hay 16 muertos, 8 de ellos en Boca del Toro, todos asesinados al rendirse. Van saliendo los nombres primeros: Chibás [Andrés Luján], [David] Royo, [Jimmy] Hirzel. Sabemos que se han entregado 5 compañeros y están vivos. [...] Sabemos que grupos de compañeros han pasado rumbo a las montañas. Las armas quedan en casa de A.G. [Alfredo González], el que nos recibiera, quedan los fusiles y las balas. Todos tenemos ropas de guajiros. Almeida y yo pistolas. Pasamos a la misma casa de A.R. [Argelio Rosabal] en que nos llenan de comida.

Viernes 14 de diciembre

Grupo de Fidel

Guillermo García llega a la finca de Areviches a la una de la madrugada del día 14.

El encuentro con Fidel se produce en el campamento del pequeño grupo de combatientes. Allí, Fidel conoce quiénes son algunos de los expedicionarios asesinados, cuántos han sido capturados, con cuáles han establecido contacto los colaboradores campesinos. Ese mismo día, Guillermo y otros dos campesinos acompañan a los tres expedicionarios hasta La Manteca. Deciden acampar en el cañaveral de la finca de Pablo Pérez, en espera de la oportunidad de cruzar la carretera de Pilón.

Grupo de Raúl

En vista de que el guía sigue sin aparecer la noche del 14, Raúl
ordena emprender la marcha solos. Se separan de Ernesto
Fernández, quien está enfermo y con los pies destrozados. Cruzan el río Toro y comienzan a ascender a campo traviesa las
primeras estribaciones de la Sierra. Narra Raúl:

*Por el frío que teníamos, más que nunca estábamos esperan-
do el desayuno. Vino por fin una botella de café.*

*... A las 2 p.m. trajeron el almuerzo: congrí y plátanos
hervidos. No era mucho pero nos satisfizo. Nos trajeron unas
hojas del periódico* Diario de Cuba *del día 5 de diciembre.
En firme decidimos partir hoy; uno de los campesinos nos
sacará hasta afuera y de ahí seguiremos solos. Según nos informaron hoy, "nuestro amigo" [Guillermo García] sacó a
F. [Fidel] por la Sierra. Ahora son las 3 y 20 p.m.*

*Esperamos con todo preparado y no vino ningún guajiro,
no sabemos qué pasaría. Esperamos hasta las 10 menos
cuarto, a esa hora salimos cinco compañeros. Hacía un poco
de frío, pero pronto las subideras y bajaderas de lomas que
parecían interminables, nos lo quitaría sustituyéndolo con
gruesas gotas de sudor.*

*Desconociendo completamente la zona, teníamos que
desechar todos los caminos y trillos. [...] Había una luna
llena y la noche muy clara, de lo contrario nos hubiéramos
matado por una de esas lomas. Por las vegas que pasábamos, Ciro y yo íbamos recogiendo algunas mazorcas de maíz
tierno y así mismo nos las comíamos; increíblemente nos
caen de lo mejor.*

*A las doce de la noche hicimos una parada en lo alto de
una loma, y a la luz de la luna nos tomamos una lata de leche condensada con medio galón de agua que recogimos en
un río que pasamos momentos antes, entre varios bohíos.
No sabemos el nombre del lugar. Es imprescindible un práctico para poder operar por estas zonas. Tenemos la esperanza
de que F. [Fidel] tenga resuelto este problema cuando to-
pemos con él.*

Han llegado a la loma de El Muerto. Muy cerca, los expedicionarios Luis Arcos, Armando Mestre y José Ramón Martínez habían sido sorprendidos cinco días antes por una patrulla del ejército. En el testimonio de Raúl:

Seguimos subiendo y bajando hasta las 2 de la madrugada, en que completamente exhaustos de cansancio nos acostamos al lado de un maizal, aprovechando yerba seca que había allí para hacer un nicho más cómodo que los anteriores. Para provisión de agua solo contamos con dos cantimploras y una botella chiquita. Las demás cantimploras de los compañeros se perdieron en el primer encuentro-sorpresa-emboscada que nos dieron. Creo que nos será difícil localizar a F. [Fidel] pero lo lograremos.

Grupo de Almeida

Almeida, el Che, Pancho González y Rafael Chao han sido llevados a la casa de Argelio Rosabal, en El Mamey. Allí pasan el día sin novedad.

Esa misma mañana, Alfredo González comenta en Corcobao los incidentes ocurridos en su casa el día anterior. Uno de los que lo escuchan informa a los guardias. A las tres de la tarde el ejército sube hasta la casa de Alfredo, ocupa las armas y saca de la cama a Pablo Hurtado.

La noticia llega a la casa de Argelio Rosabal al anochecer. Argelio le ha avisado a Guillermo García de la presencia del grupo en su casa, y esa misma noche llega Guillermo a buscarlos. Viene de dejar a Fidel en La Manteca.

El Che comenta en su diario las informaciones que el grupo ha ido recibiendo en cuanto a la suerte de otros expedicionarios:

Pasa el día sin novedad, pero al anochecer nos enteramos de la desagradable noticia de que las armas habían sido tomadas y Hurtado con ellas sin más detalles. Los 4 compañeros salimos guiados por G.G. [Guillermo García] hasta la casa de otro campesino, por el camino nos enteramos de nuevas muertes [...] de nuevas detenciones sin muerte [...]. De gente nuestra puesta a salvo: Calixto García, Calixto Morales, Carlos Bermúdez, [Rolando] Moya, [Armando] Huau, Arsenio García, Pablo [Díaz] el cocinero. De Fidel no hay noticias concretas.

Aún de noche, Guillermo traslada a los tres combatientes hasta la casa de Carlos Mas, en Palmarito. Mientras tanto, Ramiro y Benítez han pasado para la vivienda de Orfelia Arcís y Camilo a la de Ibrahím Sotomayor, el hijo de Ofelia.

Freddy Sotomayor, hermano de Ibrahím, esconde a Camilo en un pozo ciego y a los otros debajo de unos bejucos de guaniquique.

Sábado 15 de diciembre

Hasta este día, las fuerzas de la tiranía han logrado capturar a diecisiete expedicionarios del *Granma*. Otros veintiuno han muerto, la inmensa mayoría asesinados a mansalva.

Juan Manuel Márquez, segundo jefe de la expedición, quedó solo en la dispersión de Alegría de Pío. El día 15 es capturado en Estacadero y asesinado cerca de San Ramón.

A esta altura de los acontecimientos, los mandos militares del tirano levantan finalmente la línea de cerco más importante que han establecido, con el fin de encerrar a los combatientes del *Granma* en un territorio estrecho y difícil, de espaldas al mar.

Grupo de Fidel

A las ocho de la noche Fidel ordena iniciar la marcha. En poco más de dos horas de camino a campo traviesa, cubren la distancia de La Manteca a la carretera. Cruzan la vía con gran cautela por una alcantarilla.

Siguen caminando sin descanso durante toda la noche. Más de treinta kilómetros cuesta arriba y cuesta abajo, hasta la cima de la loma de La Nigua. Aquí hacen un alto. Es tanto el agotamiento y la tensión de los últimos días, que Fidel se sienta en el suelo y al instante se queda dormido. Han llegado casi a su destino.

Grupo de Raúl

Siguiendo su norma de caminar solo de noche, el grupo de Raúl pasa el día 15 escondido. Raúl anota:

Pensábamos dormir tres horas y levantarnos a las 5, pero resultó que eran las seis. Decidimos escondernos cerca de un bohío, descansar y esperar que pase el día, porque es imposible caminar de día sin correr riesgo de que nos vean, y ya de tarde meternos en el bohío, comer algo, pedir orientaciones y seguir. Asimismo acordamos consumir los poquitos víveres que traemos, porque el guerrillero necesita movilidad y el saco con los pocos alimentos pesa algo, es difícil de conducir y nos retrasa mucho, y por aquí hay bastantes casitas campesinas. Cruzamos un camino; tuvimos que acostarnos en la yerba mientras pasaban tres jóvenes campesinos a caballo. Subimos una ladera y estamos en un pequeño bosquecito, rodeados por ambos lados, norte y sur, de bohíos; no muy lejano, al este, el mar, y al norte la carretera de Pilón, que tendremos que atravesar esta noche para internarnos más en la Sierra. Hemos evitado que nadie nos vea, por lo menos hasta la hora de partir, para mayor seguridad. Desayunamos dos salchichas de lata y pedacitos de queso blanco y dos cucharadas de azúcar parda. Hay muchos mosquitos aquí que apenas nos dejan descansar. Ulises [Efigenio] torció algunos tabaquitos con papel de cartucho, el Flaco [René Rodríguez] está de posta al lado de un trillo y los demás dormitan sobre las hojas secas. Desde aquí se oyen los ladridos de perros, voces de personas y demás ruidos característicos de bohíos. Son las 9:30 a.m.

105

Al atardecer inician de nuevo la marcha. Raúl vuelve a escribir en su diario:

Pasamos un día aburridísimo, consumimós lo que nos quedaba de queso con azúcar, que también se acabó, y una lata de sardina entomatada con lo que pudimos entretener el estómago. A las seis, ya había luna, y aún quedaba algún resplandor de la luz del sol que ya moría por el poniente. Partimos como vanguardia Ciro y yo, mientras los demás nos seguían a cierta distancia. Llegamos al bohío y, después de identificarnos, el señor nos confesó que había tenido escondidos a dos compañeros nuestros y traía unas botas que le habían obsequiado. Por suerte también para nosotros, en toda esa zona correspondiente al municipio de Pilón y que se llama el "M...O" [El Muerto] viven muchos parientes de los señores que nos estuvieron escondiendo antes [se refiere a la familia de Neno Hidalgo, en Ojo del Toro].

Pero resultó que en este bohío, como en casi todos, la miseria era espantosa, ni una vianda porque había llovido muy poco durante el año, ni un ave, en fin, nada. Unos poquitos de frijoles negros, que probablemente guardaron para la comida del día siguiente, ahí en un caldero, era lo único que tenían y ofrecían.

Julián Morales, el campesino que los ha atendido, lleva al grupo hasta la tienda de Luis Cedeño. Raúl le entrega a este una carta de agradecimiento:

"Dejo constancia escrita de este favor, en estos momentos difíciles para que se tenga en cuenta en el futuro, ya que no pudimos pagarle nada; por si nosotros morimos pueda presentarse este documento en cualquier organismo oficial del futuro Gobierno Revolucionario".

A las nueve de la noche abandonan el lugar para otra jornada de marcha. Esa misma noche Fidel ha dejado esa zona para hacer el cruce de la carretera de Pilón. Raúl concluye ese día con lo que sigue:

Allí en el tenducho había un radio de baterías y se oía muy mal. Durante el rato que estuve allí se oyó un "flash" dentro de un programa que dijo algo de "Castro Ruz y México", pero esencialmente por el mal estado del aparato, no pudimos oír nada, nos fuimos para allá y preparamos a toda prisa nuestra comida: sopón de fideos y bacalao, arroz congrí. Pero en cantidades grandes, comí como un animalito. Reposamos 30 minutos, y partimos a las 9 de la noche. A este campesino, como al de la bodeguita y al anterior que nos tuvo escondidos, les dejé unas notas con mi firma, exponiendo que se habían portado bien con nosotros en estos momentos difíciles, por si nosotros moríamos dejábamos constancia de ello. Dos campesinos nos hicieron valiosas indicaciones para llegar a la Sierra y nos acompañaron por unos trillos unos 25 minutos.

Seguimos la ruta por trillos, y fue increíble lo que avanzamos en dos horas y media. Llegamos hasta seis kilómetros de Pilón, y ya cuando divisamos sus luces, desde la guardarraya de un cañaveral, nos desviamos hacia las montañas, por las que unas veces caminábamos por trillos y otras por el bosque, hasta que de nuevo encontrábamos otro caminito. La luna llena de estos días seguía en toda su plenitud. Aquí termina este día, que fue el que más aprovechamos de noche.

Grupo de Almeida

El día 15, Ramiro, Camilo y Benítez son trasladados a una cueva dentro del monte. El lugar está a algunos kilómetros de la casa de los Sotomayor. Almeida, el Che y los otros dos combatientes siguen escondidos en la finca de Carlos Mas. Ese día reciben un mensaje de Guillermo donde les indica que deben permanecer en el lugar, ya que se ha hecho contacto con Faustino.

El Che anota en su diario:

Pasamos sin novedad el día, se recibe una nota de G.A. [Guillermo García] indicando que localizó a Fausto [Faustino Pérez], que nos quedemos en el lugar, hay indicios de que se va a dar con Alejandro [Fidel].

El Che. Sierra Maestra, 1957.

El grupo de Camilo recibe un mensaje de Almeida en el que les dice que deben reunirse con él en Palmarito. La intención de Almeida es volver a reagrupar sus hombres para luego establecer contacto con los otros expedicionarios. Esa misma noche, Camilo, Ramiro y Benítez emprenden la subida del firme hasta la casa de Carlos Mas.

Domingo 16 de diciembre

Grupo de Fidel

Comienza a clarear el día cuando el grupo desciende por una falda de la loma. Atraviesan los cafetales y salen al fondo de la casa de Mongo Pérez. Son cerca de las siete de la mañana.

A los pocos minutos aparece el dueño de la finca y, después de un cambio de impresiones con él, Fidel establece su campamento entre unas palmas jóvenes, en el centro de un pequeño campo de caña. El resto de ese día y esa noche, los combatientes reponen sus gastadas energías.

Grupo de Raúl

Al amanecer, el grupo de combatientes acampa en la zona de La Manteca. Relata Raúl en su diario:

Seguimos caminando de madrugada. "El Flaco" [René Rodríguez], entusiasmado por el éxito del primer bohío, quería meterse a todas horas en todos los bohíos. Aprovechando la luna estuvimos adelantando hasta las 3 y 15 de la madrugada. En un descanso que hicimos en la cúspide de una loma, el Flaco se puso a explorar y como a los 200 metros encontró dentro de un pequeño cercado de palos, un joven campesino que se disponía a ordeñar su única vaca. [...] Decidimos hacernos pasar por el papel de guardias rurales. Nos invitó a tomar café y fuimos hasta su casa que estaba a unos 200 metros más; su señora, una joven y no muy fea campesina. Nos quedaba una lata de leche condensada y decidimos tomar café con leche bien caliente. En lo que hace de salita, había una lata de yucas, recién sacadas, por lo que propuse que nos hirvieran unas cuantas, a lo que accedió gustoso. Mientras preparaban esto, asamos dos mazorquitas de maíz que traíamos; las primeras que comíamos así, ya que las demás nos las habíamos comido crudas.

Tomamos el café con leche y un rato después estaban las yucas, pero como ya eran más de las 4 de la mañana, decidimos irnos y meterlas en una latica que traíamos porque queríamos alejarnos de esas zonas antes del amanecer. A este lugar le llaman "La Manteca".

Serían las 5 de la mañana cuando encontramos un lugarcito, aunque no muy bueno, pero había muchos bohíos cerca. Siempre tratamos, cuando tenemos que pasar el día durmiendo, después de una larga jornada, de pasarlo en lo alto de una montaña para dormir sin preocupaciones.

Apenas una hora después, se escuchan unos tiros. Armando Rodríguez sale a precisar la procedencia de los disparos y es visto por un niño. Raúl escribe:

Decidimos abandonar el lugar a esa hora. Difícil tarea esta, ya que estábamos prácticamente rodeados de bohíos y nos podrían ver. Tuvimos que bajar por tremendos farallones, y en forma de cadena íbamos pasándonos los rifles y nuestra pequeña jabita, que ya lo único que contenía era un poco de aceite, ajo, sal y un poquito de café, además del machetín, algunas laticas vacías. Al fondo de la hondonada nos quedaba una casita y al tratarla de cruzar por la ladera, nos vio una mujer desde la puerta, por lo que decidimos llegar allí. Campesina joven, con varios hijos, el esposo estaba trabajando en la estancia y se llama Justo. Nos confundieron aquí también con guardias rurales.

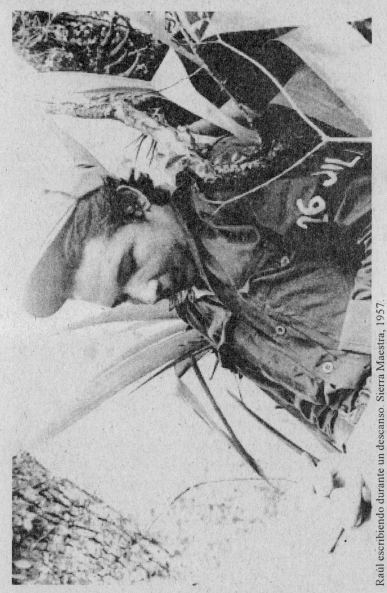

Raúl escribiendo durante un descanso. Sierra Maestra, 1957.

Por fin, en la tarde del propio día 16, llegan a la carretera de Pilón. Raúl relata la agotadora y difícil marcha a través de las montañas:

Pasamos, entre bajaderas y subideras, caminando hacia atrás para despistar, varias estancias, la mayoría de yucas, malangas, maíz, plátanos. Después empezó una de las jornadas más duras. Atravesamos, pero de largo para poder avanzar, una pequeña cadena de como seis montañas. Era la única forma de adelantar de día, a un lado y a otro teníamos bohíos, al este la costa y el central Pilón a unas dos leguas se veía muy bien desde nuestra altura. Había que atravesar un claro más bajo que las intrincadas montañas y de ambos lados nos podrían ver; entonces decidimos descansar dos horas y media y aprovecharlas para dormir. Yo solo pude dormir una hora pues tuve que hacer guardia. A las 3 p.m. atravesamos el claro completamente arrastrados estilo comando. Creo que cruzamos dos montañas más en esa difícil y torturadora, aunque la más segura manera. A las 5 y 20, después de bajar por una cañada seca y rocosa, llegamos a la famosa, entre nosotros, carretera de Pilón a Niquero, que aunque parece estar en buen estado, es más bien un camino vecinal. Esperamos una hora para que oscureciera, mientras se observarían los movimientos de la zona opuesta. En ese intervalo estuvo cayendo una fina lloviznita. Ya momentos antes había aparecido un bonito arcoiris, que hacía tiempo no veía; creo que en México nunca vi uno. Por fin a las seis y media, aunque había luna llena y brillante, cruzamos, bajamos por un pequeño barranquito, cruzamos un río-arroyo, y nos internamos en un cañaveral, salimos de allí y seguimos el curso del mismo unos 250 metros, volvimos a internarnos en otro tupidísimo y mojado cañaveral, que fue un verdadero tormento pasarlo. Como esta "carretera" va entre montañas, no podíamos seguir de frente, hacia el norte, porque estaba en medio otra de estas soberanas lomitas, y subirlas, más a esa hora dando tropiezos y enredados con bejucos, era lo que más nos agotaba.

En medio del cañaveral encontramos un claro, y ahi mismo nos sentamos y estuvimos dos horas comiendo cañas. Seguimos la marcha por el cañaveral, salimos a un maizal, nos comimos dos o tres mazorcas crudas, y al subir por una cañada, nos topamos con la carretera. Sale Armando a explorar y nos confundió, pues como este tramo era de mejor aspecto, pensó que el anterior era un camino y esta de ahora la verdadera carretera, y medio confundidos e incrédulos volvimos a pasar. Subimos una hondonada pedregosa y debajo de unos arbolitos en un pequeño bosque, nos acostamos como a las 11 de la noche. Aunque teníamos la ropa algo mojada, por lo extenuados que estábamos dormimos enseguida.

Lo que ha ocurrido es que, en ese lugar, la carretera describe una amplia Z entre las montañas. De hecho, esa noche los combatientes han cruzado dos veces la vía, pero no la han dejado atrás.

Grupo de Almeida

Los siete combatientes al mando de Almeida vuelven a reunirse en la mañana del día 16. Esa misma mañana, ya Fidel y sus dos compañeros han llegado a la casa de Mongo Pérez, y Guillermo ha regresado para encaminar al grupo de Almeida y cumplir la misión de recoger armas dispersas. El Che anota esa noche lo siguiente:

Se confirma la presencia de Alejandro [Fidel]. La reunión será en las montañas. El día pasa sin novedad mayor. Dos nuevos hombres son prisioneros: [Guillén] Zelaya, el Mexicano, y Amaya [Fernando Sánchez Anaya]. Se confirma una muerte más: Luis Arcos.

Lunes 17 de diciembre

La finca El Salvador, de Mongo Pérez, ubicada en el lugar conocido por Cinco Palmas, es el punto seleccionado de antemano por los organizadores de la red de recepción del desembarco, para agrupar y organizar a los expedicionarios antes de su partida hacia las zonas más intrincadas de la Sierra.

Desde meses atrás, todos los grupos conspirativos del Movimiento 26 de Julio en la costa de Manzanillo a Pilón han trabajado en función del desembarco. Celia Sánchez es la figura clave del Movimiento en la región y ha logrado incorporar a la organización a un buen número de campesinos y obreros y a un grupo de estudiantes.

Celia, sobre todo, ha organizado una completa red de recepción entre los campesinos de la zona, cuyos centros principales son Guillermo García, en El Plátano; y Crescencio Pérez, en Ojo de Agua de Jerez.

Grupo de Fidel

Durante todo el día, Fidel, Faustino y Universo permanecen en el cañaveral de la finca de Mongo Pérez, quien los pone al tanto de las noticias sobre la suerte de los expedicionarios: los asesinados, los prisioneros y los que han pasado ya hacia la Sierra. Fidel envía con Mongo un mensaje a Crescencio para que baje lo antes posible de Manacal a Cinco Palmas.

Grupo de Raúl

El grupo de Raúl decide pasar el día casi junto a la carretera, en un lugar bien cubierto. Esta es su crónica:

Nos despertamos como a las 7 a.m. Todos dormimos las ocho horas. Teníamos el cuerpo descansado, los estómagos vacíos y protestando, y no había más remedio que esperar.

Esperamos que saliera bien el sol para orientarnos y cuando lo analizamos comprobamos que habíamos vuelto a cruzar la carretera para atrás. En vista de la situación decidimos pasarla de día. Se sentía bastante tráfico; el natural de un central apartado en tiempo muerto. Eran las 9 y 30 de la mañana. Subimos una loma bastante parecida en altura a las demás; antes recogimos algunas mazorcas de maíz que comimos crudas. Llegamos al copito [de la loma] y decidimos pasar el día aquí. Estábamos al lado de la carretera. Pilón ya nos quedaba a la derecha. Por el noreste el camino que pensamos seguir, hay varios bohíos. Los observamos, pensamos llegar a uno de ellos, comer algo y con la ayuda de la luna pensamos caminar toda la noche. Por el mediodía, Ulises [Efigenio], "el mago del caldero", como le puse, preparó maíz crudo y tierno con un mojito de ajo, aceite y unos ajíes que nos encontramos. El sazón estaba muy sabroso y, aunque crudo, nos gustó mucho, también se le echaron algunos frijoles colorados tiernos que Ulises había recogido. Todo esto crudo y en una dosis muy pequeña: tres cucharadas por cabeza. Tenemos la esperanza de comer ahora algo caliente. Por el día dormíamos algo y a veces nos aburrimos mucho. Cuando más me entretengo es escribiendo este diario, pero tengo muy poco papel y tengo que ser muy escueto.

Poco después de las seis de la tarde, cruzan por tercera vez la carretera y llegan a la casa de Santiago Guerra. Raúl refiere así el encuentro en su diario de campaña:

Partimos oscureciendo, como siempre, y por obra del destino fuimos a dar a un humildísimo bohío, que por las indicaciones que nos dio su dueño, tuvo importancia decisiva en nuestras vidas del momento. En la casa apenas había qué comer, el dueño [...] fue a su estancia, en la ladera de una montaña, único lugar donde la inevitable "Compañía" deja sembrar a los campesinos, y nos trajo algunas mazorcas de maíz tierno que asamos y comimos mientras esperábamos

115

la comida. Se hizo un sopón de arroz y algunos trocitos de carne de puerco y viandas que traíamos: yuca y calabaza. Ingerimos el alimento bastante caliente y en forma deses- perada por el hambre que traíamos. Nos llenamos de tal forma que después no podíamos caminar y decidimos des- cansar 45 minutos mientras conversábamos tirados a la ori- lla del bohío, enfocando con el campesino temas como la reforma agraria y la explotación de que son víctimas por la compañía. Terminado el tiempo señalado, partimos por el mejor camino que jamás habíamos utilizado, ya que nuestro amigo se brindó a servirnos de práctico y adelan- tarnos un poco, tarea que hizo con su pequeño hijo, que tenía once años, el mayor de la familia y era su compañero de trabajo. Después nos indicó el camino a seguir, "de siem- pre a la izquierda", y escogimos ese camino porque nos ase- guró que no había guardias, y conversando sobre la mejor ruta para ir a la Sierra, él nos recomendó el "Purial", donde vivían inclusive sus padres y era zona que él conocía.

Antes de partir de la casa, Raúl deja al dueño un documento como testimonio de su cooperación, firmado con el seudóni- mo de Luar Trosca, es decir, Raúl Castro con el orden de las letras alterado:

"El lunes 17 de Dic. llegamos a casa del campesino Santia- go Guerra, hambrientos y cansados y nos dio de comer aten- diéndonos muy bien, y brindándose para ayudarnos a seguir nuestro camino. Dejamos constancia de esta ayuda prestada a cinco miembros del Movimiento 26 de Julio, por si morimos, él pueda presentar este papel en el futuro".

Después de recibir indicaciones precisas acerca del cami- no que deben seguir, los combatientes emprenden la marcha. Raúl narra:

Avanzamos por el camino entre cañas; cuando calculamos que estas se estaban acabando, hicimos un alto y estuvimos comiendo caña sin parar, nada menos que hora y media.

116

Tuvimos cerca de las dos de la madrugada que hacer un alto para que "el Flaco" [René Rodríguez] descansara media hora pues tenía fatiga. Pero cuando divisa un bohío, es el que más gestiones hace para llegar al mismo. Tuvimos varias veces, que pasándonos por campesinos, tocar en los bohíos y preguntar si íbamos bien encaminados hacia el Purial, en muchas casas no nos contestaban temerosos, probablemente, a gente maleante. Eran tantos los caminos que nos cruzaban, que por fin nos perdimos: también para suerte nuestra.

A las cuatro y media de la madrugada del día 18, después de más de veinte kilómetros de marcha, el grupo se asoma sobre la lechería de una finca cercana a Purial de Vicana.

Grupo de Almeida

El día 17, Carlos Mas guía a Almeida y su grupo de combatientes hasta la casa de Perucho Carrillo. Camilo y Ramiro están enfermos del estómago y se quedan en la casa de Perucho, mientras sus cinco compañeros prosiguen la marcha con la intención de cruzar la carretera. En definitiva, el grupo regresa, pues en el camino han recibido noticias de que hay guardias por la zona. El Che narra en pocas palabras las incidencias del día:

Nos movemos en dirección norte guiados por C.M. [Carlos Mas], que nos entrega a P.C. [Perucho Carrillo]. Ramiro y Cienfuegos vienen en malas condiciones con diarreas y se quedan, nosotros seguimos para tratar de pasar la carretera pero nos enteramos que hay guardias y debemos volver a pasar la noche en un matorral de yuca.

Martes 18 de diciembre

Grupo de Fidel

El día comienza tranquilo para Fidel, Faustino y Universo. Alrededor de las diez de la mañana se acerca al lugar Primitivo Pérez, un muchacho que vive y trabaja en la finca. Trae una cartera de piel que le han entregado en la casa de Mongo para que la lleve a Fidel. Dentro está la licencia de conducción mexicana de Raúl.

—¡Mi hermano! –dice Fidel con alegría cuando ve el documento–. ¿Dónde está?

Y luego inquiere de inmediato, sin esperar la respuesta a la pregunta anterior:

—¿Anda armado?

Primitivo le explica que esa mañana Hermes Cardero, un vecino, ha traído la cartera para entregársela a Mongo. Hermes dijo que se la dio un hombre que llegó esa madrugada a su casa, quien se identificó como Raúl Castro.

Faustino y Universo se acercan, contentos. Alguien observa que es preciso tener cuidado, pues puede ser una estratagema del enemigo para sorprender a Fidel. Este medita un momento, y da con una solución.

—Mira –le dice a Primitivo–, yo te voy a dar los nombres de los extranjeros que vinieron con nosotros. Hay uno argentino que se llama Ernesto Guevara y le dicen Che; otro, dominicano, que se llama Mejía y le dicen Pichirilo...

Y escribe los nombres y apodos en un pedazo de papel.

—Tú te aprendes estos nombres, y regresas, y le preguntas a él que te los diga, con los apodos. Si te los dice todos bien, ese es Raúl.

Primitivo parte ligero hacia la casa de Hermes. Poco después del mediodía regresa con la noticia de que el interrogado ha pasado la prueba. No cabe duda de que es Raúl, y viene con otros cuatro, todos armados.

Efigenio Ameijeiras, el Che y Guillermo. Sierra Maestra, 1957.

Al fin, à la medianoche, sienten acercarse a unos hombres. Bajo las palmas nuevas del cañaveral de Mongo Pérez, los dos hermanos se estrechan en un emocionado abrazo, y se produce un diálogo histórico:

—¿Cuántos fusiles traes? –pregunta Fidel a Raúl.

—Cinco.

—¡Y dos que tengo yo, siete! ¡Ahora sí ganamos la guerra!

Grupo de Raúl

Los cinco combatientes del grupo de Raúl bajan por una falda hacia una pequeña vaquería. Juan Rodríguez, empleado de la finca, está ordeñando y les brinda leche, tibia todavía.

Cuenta Raúl:

Inmediatamente comprobamos que el ordeñador era sordo y al darnos cuenta que nos confundió con guardias rurales, nosotros seguimos fingiendo. Nos tomamos tres galones de leche cruda y acabada de salir de las ubres de las vacas. No conforme con eso llené mi cantimplora. Allí obtuve datos de la finca y de sus dueños, y al indagar sobre el tema, el sordo contestó cosa muy corriente: "no, no, por la zona todo está tranquilo".

Se acercan a la vivienda y llaman a la puerta. Sale Hermes Cardero, el dueño de la finca. Después de identificarse Raúl con su licencia de conducción, Hermes le plantea que deben quedarse esperando en la casa, pues hay noticias de que otros revolucionarios están cerca. Raúl accede, pero opta por acampar en algún lugar protegido desde el cual puedan batirse sin estorbo y retirarse en caso necesario. Cardero parte a avisar a Mongo Pérez y lleva consigo la cartera de Raúl. Sigue narrando Raúl:

Inmediatamente le expliqué [a Hermes] el asunto y que quería algunos víveres para seguir; él indagó por nuestra identidad, pues no sabía con quién hablaba; me gustó esa desconfianza y me identifiqué plenamente, hasta con mi licencia de manejar en México. Pasé al cuarto y hablé aparte con él, puse el radio, comprobé la hora y hablé a solas con él. Oí por radio una síntesis de unas declaraciones muy buenas de mi hermano Ramón, y por boca de nuestro nuevo amigo fue que pude tener noticias veraces en 24 días. Después de una corta plática, de fumar y de tomar café sin limitaciones, me aseguró que no podíamos irnos porque tenía noticias para mí, ya que había gente nuestra cerca. Quería que nos quedáramos en su casa pero para menos riesgos y para podernos batir sin comprometer a nadie en caso de emergencia, preferimos escoger un cafetalito cercano y donde podíamos observar las cercanías. Ahora veía un poco más claro en el horizonte de estos tristes días pasados.

Al mediodía, llega Primitivo Pérez. Comienza a conversar y a interrogar a Raúl, según las instrucciones que ha recibido de Fidel. Cuando el combatiente le recita los nombres y apodos de los extranjeros de la expedición, la recia cara de Primitivo se parte en una ancha sonrisa.

—Bueno, pues déjeme decirle que Fidel está aquí, cerca de ustedes.

El campesino informa que a la noche los vendrá a buscar para llevarlos adonde está Fidel. Raúl anota:

En asunto de alimentos y de noticias era nuestro día más feliz. Además del desayuno de nosotros, leche cruda, después de estar en el cafetalito nos llevaron café con leche caliente y tostones. [...] Al mediodía un suculento almuerzo, hasta arroz con pollo, café, cigarros, viandas. Por la tarde merienda: frutas y café. Vino el primer enlace efectivo, habían ido a ver a Mongo [Pérez], me interrogó, me pidieron más identificaciones; sinceramente me gustó la forma cautelosa de verdaderos conspiradores de estos campesinos. Por la noche salimos del cafetal, nos acercamos a la casa de nuestro amigo y debajo de unos árboles nos trajeron la más suculenta comida de la época: arroz con garbanzos, fricasé de cerdo, viandas, café, leche y peras en lata de postre.

Fue un error porque al día siguiente nos sentiríamos mal, con descomposición de estómago. Hasta ahora había llevado un registro exacto de nuestras comidas, para ver con cuánto se puede vivir en esas circunstancias. Desde ahora, como más o menos comeremos bien o regular, no tiene objetivo anotar los alimentos diariamente.

La señora nos regaló un crucifijo.

Poco después, regresa Primitivo con Omar Pérez, este último hijo de Severo, y parten todos hacia la finca de Mongo Pérez.

Raúl recuerda el encuentro en estos términos:

Por fin, a la luz de la luna aparecieron algunos campesinos y como a las 9 p.m. enfilamos precedidos por ellos cuatro. No caminamos mucho cuando se detuvo la vanguardia y emitió unos silbidos que contestaron a varios metros. Llegamos, y a la orilla de un cañaveral nos esperaban tres compañeros: Alex [Fidel], Fausto [Faustino] y Universo. Abrazos, interrogaciones y todas las cosas características de casos como estos. A Alex le alegró mucho que tuviéramos las armas.

Nada más. Es suficiente.

Grupo de Almeida

Durante todo el día 18, el grupo de Almeida permanece oculto en un campo de yuca. Varios vecinos de la zona acuden a saludarlos y a brindar ayuda. La intención de Almeida es emprender la marcha por la noche.

El Che señala:

Cuando nos aprestábamos a marchar llega G.G. [Guillermo García] con la orden de esperar para ir atrás a rescatar dos rifles. Se lleva a Chao. No hay mayores novedades.

Miércoles 19 de diciembre

Grupo de Fidel

Al amanecer del día 19 llega Crescencio Pérez. Posiblemente haya sido ese mismo día cuando Mongo Pérez parte hacia Manzanillo y Santiago de Cuba, enviado por Fidel, para comunicar su llegada a Cinco Palmas a Celia, Frank y demás dirigentes clandestinos del Movimiento en esas ciudades, y trasmitirles las orientaciones necesarias.

La felicidad del reencuentro de los revolucionarios se refleja en el testimonio de Raúl:

El día de ayer, las peripecias, coincidencias y detalles, obras todas del destino, que nos trajeron a unirnos a estos compañeros, necesito un capítulo aparte que será redactado en el futuro.

Como todos los días, aparece Severo Pérez, cuñado de Mongo, trayendo el desayuno, el almuerzo y la comida. En una de estas ocasiones, el campesino carga tres cubos repletos de arroz, viandas y carne.

—Cuando triunfe la Revolución –le dice Raúl entre risas–, le vamos a hacer un monumento a usted cargando esos tres cubos de comida.

Al final de las notas correspondientes a este día, Raúl escribe:

Ese día lo pasé bastante mal por la maleza de estómago y un dolorcito interior en el costado izquierdo bastante molesto. Apenas comí por la noche. Primer día sin apetito.

Grupo de Almeida

Antes de la medianoche del 19, los combatientes al mando de Almeida logran finalmente cruzar la carretera de Pilón. En su diario, el Che anota:

Tras de esperar todo el día, como de costumbre, salimos guiados por R.P.M. [Ricardo Pérez Montano] nosotros seis. Chao no se nos une en el lugar indicado porque el guía manifestó tener otras órdenes y, tras de cruzar la carretera y caminar casi toda la noche, acampamos en un bosquecito perteneciente a la hacienda de D.M. con el encargo de ir temprano por el desayuno. Con nosotros queda C.M. [Carlos Mas] que va a entrevistarse con Alejandro [Fidel] para conocerlo.

Jueves 20 de diciembre

Grupo de Fidel

Este día acuden a entrevistarse con Fidel diversos campesinos de la zona comprometidos con el Movimiento, encuentro que Raúl comenta con las siguientes palabras:

Tienen una organización bastante buena y estamos perfeccionándola, sobre todo los enlaces y el espionaje. Cualquier movimiento en todos estos alrededores nos es inmediatamente comunicado.

Todo el día los nueve combatientes se mantienen en espera de la llegada del grupo de Almeida. Por la noche Fidel decide mudar el campamento para el cafetal que está detrás del campo de caña. Raúl concluye sus anotaciones de ese día con estas palabras:

Después de hacer todas las comidas, además de caña cuando lo deseáramos, partimos para un cafetalito cercano que a dos metros no se veía nada. Por la noche nos llevaron una cena de queso, galleticas, leche condensada y maltina.

Grupo de Almeida

El guía que debía haber venido de Cinco Palmas para conducir a los seis combatientes no ha llegado. Después de comer, deciden emprender solos la marcha. Equivocan el camino en varias ocasiones, pero al fin, en la madrugada del día 21, cortan por la falda de la loma de La Nigua para caer en el cafetal de Mongo Pérez, donde Fidel los espera desde hace varios días.

Recuerda el Che:

Nos encontramos con la desagradable sorpresa de que D.M. no había recibido ninguna nota y negaba la relación con Crescencio. C.M. [Carlos Mas], que fue el que llevó el recado, siguió viaje a Purial para comunicar a Mongo [Pérez] la mala nueva. Nosotros quedamos en el bosque hasta las 5 p.m. en que Almeida y Benítez fueron a buscar comida a la fuerza si era necesario. No lo fue, pues el hombre había recibido recado y estaba preparada, pero de todas maneras no tenía ningunas ganas de tenernos en las cercanías e indicó rápidamente la meta de nuestro viaje. Nos perdimos varias veces, pero a la madrugada dimos con la casa donde se nos avisó que C.M. había pasado pero se desconfiaba de él.

Viernes 21 de diciembre

En la madrugada del día 21 se produce el tan esperado encuentro de los combatientes del grupo de Almeida con Fidel y los demás expedicionarios. Ya son quince los sobrevivientes del *Granma* que se han reunido para continuar la lucha: Fidel, Raúl, Almeida, el Che, Camilo, Ramiro Valdés, Ciro Redondo, Faustino Pérez, Efigenio Ameijeiras, René Rodríguez, Universo Sánchez, Calixto Morales, Pancho González, Reinaldo Benítez y Armando Rodríguez.

Rafael Chao, del grupo original de Almeida, anda con Guillermo localizando armas, y otros dos –Calixto García y

Carlos Bermúdez– están en Manacal esperando la orden de Fidel para incorporarse. Hay más expedicionarios en camino, que se unirán varios días después.

Pero solo hay siete fusiles. En medio de la alegría del encuentro, Fidel tiene palabras muy duras al enterarse de que los seis nuevos hombres han perdido sus armas.

—No han pagado la falta que han cometido –expresa Fidel–, porque el dejar los fusiles en estas circunstancias se paga con la vida. La única esperanza de sobrevivir que tenían en caso de que el ejército topara con ustedes eran sus armas. Dejarlas fue un crimen y una estupidez.

Al respecto, el Che apunta:

Fidel dio una filípica por la dejada de los rifles.

En las notas escritas ese día, Raúl describe:

Serían las 4 a.m. cuando aparecieron [...] Almeida, Benítez, Pancho, Camilo Cienfuegos y el Che Guevara, uno de los más valiosos compañeros. Abrazos y las mismas escenas anteriores de interrogatorios e indagaciones sobre los ausentes. Venía también mi inseparable amigo R. [Ramiro] Valdés.

Como a las siete nos trasladamos para un cafetal más grande, como a 300 metros del anterior. Un arroyo pasaba cerca. Los compañeros llegados hoy presentan el mismo [aspecto] de nosotros hace unos días, cansados y desnutridos. Nos mataron un lechoncito que comimos en fricasé. [...]

Ya se vislumbran más esperanzas. Somos 16 contando al H. [se refiere a Crescencio Pérez], aunque no todos están armados, ya que los últimos solo traían una pistola ametralladora. El Che, muy mejorado hasta ahora, tenía esta noche, por falta de medicinas, un ataque de asma. Oímos disparos lejanos. Nuestro servicio de información investigó que dos soldados borrachos los dispararon al aire.

Anoche nos trajeron una cena de panyqueque y café, cigarros y tabacos. Estuvimos conversando y haciendo planes para el futuro. Ya era hora de que nos fuéramos de esta zona, pero estamos esperando más gente nuestra.

El Che, por su parte, anota:

Pasamos el día en espera de armas que tienen que llegar. [...] Se dan nuevas detenciones: [Jesús] Montané, Gilberto [García]. Dos nuevas muertes: Eduardo Reyes y Leyva [René Bedia], una emboscada, con confirmación de la de [Juan Manuel] Márquez. Me da un ataque de asma y paso mal la noche, estamos en casa de Mongo Pérez.

Sábado 22 de diciembre

Se reciben las primeras noticias de que Guillermo y otros compañeros han localizado más armas del *Granma*. Llegan esa misma mañana, y junto con ellas se reincorpora Rafael Chao al destacamento. Raúl escribe:

Universo, apicultor de profesión, fue y castró una colmena de miel de campanillas que estaba al lado del arroyo, propiedad del viejo Severo.

La llegada de la miel coincidió con la de varios campesinos con las ocho armas más, envueltas en sacos y una pistola ametralladora, una ametralladora Thompson sin peine. Inmediatamente se limpiaron.

Por la tarde regresa Mongo de su viaje a Santiago y Manzanillo, e informa a Fidel de sus contactos con Frank y Celia. Trae, entre otras cosas, ropas, botas, medicinas y un poco de dinero enviado por Celia.

Este día, el Che apunta:

Un día de inactividad casi total. Llegan las armas. Todo el mundo armado. Hay 2 Thompson y fusiles. La pistola mía la tiene Crescencio Pérez y a mí [me] toca un fusil malo. Se me pasa el asma.

Sobre el afecto de los vecinos, es elocuente la anotación de Raúl:

Es admirable cómo se desviven por atendernos y cuidarnos estos campesinos de la Sierra. Toda la nobleza y la hidalguía cubanas se encuentran aquí.

Domingo 23 de diciembre

La mañana transcurre normal en el campamento guerrillero. Al mediodía los combatientes han subido a la loma de La Nigua. De pronto, Fidel da una orden:

—¡Estamos rodeados de guardias! ¡Ocupen posiciones para combatir!

Los hombres se despliegan hacia distintos puntos. Pasa rato, pero no ven venir a nadie. Nada se mueve. Más tarde descubren que Fidel ha dado la alarma como entrenamiento.

Raúl relata el ejercicio con las siguientes palabras:

Pasamos el día normal. Por la tarde se dio una falsa alarma de presencia próxima de soldados. La mayoría reaccionó bien, algunos hubo rezagados. La maniobra, por la seriedad que se rodeó, quedó bien.

El Che coincide con esta versión:

Siempre en el mismo lugar. Simulacro de combate, yo vine corriendo a traer la noticia. La gente se movilizó bien, con espíritu de pelea.

Poco después de este ejercicio se anuncia la llegada de tres compañeros enviados por el Movimiento desde Manzanillo. Se trata de Enrique Escalona, Rafael Sierra y Eugenia Verdecia. Esta última trae ocultas bajo su saya nada menos que trescientas balas, tres fulminantes y nueve cartuchos de dinamita.

Se acuerda el envío a la Sierra de un pequeño grupo de militantes como refuerzo del destacamento guerrillero. Fidel insiste en la necesidad de armas y parque que permitan el desarrollo de la lucha y el crecimiento de la tropa.

El Che apunta:

Llegó gente de Manzanillo, trajeron 300 balas, 45 para la Thompson y 9 cartuchos de dinamita. Nos equipamos casi totalmente y dormimos en el mismo lugar. [...] Faustino partió rumbo a La Habana, vía Santiago y me dejó su fusil nuevo de mirilla, una joya. Trajeron medicinas suficientes para una pequeña cura, pero no hay instrumental.

Por la noche, cuando se marchan de regreso a Manzanillo, los acompaña Faustino Pérez, quien tiene la misión de reorganizar el trabajo del Movimiento en La Habana y trasladar a los responsables clandestinos en el país las orientaciones de Fidel.

Regresemos al diario de Raúl correspondiente al día 23:

Nos despedimos con fuerte abrazo ya oscureciendo. Mientras Alex [Fidel] los acompañaba hasta el arroyo, nosotros íbamos recogiendo las cosas. Partimos y nos reunimos en un cafetal. Ya de noche partimos hasta detrás de la casa de Monguín [Mongo Pérez]. Esperamos mientras Alex hablaba. Después me mandaron a buscar para conocerme, me brindaron cerveza dulce, galletas y dulces de navidad. El H. [Crescencio] me llamó a un lado y riéndose me hizo tomar un trago de Domecq.

De ahí partimos a oscuras y en silencio, dormimos en otro oscuro cafetal.

Hoy con los compañeros de visita se fue para dar las nuevas consignas y organizar los trabajos de la isla, el compañero Fausto [Faustino]. Es médico y aparentemente débil físicamente; pero a pesar de todo es magnífico para estos ajetreos de guerrillas. Además, su presencia sola purifica cualquier ambiente. Anoche dejamos al H. [Crescencio], tiene los pies llagados por las botas y tendrá que quedarse dos o tres días por acá. Con nosotros anda su retoño Sergio [Pérez].

Lunes 24 de diciembre

La fecha impulsa a Raúl a anotar lo siguiente en su diario:

Anoche, en la casa que estuve de visita, el radio estaba tocando las Blancas Navidades *[se refiere a una canción norteamericana, muy conocida entonces, con ese título], demasiado dulce para esta época turbulenta. Las Pascuas del 53 las pasé preso; las del 54, preso también en Isla de Pinos; las del 55 en el exilio, y estas del 56, pues en la manigua.*

Y este otro apunte referido a un hecho que en otras circunstancias pasaría inadvertido:

Algo, en lo particular muy importante, se me había olvidado anotar en el día de ayer: ¡que me bañé!, lavé la ropa interior, que hacía más de treinta días que tenía puesta y un par de medias que tuve que darle como seis lavadas. Antes de ayer, Benítez, volviendo a su antigua profesión de fígaro [barbero], me peló.

La noche anterior Fidel ha repartido entre los combatientes uniformes, frazadas y botas que se han conseguido por intermedio de Mongo Pérez. Raúl escribe:

Estamos bien equipados para internarnos de lleno en la Sierra. Llevamos hasta para dos compañeros que recogeremos más adelante: los dos Carlos [Calixto García y Carlos Bermúdez].

Ya para esta fecha, Fidel cuenta con la incorporación de un grupo de campesinos que quieren seguir con la guerrilla. Volvamos al diario de Raúl:

Hoy temprano nos mudamos para un cafetal en el que habíamos estado antes. Por la noche nos iremos de la zona.

Desde temprano estamos improvisando mochilas de sacos de henequén para llevarlas a las espaldas y tener en

Primera foto de Fidel y Raúl en la Sierra, tomada al celebrarse la reunión de la Dirección Nacional del M-26-7 en la finca de Epifanio Díaz, 18 de febrero de 1957. La foto forma parte de una colección tomada con una cámara que llevó Frank País.

las manos solo el fusil. *Desde temprano se oyen algunos cohetes que algunos muchachos hacen estallar en la lejanía. Son las once.*

Aunque a los combatientes quizás los absorben otras preocupaciones, es Nochebuena y Mongo Pérez quiere agasajar a sus huéspedes. Según Raúl:

Por la noche nos pusimos en una hondonada, unos 400 metros de aquí, cerca del arroyo y como a las 9 vinieron con un lechoncito asado en púa, envuelto en una yagua; lo comimos con casabe y algunas botellas de vino que nos trajo Monguín, él mismo picó el lechón, con los tragos y la alegría de charlar un rato en esta Nochebuena tan típica de guerrilleros, alzamos algo la voz alrededor de la vela que teníamos encendida. Calixto [Morales] improvisó algunos versos y pasadas las 10 se fueron los anfitriones y nos retiramos a dormir. [...] La Nochebuena fue sencilla, pero alegre dentro de lo que cabe. Es la primera que pasamos así. Creo que en el futuro, cuando triunfemos, tenemos que venir a este mismo lugar y pasárnosla en forma parecida, con la compañía de estas buenas gentes...
  Si quedamos vivos.

En definitiva, Fidel ha decidido por la tarde esperar un día más, pues hay noticias de que vienen en camino otros expedicionarios y se aguarda la llegada de un enviado del Movimiento desde Manzanillo.
  El Che anota en su diario:

La nochebuena la pasamos en el mismo lugar, en una espera que se me antoja inútil. Apareció un fusil Johnson más pero todavía no ha llegado a destino. Apareció en un periódico la noticia de que viene en la expedición un argentino comunista de pésimos antecedentes, expulsado de su país. El apellido, por supuesto, Guevara.

Martes 25 de diciembre

Los compañeros que se esperan no llegan, y Fidel decide emprender la partida hacia el interior de la Sierra.

Raúl apunta:

Hoy sí que partiremos; pasamos el día en el mismo lugar donde recibimos la visita de la gente de M...O [Manzanillo]. [...] Pedimos una facturita de cosas que nos serán de utilidad en la Sierra. Por la noche fuimos a otro cafetal donde se planeó la ruta con el nuevo incorporado que servirá de guía [Manuel Acuña].

Antes de partir, el grupo se acerca a la casa de Mongo. Fidel entra en el comedor mientras los demás esperan en el cafetal que está al fondo de la vivienda. Al poco rato los llama. Sobre la mesa hay un papel escrito por Fidel que leen todos los del *Granma*, y van firmando después cada uno. Es un documento en el que se expresa el reconocimiento a Ramón Pérez por la ayuda que ha brindado al grupo y por su aporte al llevar aviso al Movimiento para establecer contacto. Y luego se agrega:

"La ayuda que hemos recibido de él y de muchos como él en los días más críticos de la Revolución es lo que nos alienta a seguir la lucha con más fe que nunca, convencidos de que un pueblo como el nuestro merece todos los sacrificios. No sabemos cuántos de nosotros caeremos en la lucha pero aquí quedan las firmas de todos, como constancia de infinito agradecimiento".

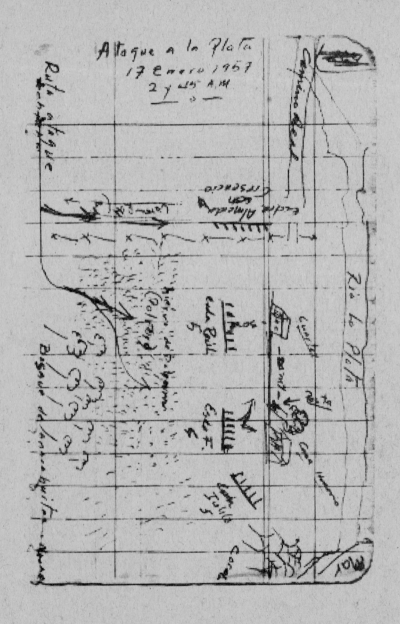

Facsímile del croquis del ataque al cuartel de La Plata realizado por Raúl en su diario.

EL ASALTO AL CUARTEL DE LA PLATA

Miércoles 26 de diciembre de 1956

Alrededor de las once de la noche del martes 25, la pequeña columna al mando de Fidel parte de la finca de Mongo Pérez. Raúl describe:

Salimos del Pur. [Purial] como a las once, por trillos que nos llevaba el guía, desechando el camino real, para evitar emboscadas; pasamos infinidad de arroyos, como nos habíamos retrasado algo, tuvimos que hacer una buena parte del trayecto por el camino, pero nuestra rústica red de información nos había avisado que no había grueso de tropas por los alrededores.

Tres kilómetros después, cruzan a campo traviesa en busca del arroyo de Los Negros y siguen por un sendero que conduce a la casa de Alejo Piña, en cuya finca acamparán. En su diario, el Che anota los posibles peligros de esta caminata nocturna:

Por fin después de un opíparo festín de puerco, emprendimos la marcha hacia Los Negros. La marcha se inició muy lenta y rompiendo alambradas con lo que se dejaba la tarjeta de visita. [...] Al fin resolvimos tomar el camino real y avanzamos algo más, pero el ruido nos hacía evidente, para cualquier bohío del camino y abundaban. Al amanecer llegamos al punto de destino.

Con las primeras luces del día la columna llega a la casa del campesino. Crescencio Pérez está esperando. En la cañada seca del arroyo, a poca distancia de la casa, los combatientes arman sus hamacas. Han caminado esa noche, desde la salida de Cinco Palmas, unos quince kilómetros. Al mediodía Alejo lleva almuerzo. Por la noche se mudan para un lugar más resguardado.

Dice Raúl:

Ya oscuro, el dueño de la finca nos trajo 3 cubos con comida: uno con arroz blanco, otro con yucas y el último con

*carne de macho frita, y después de tomar café, subimos más
arriba para acampar por la noche. Había un bohío, solo
con el techo, pues habían abandonado su construcción, al
lado tenía algunos plantones de caña que nos servirían de
desayuno. Colgué mi hamaca igual que algunos compañeros que tenían, distribuimos las guardias y a dormir. Era
la primera vez que dormía en un "medio techo".*

Según registra el Che en sus anotaciones, ese mismo día Fidel
organiza la pequeña tropa. La escuadra de vanguardia está compuesta por Ramiro, Calixto Morales y Armando Rodríguez. Raúl
tiene el mando de otra escuadra compuesta también por Ciro
Redondo, René Rodríguez y Rafael Chao. Almeida cuenta con
Camilo, Efigenio Ameijeiras, Reinaldo Benítez y Pancho
González. El Estado Mayor queda integrado por Fidel, el Che,
Universo, Crescencio, Sergio Pérez y el práctico Acuña. Ese
día el Che escribe:

*Pasamos el día junto a un arroyo durmiendo y descansan-
do, a la noche fuimos a dormir a un rancho deshabitado y
llegó una comisión con un tal Ramón a traer noticias, se
convino en traer al día siguiente a Calixto García y Carlos
Bermúdez para que se incorporen a la guerrilla y esperar a
la gente de Manzanillo.*

Jueves 27 de diciembre

El campamento de la columna se ha establecido en el alto de La
Catalina, en la cabezada del arroyo de Los Negros. Crescencio
le pide a Alejo Piña que consiga una novilla y este la trae al
mediodía. El Che propone asarla al estilo de las pampas argen-
tinas, es decir, descuerada y abierta, pero entera, apoyada sobre
una especie de parrilla construida con varas.

Raúl recuerda el episodio:

*Desde temprano esperamos a dos compañeros, los dos Car-
los [Calixto García y Carlos Bermúdez], que aún no han*

llegado. Mientras el torete se asaba lentamente, fuimos asando en la brasa y comiéndonos en la espera, el hígado, los testículos, sesos y hasta el bofe nos comimos asado. Ya tarde en la noche, como a las once, estuvo medio asada la res, y comimos algo. Estando de posta de 12 a 1 y 30 de la madrugada, el silbido de clave me anunció la presencia de gente amiga. Era J. [Julián Piña, un campesino de Manacal] con los dos Carlitos. Se repitió una vez más el regocijo de dos compañeros combatientes que se han creído mutuamente que el otro ha muerto. Es la más grande de las alegrías.

Carlos Bermúdez viene en muy malas condiciones físicas. El resto de la noche apenas se duerme.

El Che apunta lo siguiente:

El día de la fecha transcurrió casi sin novedad, asando solamente una vaca a la argentina, que salió buena pero tardó mucho.

Viernes 28 de diciembre

A las seis de la mañana llegan cinco combatientes más a la columna. Tres son expedicionarios del *Granma*: Julito Díaz, Luis Crespo y José Morán. Manuel Fajardo y Sergio Acuña son campesinos.

Con ellos viene también Guillermo García, quien trae un fusil Johnson, revistas, periódicos y otras informaciones. Raúl narra en su relato un hecho que causa alarma momentánea en el campamento:

Hoy empezamos a organizarnos en forma más estricta.

De almuerzo tuvimos algunas viandas y un caldo hecho de panza, corazón, etc., todavía queda algo del asado del Che. Un rato después de almorzar se sintió un disparo cerca, inmediatamente todo el mundo a las armas, cuando en eso un compañero, C. [Calixto] García, palanqueando su rifle, se le escapó otro disparo en medio del campamento. Hubo algunos compañeros, que sin saber de dónde venía, ya habían emprendido el camino de la montaña, en retirada desorganizada. Hay algunos que todavía no actúan con serenidad en el momento de los tiros. Nos retiramos para donde estábamos asando el torete, se mandó a investigar y fue que en una de las postas, había un compañero de los incorporados hoy que no estaba muy ducho en el manejo de las armas y se le escapó un tiro. Se investigó que por suerte la topografía del terreno no permitió que los disparos se escucharan muy lejos. Seguimos esperando aquí. Por la noche comimos un pedazo de asado sin sal y sin nada.

El Che no da importancia a estos hechos:

No hay mayores novedades durante el día, solo la llegada de Bohemia.

En cuanto al lento asado del Che, las opiniones se dividen al segundo día. Resulta que, al no recibir el fuego parejo, la carne no se cocina bien. Algunos pedazos quedan crudos y otros empiezan a criar gusanos. Aún así, al tercer día no quedarán más que los huesos.

Sábado 29 de diciembre

Esa mañana, Raúl asienta en su diario:

Tenemos urgencia de partir, pero esperamos algunas armas de las que han dejado dispersas. Con el H [Crescencio] y X [Fidel] discutí la conveniencia o no de atacar por sorpresa a 6 ingenuos soldados que están cuidando a un batistiano terrateniente y ganadero de la zona [...] O si, por el contrario, dejábamos eso por ahora y después de enrolar a más campesinos revolucionarios, de estudiar el terreno que utilizaremos en futuras operaciones de guerrillas y emboscadas, además de hacer nuevos contactos y lo que es más importante todavía: preparar la red de información y contraespionaje, para que nos tuvieran al tanto de todos los movimientos de tropas por la comarca. Este último punto lo considero el más importante de todos, ya que será la base de nuestros futuros triunfos.

El X [Fidel] expresa el temor de que nos crean derrotados y el pesimismo se apodere de nuevo del pueblo y los políticos empiecen de nuevo su politiquería. Además de que sería conveniente alguna acción de ese tipo antes de empezar la quema de caña, trabajo que, según la consigna, ha de ser entre el primero y el 10 de enero próximos. Otro argumento esgrimido por X [Fidel] y quizás el de más fuerza, era el de que carecíamos de armas para los nuevos incorporados y la escasez de parque que tenemos. Finalmente se optó por no atacar a los seis custodios del batistiano rico.

En definitiva, el propio Fidel ha llegado a la conclusión de que es preferible estudiar mejor el terreno en que deberá moverse la guerrilla, establecer nuevos contactos y mejorar la red de información entre los campesinos. Raúl comenta:

Ya los restos del torete asado estilo argentino por el Che apestaban, pero ¿quién ha visto a un guerrillero hambriento respetar una carne pestilente? Con mucha naranja agria y plátanos hervidos, nos la comimos. Solo uno vomitó.

Se tomaron algunas disposiciones sobre la organización futura del nuevo destacamento. Los campesinos que se nos han unido irán engrosando una nueva escuadra dirigida por G. [Guillermo] García, que tan útil nos ha sido salvando compañeros y algunas armas que habían abandonado; la mayoría de las que contamos hoy, las encontró él y su gente.

Por la noche llegan los enlaces de Manzanillo. Son, de nuevo, Quique Escalona y Eugenia Verdecia, Geña. Raúl recuerda:

Partimos ya oscuro, aprovechando esa casi luz y casi tiniebla que queda después de la puesta del sol, y allí, debajo de una palma, entre lomas y al lado de un arroyito, estaban nuestros fieles y valiosos compañeros.

Nos trajeron libros de Geografía de Cuba, Historia de Cuba; estos para darles clases a los campesinos que se nos unan, ya que aquí tenemos un maestro-poeta [Calixto Morales] que ha sido designado para ese trabajo de enseñanza y adoctrinamiento. Vino además un libro de Álgebra para el polifacético Che Guevara. Todos los libros los había pedido él.

Eug. [Eugenia Verdecia] [...] consiguió 16 fulminantes más, 3 cartuchos de dinamita, más mecha, 4 peines para las ametralladoras, dos de ellos cargados, y ocho granadas de mano; todos esos necesarios artefactos bélicos los trajo la compañera Eug. dentro de una faja, debajo del vestido. Con heroínas anónimas como estas, que imitan en todo a las mambisas del pasado, no puede haber causa perdida.

Nos trajo la confusa noticia de la muerte de un tal Cándido, no recordaba el apellido. Ojalá estén equivocados, porque de ser cierto, sería entonces el querido y valioso compañero Cándido González. De Ñico [López] tampoco se sabe nada. ¡Como han muerto compañeros buenos y útiles! [...] Como a las nueve nos cayó una traicionera lluvia. Todos los sacrificios por tapar los fusiles. Apenas dormimos nada.

Por su parte, el Che escribe:

El día pasa sin novedad pero por la noche se produce un acontecimiento; vuelve la muchacha de Manzanillo y trae cuatro peines de ametralladora, seis granadas de mano, veinte detonadores, nueve cartuchos de dinamita, los libros que yo había encargado: Álgebra, Historia elemental de Cuba, Geografía elemental de Cuba. Por la noche se largó un aguacero que nos empapó a todos, casi nadie durmió, nos pasamos la noche tratando de hacer fuego, y asando plátanos.

Domingo 30 de diciembre

A las doce en punto del día 30 se levanta el campamento guerrillero de La Catalina. Fidel ha decidido proseguir el avance hacia zonas más agrestes de la Sierra.

Ese día, Raúl escribe:

Arriba hicimos un alto y recogimos algunas naranjas agrias, ya que en esta época del año las únicas frutas que hay son las naranjas y los plátanos. Nunca creí que en Cuba existiera una niebla tan densa.

Seguimos avanzando en medio de la niebla, que a 30 metros no se veía nada. Acampamos en una montaña boscosa, batida por el aire.

Cuando cae la noche reemprenden el camino. Han llegado a El Cilantro. Más abajo ya se distingue la casa de Juan Marrero, donde la familia espera con la comida lista desde hace rato. Dos horas después reinician la marcha.

Al final del día, Raúl apunta en su diario un pequeño descuido personal:

Partimos a un bosque cercano y casi impenetrable, donde acampamos. Con 3 compañeros más me encargué de las guardias nocturnas, donde por violar las normas de fumar de noche, me puse a fumar un cigarro debajo de la colcha, me quedé dormido y se me quemó la camisa del uniforme, la de lana, la camiseta, y ya me estaba quemando cuando desperté.

En este sentido, el Che relata:

Seguimos camino, al mediodía por un cayo de monte rodeado de niebla, descansamos hasta la noche y seguimos hasta llegar al bohío de los Marreros, cuyos tres hijos se incorporaron a la revolución, donde comimos. Luego fuimos a un cayo donde pasamos la noche.

El Che. Sierra Maestra, 1957.

Lunes 31 de diciembre

Los combatientes deciden internarse en el monte. Por la tarde arrecia el mal tiempo. Al oscurecer se trasladan a una casita cercana. En su diario, el Che describe:

El último día del año pasó en instrucción de los nuevos reclutas, leyendo algo y haciendo las pequeñas cosas de la guerra. Por la noche dormimos en un bohío donde festejamos la nochebuena durmiendo a la sombra.

En el diario de Raúl, este último momento del año 1956 para el destacamento guerrillero se refleja así:

Con la noticia de que estaban metiendo tropas por varios lugares de la Sierra, tomé hoy especiales medidas en las guardias nocturnas, y yo mismo permanecí despierto toda la noche distribuyéndolas.

La noche, hermosa y estrellada, fuerte brisa batía el bohío, que presentaba una magnífica atalaya nocturna; por la parte de atrás, subiendo un poco y como a unos 200 metros, estaba el bosque. En una barbacoa durmieron 3 compañeros, el resto distribuido bajo el techo de la barbacoa, donde había un lugarcito sin paredes, con excepción de la que pegaba a la casa, y en el pequeño cuarto y salita con que cuentan casi todos los bohíos. Los que estábamos de guardia, al dar las doce de la noche estábamos hirviendo una calabaza con algunas malanguitas que nos trajo el diminuto, bueno y trabajador Chencho [Inocencio Jordán].

Martes 1ro. de enero de 1957

Raúl comienza las anotaciones de este día de la manera siguiente:

El primero de enero lo estábamos pasando como un día normal, dedicado cada uno en el bosque a sus menesteres y al habitual silencio que nos hemos impuesto. Ya algo avanzada la tarde vimos señales de lluvia, recogimos rápidamente, y terminando dio comienzo una fuerte lluvia; caminamos hasta una cañada en una hondonada, y en el lindero del bosque esperamos en fila india a que oscureciera para ir para el bohío. Durante hora y media, de pie en una cañada, estuvimos soportando el monótono y molesto golpear de las gotas, con las consecuencias de frío y humedad de casi todas nuestras pertenencias, ya que solo tenemos nueve capitas pequeñas de nylon y por cubrir el rifle y lo que podemos de la mochila nos mojamos nosotros. Sinceramente hasta ahora esos son los momentos más tristes de un guerrillero, mojarse sin protección alguna. Ya oscuro, aunque no del todo, aprovechando la neblina, nos acercamos de uno en uno al bohío, todos empapados y calados hasta los huesos y con muy poco espacio para dormir, nos las arreglamos como pudimos. Esa noche dormí en unos sacos de maíz, muy incómodamente y apenas dormí nada, afuera el viento soplaba ferozmente. Tremendo "año nuevo".

El Che anota lacónico:

Pasamos el día en un cayo de monte. Por la noche fuimos a acampar en un bohío amigo que era el que nos traía comida; pero ya mojados por una lluvia pertinaz.

Miércoles 2 de enero

La columna guerrillera, compuesta por veinticuatro combatientes, pasa la noche en la pequeña casa de Inocencio Jordán,
en La Cotuntera. Raúl escribe:

*Después de algunas deliberaciones acordamos quedarnos
en el bohío; se tomaron medidas para el caso: todo el mundo
dentro de la casa, se pusieron sacos en la puerta principal
para evitar que nos vieran.*

Hacinados en el reducido espacio, aguardan el fin de la interminable lluvia y Raúl sigue anotando:

*Por órdenes expresas, después de investigar, se mandaron a
buscar algunos vecinos que fueron de mucha utilidad, pues
eran simpatizantes y sirvieron para extender la vigilancia;
se enrolaron algunos como puntos de enlace para el futuro.*

Poco a poco, la guerrilla ha ido creando en los lugares por
donde pasa una eficiente red de colaboradores e informantes.
Fidel está consciente de que esta ha de ser una de las actividades principales en las primeras semanas, y prefiere, en
consecuencia, mantener un ritmo más lento en la marcha hacia
el corazón de la Sierra –aun corriendo riesgos mayores– con
tal de asegurar la necesaria retaguardia campesina, que habrá
de desempeñar un papel crucial en una lucha con las características de la que ahora se inicia.

En palabras del Che:

*Amaneció lloviendo, se decidió esperar en el bohío a que
escampara. Con el correr de las horas caían al lugar los
campesinos cercanos ofreciendo sus servicios. A uno de ellos,
conocido de Crescencio, se le aceptó como guía.*

Uno de los varios campesinos que se entrevistan ese día con
Fidel, informa que los guardias registraron la casa de Mongo
Pérez en Cinco Palmas, pero que no encontraron nada.

Juan Marrero, el dueño de la finca, enterado de que Fidel ha decidido proseguir la marcha por la noche, prepara en la casita una abundante comida. Raúl escribe:

Durante el día de hoy, creo que por primera vez, sobró la comida, aunque no mucho, pues lo poco que sobró, uno de los comilones que tenemos aquí lo guardó en una lata para llevársela. [...] Durante todo el día, una fría llovizna y un fuerte viento azotó la zona, pero no había más remedio que irse, y con Lebrijo [Juan Lebrigio] de guía salimos a las 6 y 15 de la tarde. Iba a ser la jornada más difícil e incómoda que haríamos desde el desembarco, con excepción de los pantanos del primer día.

La columna cruza el arroyo de El Cilantro. Cerca de la medianoche, el grupo alcanza el firme y efectúa un breve descanso. Quizás fuese el puerco hervido, tal vez el esfuerzo realizado, el hecho es que rompe en casi toda la tropa una descomposición de estómago colectiva e irrefrenable. El firme al que han subido, a partir de aquel momento los combatientes lo bautizan con el nombre irreverente de "La loma de la cagalera". En palabras de Raúl:

A oscuras, con frío, por trillos estrechos que a tramos se convertían en canalitos, resbalando a cada paso, cayéndonos y levantándonos de nuevo, por proteger el arma al caernos recibíamos un golpe tras otro en los pies y la rodilla, los pies mojados por la humedad de la lluvia y por el paso de los arroyos. Al principio de la marcha tuvimos que subir una tremenda montaña, perteneciente a la cadena de la Sierra que a más de empinada, era puro jabón y para colmo, parece que el atracón de comida con exceso les dañó el estómago a muchos compañeros, que a cada rato había que estar haciendo un alto.

Del otro lado del firme, la bajada es tan pendiente como la subida. Toda la madrugada se invierte en este penoso descenso interrumpido a cada minuto por las necesidades impostergables de muchos.

Raúl continúa con su relato:

Durante la marcha pasamos por el Lirial, que está entre montañas y al lado del arroyo del mismo nombre. Por esta zona no abundan mucho los bosques, había que encontrar alguno bien resguardado para acampar. Llegamos al río Mota de agua friísima y en su margen acampamos, como a las 4 y 30 de la mañana, para dormir, sin deshacer los paquetes, una hora y media para dormitar un rato y seguir a un punto cercano más seguro.

El Che narra los incidentes de esa jornada con estas palabras:

A la noche emprendimos una marcha lenta y fatigosa por trillos enfangados y con los hombres enfermos de diarrea. Después de 10 horas de marcha en la que menudearon los altos por el motivo apuntado y las caídas, llegamos a hacer campamento a orillas de un río que vadeamos mojándonos hasta la rodilla.

Jueves 3 de enero

Poco antes del amanecer los combatientes llegan a La Caridad de Mota y se tienden exhaustos dentro del monte.

Escribe Raúl:

Aunque no había bosque, sí unos yerbazales, que nos sirvieron de protección al mismo tiempo que oportunidad de coger bastante sol, que nos hacía mucha falta, pues por vivir siempre en el bosque y caminar de noche, lo veíamos muy pocas veces. [...]

Después de dormir y sudar bajo el sol, me dediqué a comerme mi ración de salchichón para casos como estos en que no hubiera comida, e inventé un plato que se compone de los siguientes ingredientes: salchichón picado en trocitos, dos o tres cucharadas de miel, un limón exprimido y un poquito de ron Bacardí. Este plato se llama "salchichón a la guerrillera".

El resto del día transcurre sin incidentes notables. El Che anota:

Pasamos el día secando la ropa y durmiendo. Al anochecer hacemos una comida y salimos con rumbo a La Plata, caminando un par de leguas con la lentitud acostumbrada. Llegamos al final de la etapa a la 1 de la madrugada, durmiendo en un bohío del hermano del guía (del yerno del hermano).

Al atardecer, la columna se pone en movimiento nuevamente. Raúl apunta:

Durante esta caminata, en mucho menos tiempo que la anterior caminamos mucho más, y salvo algunos lugares que eran verdaderos pantanos, sobre todo donde el sol no daba, lo demás estaba bastante bueno. También por un rato nos alumbró muy tenuemente una "luna nueva" de cuarto creciente.

Viernes 4 de enero

En la madrugada, el destacamento guerrillero alcanza el firme de Acantilado. Allí se detienen de nuevo a descansar. Delante queda el valle de Tatequieto. Los combatientes acampan en la casa de Raúl Barroso. Feliciana, su mujer, se levanta a preparar el desayuno. Raúl y el Che la ayudan.

Leamos lo que escribe Raúl:

Tomamos café y se acomodaron los muchachos alrededor de la pequeña casita, los que no cabían dentro. Eran como las 3 de la madrugada. Hice guardia lo que quedaba de la noche y mientras un compañero me sustituía, conversando con el Che preparamos algunas malanguitas y calabazas que comimos con un mojito de buen gusto, mientras tomábamos agua con miel caliente. Afuera hacía aire y frío. Fidel durmió en una barbacoa.

Raúl anota otro detalle curioso:

La noche anterior, mientras estuve de posta, conversando con mi tocayo [Raúl Barroso], me recomendó una oración que él sabe de memoria y me la recitó; en medio de todo era muy cómica por el rejuego de palabras que contiene. Se llama: "Las doce palabras", y según él nada le pasará al que la pronuncie en un combate ni a los que lo acompañen en un diámetro de 40 pasos, ya que las balas no les entrarán.

El papá de Fendy [Fengue Lebrigio], su suegro, se las enseñó a ellos, pues a él, que fue veterano de la guerra de independencia, nunca fue herido en los combates, y a sus compañeros les gustaba pelear al lado de él porque sabían que estaban inmunes.

Otro de los secretos de esta oración es que solo se le puede enseñar a 2 personas, y estas a otras dos, y así sucesivamente. Antes de abandonar la zona, voy a copiarla; no creo que me proteja, pero está muy interesante para estas anotaciones.

Raúl no tuvo tiempo de cumplir su propósito. Sin embargo, el texto de la milagrosa plegaria espiritista no se ha perdido del todo. Va así:

"De las doce palabras nuevas, amigo, diga la una. Amigo, no proseguiré. La una, la una la columna, la casa santa de Jerusalén, donde puso los pies nuestro señor Jesucristo, amén.

"Las doce palabras nuevas, amigo, diga la dos. Amigo, no proseguiré. La dos, las dos tablas de Moisés; la una, la una la columna, la casa santa de Jerusalén, donde puso los pies nuestro señor Jesucristo, amén.

"Las doce palabras nuevas, amigo, diga la tres. Amigo, no proseguiré. La tres, las tres Marías; la dos, las dos tablas de Moisés; la una, la una la columna, la casa santa de Jerusalén, donde puso los pies nuestro señor Jesucristo, amén.

"Las doce palabras nuevas, amigo, diga la cuatro. Amigo, no proseguiré. La cuatro, las cuatro vírgenes; la tres, las tres Marías; la dos, las dos tablas de Moisés; la una, la una la columna, la casa santa de Jerusalén, donde puso los pies nuestro señor Jesucristo, amén". Y así sigue, hasta la palabra número doce.

Por la tarde Fidel pide al Che que instruya a los campesinos incorporados a la tropa en los rudimentos teóricos del tiro con fusil. El resto del día pasa sin novedad.

El Che lo refleja así:

Día transcurrido sin movimiento alguno quedándonos en el mismo lugar. Llegaron noticias de que había habido un combate en Chiribico [Chivirico], de que Fidel había sido muerto en un combate y que las tropas se retiraban de la Maestra.

Sábado 5 de enero

La columna parte a las tres de la tarde. Leamos el relato de Raúl:

Ya desde la ladera de una montaña divisamos la casa de Eligio Mendoza [en El Ají], adornado el verdor del campo con varios árboles color de rosa completamente, en forma escalonada, por la montaña hacia arriba y hacia abajo se veían en forma escalonada las casas y estancias bien sembradas de sus hijos e hijas casadas. Al fondo, algo azul, se veía imponente la loma conocida por "Montaña de la Derecha del Ají".

El Che, por su parte, escribe:

Sin noticias de los grupos que nos siguen, nos movimos de día a través de zonas boscosas para llegar a la casa de Eligio Mendoza. Desde las lomas se ve las Caracas todas cubiertas de monte, donde la resistencia es fácil. Eligio tiene mucho miedo y trata de escurrir el bulto, pero se decide quedar a pasar la noche en el bohío de una hija, perdido en el monte. Las perspectivas son buenas porque de aquí hasta la Platá es toda zona boscosa y abrupta ideal para la defensa. El río se llama Ají.

Raúl escribiendo su diario. Sierra Maestra, 1957.

En lo alto del firme de Tatequieto, Fidel le pregunta a Raúl Barroso qué loma es esa, y luego afirma en voz alta y entusiasmado:

—Si llegamos hasta allá, ni Batista ni nadie podrá ganarnos la guerra.

Algunos de los que escuchan esta frase vuelven involuntariamente la mirada hacia sus otros compañeros, y con un gesto casi imperceptible se preguntan cómo será posible ganar una guerra con ese puñado de hombres que desde el inicio de la lucha solo conocen el hambre, la persecución, el frío, la fatiga.

Cerca de la medianoche llegan a la casa de Eligio Mendoza. Crescencio se adelanta para avisar al campesino. Fidel decide no acampar allí, y el grupo sube por el arroyo hasta la casa de Eloísa Ramírez, hija de Eligio, y su esposo, Florentino Enamorado. Raúl apunta:

Por la mitad del camino nos sorprendió una fuerte llovizna, nos caímos infinidad de veces, echamos malas palabras y maldiciones. [...] Allí nos encontramos un bohío bastante amplio, con abundante comida y con un par de huéspedes muy amables. [...] Tomamos café bien caliente, ya que estábamos mojados, secamos las armas, y después de conversar un rato nos acostamos como pudimos, pero por lo menos bajo techo.

Domingo 6 de enero

La casa de Florentino Enamorado, en El Ají, resulta muy propicia para un campamento guerrillero. La vivienda está sumergida en un bosque espeso y rodeada de sombreados cafetales. No tiene acceso más que por el sendero que sube desde el río. Una posta puede avisar con tiempo de sobra la presencia del enemigo o de cualquier visitante inoportuno.

Tenso y magro como un alambre de acero, reservado y cordial al mismo tiempo, Florentino parece personificar lo más noble y legítimo del campesino de la Sierra. La conversación con el dueño de la casa impulsa a Raúl a anotar en su diario extensas observaciones:

La vida de estos campesinos es mucho más dura que la del llano, por su lucha con la naturaleza, pero más saludable y en lo moral más pura. A golpe de pecho han abierto estos montes intrincados y son muchos los que llevan aquí 10 ó 15 años y algunos hasta más. Tienen sus estancias muy bien sembradas y variadas. Las siembras han tenido que hacer-las a pico, ya que en las laderas no pueden arar. Se ven pocos caballos relativamente, aunque muchos tienen sus vaquitas de ordeñar.

Por la abundancia de gallos finos, parece que son muy adictos a ese deporte. Actualmente están peleando por sus tierras, las que legalmente no pertenecen a nadie, salvo a aquellos que las trabajan, pero la compañía de los Núñez Mesa, los herederos de Delio, quieren quitárselas con el apo-yo de los soldados, que debieran estar para defender al pueblo; bueno, si así fuera, no sería necesaria nuestra pre-sencia aquí. Cuando tengamos alguna oportunidad haremos un reparto gratuito de tierras. Hay zonas por aquí que en la reforma agraria futura se podrán hacer granjas colectivas, por la proximidad de todas las familias, por la cooperación que siempre se prestan y por el respeto venerable que profe-san hacia los padres de familia, existe casi un régimen so-cial de tipo patriarcal.

Después del almuerzo, Fidel baja hasta la casa de otro hijo de Eligio Mendoza para oir las noticias en el radio de baterías del campesino. Los demás combatientes descansan, limpian sus armas o se ocupan de las pequeñas cosas que componen la vida en el campamento guerrillero. Cuenta Raúl:

Yo bajé una hora más tarde y me encontré con la gente de-cepcionada porque por ser domingo no había noticias. Allí encontré a "tío" Crescencio dándose un baño de agua tibia y yo, que en más de 40 días solo me había bañado una sola vez y desde que desembarcamos traía el mismo uniforme, pedí que me calentaran una lata de agua y al lado de un cañaveral y dentro de una batea de lavar que me prestaron me di el gran baño de la temporada. Mi pobre uniforme que me había acompañado sin protestar, salvo el mal olor que tenía, durante toda esta jornada, también se bañó, pues la señora de la casa me lo lavó para entregármelo mañana; me sentía vestido de limpio como si estuviera realmente nuevo. Y no es muy aconsejable bañarse cuando uno lleva este tipo de vida de guerrillero, teniendo como casa el tupido bosque y el amplio cielo, viviendo a la intemperie y siempre churriosos, porque cuando uno se baña, quitándose un kilo de churre de encima y vistiéndose de limpio, pues resulta que después no quiere volver para el bosque.

A media tarde comienza a amenazar la lluvia, y los combatientes se reúnen todos en la casa de Florentino. Ya oscureciendo llega el esperado grupo de refuerzo de Manzanillo. Son Julio Zenón Acosta, Gerardo Reyes, (Yayo), Daniel Motolá, Hermilio Rey, (Nango), Luis Salinas, Antolín Quiroga, Rudy Pesant, Salvador Rosales y Juan Francisco Echevarría. Vienen todos desarmados y en ropa de civil. Como único equipo de campaña traen gorras verde olivo y colchas de lana.

El Che refiere en su diario la llegada de este grupo:

Raúl [Barroso], el yerno de Lebrija [Rafael Lebrigio], vino con la noticia de que había diez hombres de Manzanillo, sin armas, en la finca de su suegro. Fueron a buscarlos [Manuel] Acuña y René [Rodríguez] y a la noche trajeron a 9 manzanilleros que habían venido desarmados en un jeep hasta la finca de Mongo Pérez y de allí a campo traviesa hasta reunirse con nosotros. Las noticias que traen son pobres y viejas [...]. El procedimiento empleado para elegir a la gente fue tomar los cinco mejores de cada célula y luego los dos mejores de cada cinco.

156

Raúl termina sus anotaciones de este día con las siguientes palabras:

A estos nueve compañeros se les puso como jefe al teniente Julio Díaz y a Ciro Redondo, para que formaran una escuadra.

Poco después de la llegada de los compañeros comimos carne de macho frita, con arroz y frijoles y viandas, el más variado de los menú comido hasta ahora; de postre, una galletica con dulce de guayaba y café. Salvo la guayaba y las galletas, todo fue producido por nuestros anfitriones en su estancia, pues hasta el café lo endulzaron con miel. Ahora éramos 33 y para dormir fue un problema, pero apiñándose un poquito más, todos cupimos bien. Estuve de oficial de guardias, desde las 12 a las 6 de la mañana.

Lunes 7 de enero

Alrededor de las nueve de la mañana se levanta el campamento. Eligio ha asegurado que todo el trayecto podrá hacerse dentro del monte, por lo que Fidel ha dispuesto caminar de día. Avanzan rompiendo monte, abriéndose paso entre espesos tabiques de tibisí, el bejuco que desgarra y parece como quemar la piel de quien se enreda entre sus guías engañosamente frágiles. Raúl describe:

Subíamos y bajábamos grandísimas montañas, unas veces caminando por las crestas y otras por las laderas, todo lleno de grandes árboles y molestos bejucos, en la mayoría del camino, teníamos que irnos agarrando de lo que encontráramos a mano, que en muchas ocasiones eran bejucos espinosos. Cerca de la una de la tarde almorzamos dos galleticas con guayaba y seguimos el camino.

A media tarde alcanzan el alto desde donde se divisa El Mulato. Eligio se separa con la intención de buscar a Manuel Fonseca, Lico, un amigo suyo a quien piensa encomendar la atención del grupo. Regresa ya de noche. Lo acompaña un hombre de unos treinta y cinco a cuarenta años, blanco, de abundante cabellera lacia, estatura mediana y ademanes enérgicos. Su nombre: Eutimio Guerra.

Eligio no ha encontrado al campesino que buscaba y ha acudido entonces a Eutimio Guerra. Piensa que no le será difícil obtener su cooperación por tratarse de uno de los más connotados dirigentes campesinos en toda la zona, que se ha destacado por sus luchas constantes contra las pretensiones geófagas de la compañía de los Núñez Beattie. Eutimio está de acuerdo en recibir al grupo de combatientes en su casa, y deja a su esposa, Ángela Rivas y a su compadre, Antonio Cabrera, encargados de matar un puerco e irlo preparando. En palabras de Raúl:

Allí [en casa de Eutimio Guerra], calentándonos con la leña que ardía en el fogón y después de tomar un trago de coñac con miel, esperamos las viandas y el macho frito. Después subimos a un alto, como a 200 metros, a una casita sin paredes donde soplaba un fuerte viento y que era propiedad de Eutimio, y según creo, a veces pelean gallos aquí. Dormimos ahí, porque a los 30 metros tenemos el bosque pegado.

Ese día, el Che apunta en su diario:

Temprano iniciamos la marcha a través de cayos de monte. Invertimos todo el día en llegar a la falda de las Caracas, cerca del Mulato, nuestro punto de destino. Allí esperamos la noche hasta que llegó el dueño del bohío donde vamos a pasar la noche. En el bohío nos esperaban con un puerco muerto y comimos por primera vez en el día. Pasamos la noche bajo techo en un rancho sin paredes. Decidimos esperar los acontecimientos en este nuevo punto.

Martes 8 de enero

El día transcurre sin mayores incidentes para la columna guerrillera acampada en El Mulato, tal como se refleja en el diario de Raúl:

Pasamos aquí en el monte todo el día, nos habíamos levantado a las 5 y 30 en la casita y nos trasladamos para aquí. Llegaron nuevos contactos y valiosos amigos de la zona. El día fue normal.

Uno de los campesinos que llega ese día es Evelio Rodríguez, vecino de El Mulato, quien pone su casa y su finca a disposición de Fidel. El Che apunta escuetamente:

Día sin proyecciones. En el mismo lugar donde acampamos. Se mandaron emisarios a buscar a Julio Guerrero en la costa, o cerca de ella.

Miércoles 9 de enero

La columna guerrillera permanece en el monte cercano a la casa de Eutimio Guerra. Esa mañana, Ciro Frías y Evelio Rodríguez van hasta La Cepita, a pocos kilómetros de El Mulato. Allí se enteran de que alguien denunció la presencia del grupo de combatientes en la zona, y que el aviso ha llegado al cuartel de El Macho, la instalación militar más importante en toda la costa después de Pilón. De inmediato hacen llegar la noticia a Fidel. Raúl anota:

Desde aquí donde estamos, se divisa todo, o una buena parte del Mulato. Hay una parte al este que le llaman la Olla, al parecer tiene la forma de este artefacto. Pasamos el día completo aquí y como medida de precaución nos marchamos por la noche de aquí, pasamos por casa de Eutimio y mientras comíamos llegó Ramón Torres [Ramón Marrero, el de El Cilantro], con algunas noticias y un radio de baterías que ya nos habían ofrecido y nos mandaron de Manzanillo. Creo que Guillermo con dos o tres fusiles más está próximo.

En el diario del Che se refleja la delación:

Llegó [Julio] Guerrero, traído por Eligio [Eutimio Guerra], el dueño de la finca donde estamos. Las noticias son contradictorias pero parece que en la zona no hay soldados. Por la tarde viene lo inesperado: la noticia de nuestra estancia en el lugar se filtró entre varios vecinos y llegó a oídos de un chivato que se puso en movimiento hacia la costa para avisar a la tropa. Se decide seguir camino hacia un bohío cercano para estar más resguardados. Tenemos que permanecer en la zona porque [Juan Francisco] Echevarría ha ido rumbo a Manzanillo para trasmitir órdenes y traer armas. Por la noche bajamos a comer al bohío de Eligio [Eutimio] y allí llega Ramón Torres [Marrero], uno de los hombres más eficaces con que contamos en la zona. Trae un radio enviado desde Manzanillo y algunas malas noticias, Guillermo García no localizó gente nuestra y viene acompañado de Ignacio, otro hijo de Crescencio y de un nuevo recluta. No localizó nada más que tres armas, hay gente que se niega a entregar la suya, mejor dicho la que consiguió por ahí. Parece que vienen un Johnson, un Remington semiautomático y otro fusil más.

Fidel ha decidido cambiar de campamento, pero sin abandonar la zona. El Mulato, en efecto, está resultando ser un punto neurálgico para el establecimiento de contactos importantes con vistas a la lucha futura. Por otra parte, resulta conveniente esperar a Guillermo y las armas nuevas que debe traer. La zona es tan boscosa, el monte de Caracas tan enorme, que en el peor de los casos de que fueran descubiertos, la guerrilla podría escapar sin mayores contratiempos.

Después de comer en la casa de Eutimio Guerra, los combatientes salen ya de noche hacia el nuevo punto donde van a establecerse, al fondo de la casa de Evelio Rodríguez. Llevan de prácticos a los hermanos Orestes y Enrique Vila –conocidos por los Suavo–, vecinos de Eutimio. La noche está encapotada y oscura. Ya casi llegando abajo hay que salvar unos peñascos. En uno de los saltos Ramiro Valdés se cae y se golpea fuertemente una rodilla.

Raúl comenta:

Aunque el próximo punto estaba cercano, por dar una vuelta o rodeo, evitando pasar por unas casas, bajamos por una de las peores lomas que hemos cruzado, a pesar de que tenía un trillito, pero de día hubiera sido difícil, ahora de noche era infernal. Crescencio iba encendiendo la resina de algunos árboles secos que brotaba y así parcialmente nos alumbramos el camino; después, cerca del arroyo, en uno de lo que nosotros llamamos escalón, se cayó Ramirito y se lesionó hinchándosele la rodilla que tenía operada, hubo que cargarlo, operación de la que se ocuparon Benítez y Crespo, hasta la casa del amigo Evelio [Rodríguez], allí se quedó el Che con él, por la mañana lo llevarían para donde estuviéramos nos.

De ahí bajamos otra vez al arroyo y subimos por una loma tan empinada que había que subirla a gatas. Llegamos por fin. Una parte de los muchachos se metieron en el monte y yo subí con el E.M. [Estado Mayor] hasta el bohío que estaba a 100 metros.

El Che narra lo siguiente:

Caminamos un trecho de noche pero nos llevaron por un lugar tan malo que la pequeña caminata pareció cosa de leguas. Ramiro se dio un golpe en la pierna enferma, con tan mala suerte que sufrió una probable fisura y está casi imposibilitado de caminar. Los demás siguieron su camino hasta una estancia cercana y nosotros dos quedamos en un bohío donde le hice un vendaje provisional hasta entablillarle la pierna en forma más o menos efectiva.

Jueves 10 de enero

A las dos de la madrugada llegan los combatientes al lugar donde establecen campamento en la falda de Caracas. Escribe Raúl:

Allí [en la casa de Valeriano Rodríguez] encontramos una cama grande con una colchoneta y almohada, la compartí con F. [Fidel]. Desde que salí de México primera vez que iba a dormir en una cama y en realidad dormimos muy cómodos y abrigados, me levanté tarde, ya que una vez de día no se podía salir del bohío, porque nos divisaban de varios puntos.

Después del desayuno, que fue viandas con un huevo, nos llegó el informe que esperábamos.

Evelio Rodríguez y uno de los Suavo han subido a informar que, como resultado del chivatazo, ha llegado al alto de El Mulato una patrulla de doce guardias procedentes de El Macho, los cuales andan haciendo averiguaciones por las distintas casas de la zona.

Prosigue narrando Raúl:

Ya por la tarde, nosotros mismos tuvimos contacto visual con el enemigo, pues mientras, ellos llegaron a casa de Ñico [Antonio Montero], el suegro de Enrique Suavo. Desde nuestra casita, a unos 900 metros, hubieran sido buen blanco, pero esperamos gente que viene atrás. Se veían perfectamente, con sus cascos y sus rifles. Algunos llevaban mochilas blancas. Poco después por boca del suegro de Enrique supimos de todo lo que conversaron. Estaban indignados con los confidentes, que irían a buscarlos, porque ya estaban cansados de falsos informes. Al parecer, ellos tampoco se mostraban muy deseosos de buscarnos. Nuestros contactos nos informaron constantemente de sus movimientos. Yo, aprovechando la cama, estuve durmiendo por la tarde también.

Los guardias se retiran esa misma tarde. Tendido en el piso de la casa, junto a la puerta, Fidel los ha estado observando casi todo el tiempo a través de la mira telescópica de su fusil. El Che anota:

Inmovilidad y mala comida. Por la mañana una odisea para llevar al campamento a Ramiro que tiene una probable fisura y deberá quedarse cuando abandonemos este lugar. Por la tarde un espectáculo bonito: 18 marineros por el camino despreocupados buscando a Fidel. Era una presa fácil pero no se pudo atacar porque no han llegado los víveres y falta Guillermo García. Junto a la baja transitoria de Ramiro hay una o más bajas definitivas de manzanilleros. [...] Los chivatos funcionaron, pues inmediatamente de conocerse nuestra presencia en la zona vino la guardia. Hay que dar un escarmiento. Fidel mandó a Enrique [Suavo], uno de los nuevos reclutas, a buscar los alimentos para estar en condiciones de atacar en cualquier momento. Pasamos la noche en un alto que domina la casa.

Por la noche, el grupo completo se reúne en la casa. Después de comer, la columna se retira en silencio y a oscuras para el campamento del monte. Raúl concluye sus anotaciones de ese día con estas palabras:

Hoy por primera vez oímos noticias directas en nuestro radio de baterías. A Aldo Santamaría, hermano de Abel, lo condenaron a 2 años de prisión. Que el Instituto de Cárdenas, habiendo comprobado la muerte de [José] Smith [expedicionario del Granma asesinado el 8 de diciembre] en la Sierra, estaba en huelga.

Viernes 11 de enero

Fidel sigue esperando la llegada de Guillermo y el resultado de las averiguaciones que ha pedido acerca del cuartel de La Plata, que ya se va perfilando como el objetivo de la acción

163

Universo Sánchez, el Che y Manuel Fajardo Sotomayor. Sierra Maestra, febrero de 1957.

que piensa emprender. Ese día, cuatro de los nueve integrantes del grupo de refuerzo plantean su deseo de regresar al llano, y por la tarde se van. Del grupo original quedan en el campamento guerrillero Julio Zenón Acosta, Yayo Reyes, Daniel Motolá y Nango Rey pues Juan Francisco Echevarría ha partido dos días antes a Manzanillo, enviado por Fidel para cumplir una encomienda de enlace. Raúl anota en su diario:

Dormí bastante incómodo anoche, ya que toda la parte del bosque que ocupamos era una ladera. Dormí en el suelo, pegado a un tronco que impedía me fuera rodando para abajo. El rifle de Ramirito se lo dimos a Benítez y la granada al Che; él [Ramiro] pidió el álgebra [el libro que llevó Geña Verdecia días antes] en cambio, para estudiar. Este Ramiro es uno de nuestros mejores compañeros y tendrá que pasarse por lo menos 40 días descansando completamente. En calma hemos pasado el resto del día, por la noche vino Ñico, el suegro de Enrique [Suavo], quien prometió ir mañana a La Plata a investigar. Ya oscuro, fuimos a comer a la casita que tenemos cerca, donde estaba Ramirito. Un buen sopón de carne de macho y viandas. Decidí dormir una vez más en cama y me quedé con Ramiro compartiendo la cama. También se quedó Crescencio y algunos más.

El Che, por su parte, escribe:

Pasamos el día en el mismo sitio esperando los alimentos y a Guillermo que no venían. Al darse una oportunidad, cinco manzanilleros resolvieron volverse [en realidad fueron cuatro], aduciendo la falta de armas y que podían hacer más por allí. Salieron en el día 4, uno de ellos quedó enfermo, Ramiro sigue mal de su pierna y lo dejaremos en este sitio. No hubo otra novedad. No se presentaron guardias.

Esa misma noche, Guillermo y sus compañeros han llegado por fin al firme de la loma de Caracas.

Sábado 12 de enero

Los combatientes reciben la orden de recoger sus cosas por la tarde, ya que Fidel piensa emprender esa misma noche la marcha. Ya ha recibido los informes que espera sobre La Plata. Sin embargo, al mediodía la salida se aplaza. No es necesario caminar de noche. Eutimio ha bajado a la casa de Melquiades Elías, y le ha pedido que esa noche marque en los palos del monte una ruta protegida que conduzca a la columna hasta las inmediaciones de La Plata.

El Che comenta:

Se había resuelto, en principio, salir de noche, pero a instancias de Crescencio y para esperar unas latas de leche que habían quedado atrás se esperó hasta el día siguiente. Hubo una conferencia con un líder agrario medio charlatán y oportunista pero que se puso a disposición nuestra. El plan que le comunicamos es que mataríamos a los tres mayorales que son el terror de los campesinos.

Raúl apunta:

Anoche preparé en la casita una cama con paja seca y dormí en el suelo. El dolor del costado izquierdo cada vez se me hace más agudo. [...] Por la tarde se repartieron algunas latas de salchichas, sardinas, leche condensada, para reserva.

El día fue normal y tranquilo. A las 6 p.m. oímos un estúpido y soberbio discurso de Batista. Nos íbamos esta noche pero decidimos esperar mañana al mediodía y marchar por el monte. Hay planes de ataque.

Esa misma tarde regresan finalmente Guillermo García, Ignacio Pérez y Manuel Acuña. Con ellos viene también Eduardo Castillo, Yayo, un joven campesino de Mota que se incorpora a la tropa en calidad de combatiente. Guillermo trae dos fusiles semiautomáticos, una escopeta calibre 16 y un revólver.

Ya desde antes de partir de la finca de Mongo Pérez, Fidel ha decidido llevar a cabo alguna acción ofensiva contra el ejército.

Se hace necesario sostener rápidamente una acción militar exitosa que dé testimonio de la supervivencia y pujanza de la guerrilla. Al difundirse este hecho entre el campesinado de la Sierra y, en el mejor de los casos, en todo el país, caerán al suelo las campañas de desinformación de la dictadura, que afirman que Fidel Castro y sus hombres están muertos o dispersos y desalentados.

La zona de La Plata ofrece en este sentido, desde el punto de vista estratégico, la ventaja de su tradición de lucha y su ambiente generalizado de solidaridad clasista y oposición a la explotación. Su campesinado, escaso y pobre, usufructúa en condición de precarista pequeños lotes en las laderas montañosas. Allí desarrolla una producción de subsistencia: algunas estancias de viandas, hortalizas y frijoles, unos cuantos animales, un poco de café. El analfabetismo es casi absoluto, la atención a la salud inexistente, las comunicaciones son trillos de monte transitables únicamente por mulos o caballos, y las más de las veces solo por el hombre.

El atropello de los campesinos está a la orden del día, ejecutado por la Guardia Rural y los mayorales y guardajurados de la compañía de Beattie. Tres de estos mayorales han alcanzado mayor notoriedad por sus crímenes y arbitrariedades: Tomás Osorio –conocido por Chicho–, Miro Saborit y Honorio Olazábal. No son raros los casos de campesinos apaleados o incluso muertos por estos esbirros.

Pero la zona de La Plata es también una de las más activas en lo que se refiere a las luchas campesinas en la Sierra Maestra. Entre su población existe un espíritu solidario, revelado en diversas acciones colectivas contra medidas de la compañía.

El desembarco del *Granma* sirve de pretexto a la compañía para tomar represalias mayores contra el campesinado de la zona y acelerar sus planes con vistas al desalojo masivo de todos los que se oponen a sus intereses explotadores.

Alrededor del 13 de enero son apresados once campesinos, vecinos de La Plata y Palma Mocha. Seis de ellos son llevados a bordo del guardacostas 33 y luego arrojados al mar el día 23, por orden del teniente Julio Laurent, a varias millas de la costa, algunos atados, otros metidos en sacos. Mueren ahogados o devorados por los tiburones, todos menos uno, Agripino Cordero, quien logra mantenerse a flote durante catorce horas y nadar hasta alcanzar la orilla. A otros cinco se les lleva por tierra el día 17, unos minutos antes del ataque al cuartel de La Plata, hasta El Macho, donde algunos son asesinados.

Desde el punto de vista táctico, la toma del cuartel de La Plata reúne condiciones favorables para el destacamento guerrillero. En primer lugar, cabe contar con el factor sorpresa, ya que ni el ejército ni los campesinos pueden sospechar su presencia en esa zona. En segundo lugar, se trata de una instalación cuyo asalto exitoso es factible, en vista de su ubicación y la cantidad de tropas que radican allí. Este último elemento es primordial si se tiene en cuenta el poco armamento y escaso parque disponible, el hecho de que muchos de los combatientes no han sido probados en combate, y la necesidad de consolidar con una victoria el ánimo general de la tropa guerrillera.

El día 13, en consecuencia, después de haber recibido las armas y los hombres que vienen con Guillermo, Fidel decide que ha llegado el momento.

Raúl escribe:

Día normal, a las seis subimos el grupo que nos quedamos en el bohío, para el bosque, después de tomar un trago de café amargo pues no había ni azúcar ni miel. Recogimos las cosas; hicimos un buen almuerzo con viandas, harina y frijoles.

Son treinta y dos los hombres que se disponen a partir esa tarde. Dieciocho de ellos son expedicionarios del *Granma* y los otros catorce son campesinos incorporados a la lucha o militantes del Movimiento enviados desde Manzanillo. Sin embargo, no todos figuran como combatientes, ya que no hay armas para todos. En ese momento, la guerrilla cuenta tan solo con veintiún armas largas: nueve fusiles de cerrojo con mirilla telescópica, seis fusiles semiautomáticos, dos ametralladoras Thompson, otros tres fusiles de cerrojo y la escopeta calibre 16 que ha traído Guillermo el día anterior. Se dispone, además, de dos pistolas Star de ráfaga y otras tres o cuatro pistolas y revólveres. Una de estas armas cortas se queda con Ramiro. Por lo demás, están las ocho granadas y los cartuchos de dinamita entregados el 29 de diciembre por Geña Verdecia en Los Negros.

La columna se pone en marcha a las tres y media de la tarde. La primera etapa del camino los lleva hasta la casa de Felo Garcés. El campesino les indica la mejor ruta para que no sean vistos.

Por uno de los estribos orientales de Caracas caen sobre la finca de Chichí Mendoza, en el firme de La Olla. Allí comienzan las marcas de Melquiades Elías. Siguen la marcha entre bosques y cafetales por todo el firme de El Frío. Esa noche, Raúl anota:

Ya oscuro, pero con la luz de la luna, atravesamos el último claro, o tumba de monte. En un bosque bonito, tibio y seco, con muchas hojas secas que nos sirvieron de colchón a los que no usamos hamaca, nos sirvió de campamento, a las 8 y 30 p.m. A las 5 p.m. mientras caminábamos divisé el Turquino por primera vez, una tenue cortina de nubes lo cubría. Hubiera querido quedarme un rato contemplándolo.

Ese día el Che es un poco más explícito en sus anotaciones:

Por la mañana recibimos visitas diversas. La del líder agrario [Alfonso Espinosa] que comunicó tener 20 hombres, la de un par de comerciantes que se pusieron a disposición nuestra en cuanto a suministro y mensajes. Se pidió alimentos y medicinas. Vinieron gente de la región a saludarnos y ponerse a disposición nuestra. A las 3, después de un buen almuerzo, salimos con rumbo a La Plata, caminamos hasta las 5, hora en que paramos para pasar un claro a las 6. Anocheciendo, seguimos caminando con luna hasta las 9:30 aproximadamente, durmiendo en un clarito. El camino está especialmente marcado a punta de machete por un amigo de nuestro guía Eutimio, Melquiades Elías.

Lunes 14 de enero

Los combatientes están en pie a las cinco y cuarenta y cinco de la mañana. Con las primeras luces, emprenden la marcha. Comienzan a bajar por todo el firme, siempre siguiendo las marcas que ha dejado Melquiades Elías. Raúl relata:

Después de una prolongada y pendiente bajada, llegamos al precioso río la Magdalena. Este punto estará a unas dos leguas y media en línea recta del mar.

En una charca muy bonita y fría se bañaron y lavaron alguna ropa. Yo solo lavé un pañuelo y me bañé la mitad del cuerpo para arriba incluyendo la cabeza.

No serían todavía las 9 de la mañana, o cerca de las 10, pues el sol todavía no había llegado al cañón donde estábamos. Por más de cuatro horas estuvimos aquí; después del baño comimos de lo que llevábamos de reserva: un pedazo de turrón de alicante, un chorizo y media lata de leche condensada. Después se aprovechó y F. [Fidel] graduó los rifles de mirillas a 300 metros, para poder tirar con ellos desde 100 hasta 800 metros, por lo menos, ya que según la distancia, se podrá apuntar más abajo o más arriba. Como a las 2 partimos de este lugar; subiendo un poco a la derecha, en contra de la corriente del río, se ven las ruinas de dos bohíos quemados por los mayorales de la compañía de los herederos de Núñez Mesa; estos mayorales son unos verdaderos verdugos de los campesinos, viéndose además protegidos por el ejército, en muchos casos golpean a los campesinos impunemente. Ahí estaban sus estancias de viandas arrasadas.

En ese mismo lugar Fidel redistribuye el armamento entre los que participarán en la acción. Aprovecha también para probar las armas y hacer una económica práctica de tiro, seguro de que el ruido no viajará muy lejos entre las murallas de piedra del cañón. Todos hacen dos o tres disparos. Para algunos de los que no vinieron en el *Granma*, es la primera ocasión en que tiran con armas largas de guerra.

A las dos de la tarde comienzan a ascender la falda del alto de Caguara. A poco de estar avanzando por el firme, la vanguardia de la columna tropieza de repente con dos hombres. Son dos muchachos de La Plata, Alberto y Evaristo Díaz Mendoza, que han subido este monte solitario a colmenear. Raúl recuerda en su diario:

Ya tenían una lata de gas de a 60 libras llena de miel, les pagamos el doble de a como la vendían ellos, creo que se le dieron $10.00. Nos topamos aquí con el problema de que no los podíamos dejar marchar después de que nos vieron. Después de que F. [Fidel] y C. [Crescencio] los interrogaron, se decidió quedarnos con Evaristo, el mayor de ellos, como rehén, se le pagarían cinco pesos diarios por cada día que esté con nosotros. El otro se iría, haciéndosele la advertencia de que solo podrá comunicárselo a su hermano mayor o a su papá, si violaba estas disposiciones con peligro de nosotros serán fusilados.

El firme por donde avanzan ahora es llano y la marcha no es particularmente fatigosa. Continúa relatando Raúl:

Ya oscureciendo llegamos donde terminaba un camino abierto con buldócer, que va hasta la playa, hecho por la compañía para explotar maderas, previamente habían expulsado a los campesinos de la zona. Ese camino termina en la boca de la Magdalena. Caminamos por él, desplegados en guerrillas y con una punta de vanguardia.

El Che resume la jornada con estas palabras:

A las 6 de la mañana seguimos la marcha por el estribo de un cerro, iniciando la bajada hacia el río Magdalena al que

llegamos dos horas después, allí desayunamos y Fidel ca-
libró todos los fusiles de mirilla. Hay 23 armas efectivas,
9 mirillas, 5 automáticas, 4 fusiles comunes, 2 Thompson,
2 pistolas ametralladoras y 1 escopeta 16. Por la tarde
subimos las últimas lomas para llegar al Plata, allí nos
encontramos con dos primos de Eutimio, el guía, toma-
mos prisionero a uno de ellos por dos o tres días y el otro
quedó en libertad. Encontramos un camino hecho para
quitar leña del monte y por él seguimos hasta la noche sin
avistar la Plata.

Raúl termina su testimonio de ese día:

En una curva hicimos un alto para oír las noticias de la
tarde, después de seguir avanzando por el camino, aproxi-
mándonos más a la playa como, a 4 kilómetros, doblamos a
la izquierda, internándonos en el bosque para acampar.
*   F. [Fidel] le prestó su hamaca a E. [Evaristo] Mendoza,*
el muchacho prisionero a sueldo. Las postas se encargaban
de vigilarlo.

Martes 15 de enero

Este día Raúl escribe:

Nos levantamos temprano como de costumbre, seguimos
en busca del arroyo de Cotobelo, que en parte está seco y
forma un cañón entre dos montañas en forma inclinada.
Hicimos un alto y nos comimos una lata de sardinas chicas
de desayuno.

Después del desayuno, la columna baja a la izquierda hasta
una pequeña aguada del arroyo.
    Prosigue narrando el Che:

Seguimos a paso lento buscando el cuartel con las mirillas,
como había poca agua y todos los alimentos que tenemos
son enlatados fuimos a buscarla a un arroyo. El desayuno

*consistió en una lata de sardinas por persona, el almuerzo
en un pedazo de queso, medio tarro de dulce de leche, un
chorizo y medio tarro de leche condensada. Todo por el día.
Seguimos caminando con grandes precauciones, avistando
ya la desembocadura del río de La Plata y un cuartel a medio construir. Se veía un grupo de hombres con el uniforme
a medias y haciendo tareas domésticas.*

Han vuelto a subir al firme y siguen avanzando hasta asomarse, finalmente, sobre el llano de la desembocadura de La Plata.
A poco más de mil metros divisan por primera vez el objetivo.

El escenario de la acción de La Plata es un pequeño llano
costero de forma más o menos triangular. En el centro de ese
claro está el cuartel, con el frente en dirección al este, hacia el
río, a unos doscientos metros, y un costado hacia el camino, a
cincuenta metros de distancia. Es una construcción rectangu-
lar de tablas y techo de zinc, a medio terminar, apenas de unos
treinta o treinta y cinco metros cuadrados, protegida por la
sombra de un gran quebracho. Al fondo, a otros cincuenta metros, un bosque de anacahuitas cierra el terreno hasta las primeras lomas.

Hay otras dos edificaciones en el claro. La más grande es
la casa del mayoral Honorio Olazábal, espaciosa y bien construida. Está a la derecha y abajo del cuartelito, orientada al
frente del camino, a unos cien metros de este. La casa tiene a
su izquierda un pequeño rancho de yaguas que sirve como
almacén de los cocos extraídos del cocotal que cierra el claro
por el sur.

Fidel ordena comenzar la observación del cuartel, pues,
de ser posible, el ataque deberá realizarse esa misma noche.
Universo Sánchez y Luis Crespo trepan a las copas más altas
y tupidas que encuentran. Con las miras telescópicas es muy
fácil definir todos los movimientos alrededor del cuartel.
Mientras tanto, Almeida, Crescencio y Armando Rodríguez
bajan más cerca y llegan hasta apenas trescientos metros de la
casa de los guardias.

Raúl con el combatiente Raúl Peroso. Paso del río Peladero, Sierra Maestra, 1957.

La casita utilizada como cuartel en La Plata es un apostadero de la Guardia Rural habilitado a raíz del desembarco del Granma para alojar una guarnición, como una de las medidas de reforzamiento militar de la dictadura en la Sierra Maestra. Forma parte de una cadena de puestos militares que se extiende a lo largo de toda la costa desde Cabo Cruz hasta Santiago.

Algunos, como los de El Macho y Uvero, cuentan con guarniciones numerosas. El de La Plata, en cambio, es relativamente pequeño. En la fecha del combate, hay en La Plata un total de doce hombres al mando de un sargento. Disponen de un M-1, una ametralladora Thompson y fusiles Springfield. Hay una posta fija, ubicada a mitad de la distancia entre las dos casas.

A poco de establecida la observación, se percibe el movimiento de soldados que van y vienen del cuartel a la playa. Algo después, se escucha el sonido insistente de un barco que pita a poca distancia de la orilla. Es el guardacostas 33, que patrulla desde hace varias semanas esa zona y donde se encuentran algunos campesinos prisioneros.

Todos estos movimientos, de significado incierto, obligan a Fidel a abandonar el plan de ataque para esa noche.

El Che comenta al respecto:

A las 6 de la tarde llegó la perseguidora cargada de guardias, iniciándose una serie de maniobras cuyo alcance no comprendíamos. Se decidió dejar el ataque para el día siguiente.

Miércoles 16 de enero

Durante todo el día 16, el destacamento guerrillero mantiene la observación del cuartel desde su posición dentro del monte, a un kilómetro de distancia del objetivo enemigo. Narra Raúl:

Hemos esperado que pasara el día. Bajamos al arroyo o aguada [en Cotobelo], donde comimos de la reserva: leche

condensada, tasajo en lata y un pedazo de dulce de leche.
Subimos otra vez y como a un kilómetro seguimos esperando
y observando el campamento de La Plata; desde aquí, subi-
do en un árbol se veía perfectamente bien con la mirilla
aunque se veía poco movimiento. A media tarde la moral
estaba por el suelo, ya que por falta de información del cam-
pamento pues la última la obtuvimos hace cuatro días antes
de partir para acá, y se pensaba que ya no se iba a atacar.
Además de la espera que había desesperado un poco a la
inexperta novatada.

Finalmente, a la caída de la tarde, Fidel da la orden de partir.
Ya ha tomado la decisión de atacar esa noche, pero antes
quiere obtener informaciones más precisas. Ha decidido bajar
al llano, hacia su parte más alta, e interceptar el camino que
sube desde la desembocadura. El Che anota:

Desde el amanecer se puso observación sobre el cuartel (ya
se había retirado el guardacosta) y se iniciaron labores de pa-
trullaje. Nos encontramos con el hecho desconcertante de no
ver soldados por ningún lado. A las 3 de la tarde se decidió ir
acercándose al camino para observar. Los soldados llegaron
en ese interín sin que nos enteráramos.

Poco después de las seis de la tarde, ya casi noche cerrada en
esta época del año, la columna se descuelga por la ladera del
estribo opuesta a la posición del cuartel. Fidel se adelanta con
un grupo reducido. Ocupan una posición junto al camino, después
de cruzar el río, a unos trescientos metros de la casa de los
guardias. Desde allí seguirán observando, con la esperanza de
descubrir algún caminante que pueda ofrecer más información
de la que se dispone.

Sobre el camino, a unos cien metros del lugar donde se
instala Fidel en un cayo de arboleda, se ha ubicado una posta
integrada, entre otros, por Universo Sánchez, Manuel Acuña y
Sergio Pérez. Los primeros detenidos son dos campesinos que
vienen subiendo por el camino. Se nombran Victorino Peña y
Jesús Fonseca. De este último hay noticias en el sentido de que
tiene antecedentes de ser informante de la Guardia Rural.

Al ser interrogados, dicen que en el cuartel hay unos quince guardias, entre soldados y marinos. Parece que esa noche el sargento está celebrando algo, pues ha invitado a varios colaboradores, entre ellos Chicho Osorio, a darse unos tragos. Dicen que Chicho seguramente pasará por allí dentro de poco rumbo a su casa. Se decide seguir esperando.

Fidel manda a buscar al resto de la tropa guerrillera, que ha permanecido a unos doscientos metros de distancia, del otro lado del río, oculta entre los zarzales y las breñas de un campo de cultivo abandonado. Un breve rato después son detenidos dos muchachos.

La espera no se ha prolongado mucho más de media hora cuando se siente una voz:

—¡Alto a la Guardia Rural!

—¡Mosquito! ¡Mosquito!

Universo Sánchez ha dado el alto a un individuo que sube por el camino del río montado en una mula dorada, y este ha contestado con la contraseña de los guardias. No obstante, se ve encañonado y obligado a desmontar:

—Yo soy Chicho Osorio, compay, gente amiga.

Universo le quita el revólver 45 y el cuchillo que lleva a la cintura, y corre a informar que ha sido detenido el sujeto por quien se esperaba. Fidel ordena que se le conduzca ante él.

Aparece un hombre de mediana estatura, delgado, trigueño, de unos cincuenta años de edad. Trae una botella de coñac en la mano, y viene tan borracho que apenas puede caminar derecho.

Apunta Raúl:

Una luna llena nos permitía verle bien la cara a aquel desalmado: [...] he aquí la estampa del asesino más grande que hubiera en la Sierra. Con varias mujeres, jóvenes infelices campesinas, cuyos padres tenían que doblegarse ante las influencias y el terror que Chicho imponía en la zona.

Fidel se identifica como coronel de un cuerpo especial de investigaciones del ejército, que viene con la misión de conocer la disposición combativa de las tropas. Critica duramente la pasividad de los guardias y dice que él sí está dispuesto a tomar medidas enérgicas para acabar con ese Fidel Castro y su gente.

A Osorio le brillan los ojos. Mirando de reojo al "coronel", saca del bolsillo de su camisa una dentadura postiza y se la coloca. Luego dice con voz bronca:

—La orden que hay es de matar a Fidel Castro. Yo sí que si me encuentro con él lo mato como a un perro. Yo sí me meto en el monte, no como estos que no salen del cuartel. ¿Usted ve ese 45 que acá este guardia me ha quitado? Con ese mismo lo mato si lo agarro.

La catadura moral de Osorio queda en evidencia cuando empieza a denunciar a los mismos con los que estaba tomando ron minutos antes. A renglón seguido comienza a describir a Fidel, con lujo de detalles, todo lo que haría con él si se lo encuentra, además de matarlo. Fidel observa que Crescencio está cerca y pregunta al detenido:

—Dicen que con Castro va un tal Pérez. ¿Qué tú crees de ese?

—Ese es Crescencio Pérez –responde Chicho llevándose las manos a la cabeza–. A ese lo metería en una paila de aceite hirviendo.

Fidel le sigue pidiendo información. Osorio va enumerando a todos los campesinos colaboradores del ejército en la zona y a los que él considera revoltosos. De improviso saca un papel de su bolsillo y dice:

—Mire, coronel, este cheque de veinticinco pesos me lo mandó el general Batista como reconocimiento de mis servicios. Yo sí que me he ocupado de eliminar a unos cuantos bandidos. Cuando el machadato maté a dos y mi general me sacó para la calle. Mire, allí mismo, junto a aquel carbonero, allí mismo maté a uno. Hoy le acabo de dar unas galletas a unos cuantos campesinos que están allí en el cuartel porque se habían puesto un poco malcriados. Por ejemplo, ahora mismo, ¿usted ve estas botas que tengo puestas? Son de uno de esos que vino con Fidel Castro, que matamos por allá.

Y levanta una pierna para mostrar una de las botas mexicanas del *Granma*. Como dice el Che en sus recuerdos de la guerra, Osorio no sabía que con estas palabras acababa de firmar su propia sentencia de muerte.

El mayoral invita a Fidel a su casa, donde preparará café y matará un puerco, y podrá quedarse a dormir.

—Si mañana quiere –agrega–, le mato una novilla. Esto no es mío, pero estoy autorizado por el dueño para servirle aquí al ejército todo lo que necesite.

Fidel declina la invitación. En cambio, le pide que lo ayude esa misma noche a sorprender desprevenidos a los guardias, sirviéndole de guía para acercarse hasta el cuartel sin ser visto. Osorio acepta y explica en detalle la disposición de las postas y la distribución del personal.

El Che describe los pormenores de estos acontecimientos en su diario:

Cruzamos el río de La Plata y nos apostamos en el camino al anochecer, a los 5 minutos fueron tomados 2 prisioneros y 2 muchachitos que iban con ellos. Uno resultó ser un hombre acusado de haber chivateado a Eutimio. Se los apretó un poco y quedó establecido que había unos 10 soldados en el cuartel, que habían llegado del Naranjo [El Naranjal] esta misma tarde; además, al rato debía pasar uno de los tres mayorales, Chicho Osorio, considerado el más malo de los tres. Efectivamente, al poco tiempo aparecía montado en un mulo y llevando en ancas un negrito de 14 años hijo del administrador de la tienda de Urteaga en el Macío; el hombre al ser sorprendido por el grito de "alto a la guardia rural" reaccionó gritando "mosquito" que era santo y seña de las tropas del gobierno y luego "soy Chicho Osorio", ya estaba desarmado de su revólver 45 y al negrito de un cuchillo que llevaba. Fue llevado a presencia de Fidel el que le hizo creer que era coronel de la guardia rural y que estaba investigando unas supuestas irregularidades; Chicho Osorio, que estaba borracho, dio entonces una relación de todos los enemigos del régimen a los que "hay que arran-cárselas", según sus propias palabras. Allí estaba la confir-mación de quiénes eran nuestros enemigos y quiénes no. Se le preguntó por Eutimio y dijo que había ocultado a Fidel y se le había buscado para matarlo, aunque sin encontrarlo. Cuando Fidel le dijo que había que matar a Fidel donde se le encontrara le chocó la diestra entusiasmado. Igual opinó de Crescencio.

Raúl apunta:

Fidel le aseguraba indignado en su papel de "Coronel", que seguro la posta estaba durmiendo y que por tal moti-vo queríamos llegar allí en silencio y por algún lugar que no fuera el camino real, para sorprenderla durmiendo y exigir-les cuentas por esa negligencia.

Entonces Chicho se brindó a llevarnos por unos trillos que le salían al cuartel por la parte de atrás, pero que de-bíamos ir con cuidado porque nos podían hacer fuego.

Cerca de la medianoche se inicia la aproximación al objetivo. En el campamento quedan los otros cinco detenidos, custodia-dos por René Rodríguez, Pancho González, Sergio Acuña y Felicito Jordán. Permanecen allí también todos los campesinos que han estado acompañando a la columna como guías. Escri-be Raúl:

La luna era llena y lo iluminaba todo. Atravesamos el cami-no real, y nos detuvimos un rato al lado del río, donde nos tomamos algunas latas de leche que quedaban.

Jueves 17 de enero

La columna recruza los dos brazos del río y se interna en el bosque. Raúl apunta en su diario:

La suerte de Chicho ya estaba echada desde hace tiempo, igual que la de cualquier mayoral de la compañía que cayera

180

en nuestras manos, y esa pena era el fusilamiento sumarísimo, única fórmula que podía seguirse contra estos dobles esbirros.

Después de cruzado el río, F. [Fidel] le hizo saber a Chicho que aunque las referencias que tenemos de él eran muy buenas, por motivos de seguridad, para llevar a cabo nuestras investigaciones con éxito, nosotros por sistema de trabajo no podemos confiar en nadie, y que por tal motivo él sería atado hasta que llegáramos al cuartel, y que él, caminando delante nos llevaría hasta el lugar más próximo sin que nos vean.

Se le ató y empezó la marcha por trillos y serventías muy poco frecuentados y nos llegamos a colocar como a unos 100 metros del cuartel, por el lado oeste y como a unos 8 ó 10 metros del camino real que va de La Plata al Macho, donde hay un cuartel mayor.

El Che, por su parte, hace el siguiente comentario:

El hombre después de dar las más disparatadas muestras de sumisión y alevosía se ofreció a guiarnos a un ataque simulado al cuartel para demostrarnos la falta de seguridad de las defensas. Después de cruzar el río se le dijo que las ordenanzas militares establecían que los prisioneros debían estar amarrados. El hombre estaba tan borracho o era tan ingenuo que siguió en la ignorancia de quiénes éramos. Nos explicó que la única guardia establecida era una entre el cuartel en construcción y la casa de guano, residencia de otro mayoral, Honorio. Nos guió hasta un anacahuite (sic.) cercano al cuartel por donde pasaba la carretera al Macio.

Pocos instantes después, pasa frente a ellos un guardia a caballo. De su montura van atados por el cuello, en hilera, cinco campesinos. Son los presos que llevan conducidos como reses al cuartel de El Macho. Cierra la siniestra caravana otro soldado a caballo. Narra Raúl este incidente:

Allí [cerca del camino] nos sentamos y observábamos con las mirillas algunos movimientos de luces de linternas y nos extrañó que a esa hora hubiera allí movimiento de hombres y caballos. La luna reflejaba sus rayos sobre el techo de zinc del cuartel. Al poco rato sentíamos por los pasos y las voces que un grupo de hombres saliendo del cuartel, por el camino real, se iba aproximando a nosotros y nos pasaría muy cerca. Uno de los que venía a caballo le decía a otro de a pie: "Anda, hijo de puta, que te voy a ahorcar". En eso Chicho que permanecía atado y acostado boca arriba hizo ademán de pararse y se le sujetó.

Al poco rato nos explicó que ese era su amigo el cabo Abasolo [Bassols] que iba para El Macho con unos campesinos presos. [...] Este Abasolo, tan amigo de Chicho, es el que lo acompañaba en todas las incursiones contra los infelices campesinos. Esperamos que el cabo Abasolo se alejara con los presos para que no oyeran las detonaciones del ataque, y al mismo tiempo, esperar que se durmieran de nuevo los que quedaban allí. A las 2 de la madrugada, después de dársenos las instrucciones complementarias, empezó el avance ordenadamente, divididos en 4 escuadras que atacarían por diferentes puntos. Cruzamos una cerca de alambres y caminando por un trillito entre manigua, salimos al camino real, que atravesamos con las precauciones que el caso requiere, llegamos a otra cerca que teníamos que atravesar 3 escuadras, mientras la de Almeida y Crescencio se quedaría del lado de acá para avanzar paralelo a la misma en fila india y atacar por el norte. [...] El cuartel estaba ya a unos 50 metros cuando salimos del límite del bosque de anacahuitas, ya íbamos todos completamente arrastrándonos con cuidado, estilo comando, y entre matojitos de hierba de guinea, muy escasos que había por allí; nos llegamos a colocar a unos 25 ó 30 metros del cuartel y la casa de Honorio. El avance había durado 25 minutos y ahora la luna nos favorecía la operación, cuando F. [Fidel] agarrara la ametralladora de Fajardo y disparara una ráfaga contra la posta, según el lugar que según teníamos entendido estaba, empezaría nuestra fusilería a disparar. En total *éramos 23 y sobrábamos, ya que 3 compañeros se habían quedado con Chicho más abajo con órdenes de fusilarlo cuando empezara el ataque.*

Fidel da las últimas instrucciones y distribuye el personal. Poco después de las dos de la madrugada, ordena iniciar el avance final. Veintidós hombres se desplazan sigilosos a ocupar sus posiciones para el ataque. Atrás, custodiando a Chicho Osorio, quedan Daniel Motolá, Julio Zenón Acosta, Yayo Castillo y Nango Rey, encargados de ajusticiarlo en cuanto empiece el tiroteo. Conservan para ello una de las armas de que dispone la guerrilla. El Che relata todo esto en términos escuetos:

Luis Crespo fue enviado a explorar volviendo con la noticia que los informes del mayoral eran exactos, pues veía el humo de cigarro de los guardias y se oían voces en el sitio indicado por Chicho. Tuvimos que echarnos al suelo para que no nos vieran 3 guardias a caballo que pasaban arreando como una mula un prisionero de a pie, cubriéndolo de amenazas e injurias, se les dejó pasar porque podían dar la alarma al detenerlos tan cerca del campamento. Se dispuso todo para el ataque final con 22 armas; Chicho quedó en los anacahuites (sic) custodiado por 2 hombres con encargo de matarlo apenas iniciado el tiroteo, cosa que cumplieron estrictamente.

Las órdenes de Fidel son terminantes. La acción no puede fracasar. Es preciso tomar el cuartel a toda costa, ocupar el armamento y el parque de los guardias, y hacer todo ello con el mayor ahorro posible del parque propio. Fidel ha preferido rendir por fuego la posición en lugar de emprender una acción de tipo comando para la captura de la posta y el cuartel, a fin de no arriesgar bajas innecesarias en la escasa tropa guerrillera.

El jefe guerrillero ha dividido a los atacantes en cuatro grupos, que formarán una especie de L invertida para el ataque. Por el norte, haciendo el palo corto de la L a lo largo del camino de El Macho, Juan Almeida dirigirá el grupo compuesto por Guillermo García, Crescencio Pérez, Manuel Acuña,

Ignacio Pérez, Rafael Chao y Sergio Pérez. Tienen dos fusiles semiautomáticos, tres de cerrojo y las dos pistolas de ráfaga.

Por el lado oeste, a la derecha del grupo de Almeida, atacará Raúl junto con Ciro Redondo, Efigenio Ameijeiras, Armando Rodríguez y José Morán. Más a la derecha, ocupará posiciones la escuadra de Fidel, compuesta, además, por el Che, Calixto García, Manuel Fajardo, Luis Crespo y Universo Sánchez. En estos dos grupos tienen todos fusiles de mirilla, salvo Fajardo y Armando Rodríguez, que llevan las dos Thompson.

Cerrará la formación por la extrema derecha una escuadra compuesta por Julito Díaz, Camilo Cienfuegos, Calixto Morales y Reinaldo Benítez, al mando del primero, todos con fusiles semiautomáticos.

Mientras los combatientes al mando de Almeida se mueven a rastras por el camino hacia su posición, las otras tres escuadras cruzan una cerca de alambre y se aproximan al fondo del cuartel por entre el bosque de anacahuitas. A la distancia de cincuenta metros salen al claro y siguen avanzando con cautela, arrastrándose desplegados entre algunos arbustos y mechones de hierba de guinea, hasta colocarse a unos treinta metros de las casas.

El avance final ha durado media hora. A las dos y media de la madrugada se inicia el combate. Fidel toma la ametralladora de Fajardo y lanza una ráfaga contra la posta. Es la señal para abrir fuego.

En la crónica de Raúl:

La posta no se veía, probablemente resguardándose del frío se había recostado en su taburete a un árbol que daba sombra a la casa de Honorio, entre esta, donde dormía el sargento, y el cuartel. Sonó la ráfaga en esa dirección y cuestión de segundos después el estruendo fue infernal, teníamos orden de disparar cada uno 3 disparos y suspender el fuego, para conminarlos a rendirse. Algunos de nosotros improvisamos cortas arengas indicándoles que sus vidas serían respetadas, que solo queríamos las armas, y que no fueran estúpidos, que mientras Batista y todos sus amigos politiqueros se enriquecían robando sin riesgos de ninguna clase, ellos morían sin gloria alguna en la Sierra Maestra. La respuesta fue silencio absoluto, todavía estaban sorprendidos. Otra vez dimos la orden de fuego y el tronar ensordecedor de los disparos opacaba todo lo demás. La misma operación la repetimos varias veces, con el fin de lograr nuestro objetivo ahorrando la mayor cantidad posible de parque ya que si no tomábamos el cuartel, nos íbamos a quedar muy escasos de los mismos. El ataque pudo hacerse tipo comando, pero no queríamos perder una sola vida, ni cargar con un herido, mientras pudiéramos evitarlo así se haría, aunque de esta forma gastáramos más cartuchos pues teníamos que saturarle de plomo las posiciones; nuestros disparos iban dirigidos de medio metro para abajo de la pared del cuartel, suponiendo que ellos estarían en el suelo. Sucesivamente íbamos hablando nosotros conminándolos a la rendición y momentos después hablaban las bocas de fuego. El gallego Morán ni en medio del combate dejó de refunfuñar, protestaba contra Almejeiras [Ameijeiras] porque este disparaba muy cerca de él y los disparos le retumbaban muy fuerte en los oídos; en una oportunidad, de esas de tregua, improvisó una arenga, enredándose de tal forma que provocó la risa de todos los que lo oyeron.

Los guardias contestan el fuego desde el cuartel y desde la casa de Honorio. Fidel ordena lanzar las dos granadas brasileñas de que dispone su escuadra. Ninguna estalla. Por su parte, Raúl lanza algunos cartuchos de dinamita que caen junto a la casa y estallan con débiles detonaciones que no producen efecto alguno.

Retomemos el relato de Raúl:

Ya los soldados estaban contestando al fuego, pero en condiciones muy desfavorables, ya que por las ventanas no podían asomarse sin exponerse a ser víctimas de las mirillas de mi escuadra, que sin exagerar puedo decir que con la luz de la luna le veía hasta la hilera de clavos sobresaliendo sobre el color amarillo de la madera nueva. De vez

en cuando, alguna trazadora de la ametralladora Thompson
o del M-1 que tenían nos cruzaba por la cabeza, pero bas-
tante alto. Ellos tenían la terrible desventaja de tener que
disparar sin ver y a través de la pared. Viendo que el ataque
se prolongaba más de lo que calculamos, le lanzamos algu-
nos cartuchos de dinamita, pero sin metrallas y sin preparar
debidamente para que hicieran una fuerte detonación y por
lo livianos que eran, sin nada adicional, vinieron a caer a la
orilla de la casa y sin mayor importancia la bulla que hi-
cieron, a tal extremo que se confundieron con los disparos
de los fusiles. De la escuadra de F. [Fidel] supe más tarde
que lanzaron dos granadas de mano, pero por estar en mal
estado no hicieron explosión; estas fueron de las granadas
que trajeron de Manzanillo y como las tuvieron enterra-
das parece que se humedecieron y se echaron a perder. Yo
tenía una de esas granadas y no la usé por ahorrarla, pen-
sando que no sería necesario usarla.

Prosigue el tiroteo. A algunos combatientes se les está acabando
el parque. En la escuadra de Almeida, que dispara tendida en el
camino, algunos de los nuevos no han sabido economizar el fuego. A Sergio Pérez, entre otros, no le queda ya ninguna bala. A
su lado está Manuel Acuña. Sergio le pide parque para su fusilito
mexicano de cerrojo. Acuña, a quien le quedan tres balas, le da
una y le dice:

—Tenga, primo, pero ahórrela, no la gaste mucho para que
le dure.

Volvamos al diario de Raúl:

F. [Fidel], cansado de arengas, le hizo la última y cambian-
do su mirilla por la ametralladora de Fajardo, le disparó un
peine completo a la casa de zinc, que era donde más tropa
había, en ráfagas de 3 tiros. Estos disparos de ametralla-
dora 45 se sentían con golpes más secos, como se introducían
escalonadamente en la madera de las paredes del cuartel.
Por fin de la casa de zinc dijo uno de ellos que se rendían,
pero el sargento Walter, que tenía una situación difícil en la
otra casa, en esos momentos disparó varias ráfagas de

Fidel junto a campesinos y combatientes; al centro de estos últimos se aprecia al Che y, algo más a la derecha, a Juan Almeida Sierra Maestra. Foto tomada por el periodista Andrew Saint George durante su primera visita a la Sierra, del 15 al 19 de mayo de 1957.

ametralladora, iniciándose otra vez por breve tiempo un nutrido tiroteo de las escuadras de Julito y F. [Fidel] contra la casa de guano de Honorio. Volvieron los guardias de la casa de zinc a gritar que se rendían y qué condiciones les poníamos, les contestamos que respetaríamos sus vidas y que solo queríamos las armas. Hubo un intervalo bastante largo de silencio, de varios minutos, y se sentía el traquetear de los casquillos vacíos cuando se camina sobre ellos, parece que a gatas y a tientas andaban por el suelo buscando la salida.

Fidel ordena a Universo que dé fuego al rancho donde se guardan los cocos. Tanto este como Camilo, que también lo intenta, no lo logran. Finalmente, Luis Crespo, apoyado por el Che, incendia el ranchito. A la luz de las llamas se ve a un guardia que sale corriendo de la casa de Honorio en dirección al cuartel, pero cae herido. Al propio tiempo, otras dos siluetas huyen de la casa hacia el río. Camilo les dispara, pero logran escapar. Son Honorio y el sargento Medina. Mientras tanto, de la casa de zinc se escuchan nuevos gritos. Fidel ordena el alto el fuego. Una voz pide que se deje salir al que grita, pues está herido. Se le ordena ir hacia el camino, donde está el grupo de Almeida.

Ya del cuartel no disparan. El que había gritado llega cojeando a la posición de Almeida y regresa al cuartel. A los pocos instantes sale llevando un herido que sangra profusamente por una pierna. Luego salen dos más, al parecer ilesos. Estos instantes finales de la acción y el primer contacto con el enemigo derrotado son descritos con minuciosidad por Raúl:

En esos momentos empezó a arder la casa de Honorio, uno de los muchachos se había acercado a la misma y le prendió candela. El sargento Walter y Honorio se nos escaparon en esos momentos y ganaron el bosque, se les hicieron algunos disparos, pero a un hombre huyendo de un tiroteo es difícil darle y menos de noche, porque va como alma que lleva el diablo. Además no podíamos hacer un cerco completo porque corríamos el riesgo de herirnos entre nosotros y en ese caso tendría que ser bastante amplio y carecíamos de gente para hacerlo, y la operación no valía mayormente la pena, ya que solo queríamos las armas y en el orden moral, darles a ellos una lección con los prisioneros y mostrarles que aún estábamos en pie de lucha. Entre Universo, Cienfuegos y Luis, le habían prendido fuego a las dos casitas de guano. Cuentan que Universo en medio del tiroteo se sacó un machetín y abriendo un coco seco se lo estaba comiendo.

Por fin uno de la casa de zinc pidió que no dispararan más, que estaba herido y que iba a salir. Se le indicó que saliera por la puerta que daba al norte por donde estaba Almeida, salió cojeando diciendo que estaba herido en una pierna, salió corriendo y agachado, allí los muchachos lo recibieron amablemente y él dijo que había varios muertos y heridos, se le indicó que sacara a los heridos. Volvió a la casa y volvió con un herido que se estaba yendo en sangre. El primero que salió parece que estaba sugestionado o nos mintió para producirnos piedad de nuestra parte, la cuestión es que salió y entró cojeando y cuando regresó con el herido verdadero, ya él venía caminando derechito. Era un joven de no más de 25 años, de espejuelos, delgado, rubio, que cuando llegué donde estaba le pregunté qué grado tenía y me contestó, aún atontado por el incidente de los tiros y tal vez más por el trato amable que estaba recibiendo, que bachiller.

Le recalqué que me refería a la graduación militar y entonces rectificó que era soldado. Lo sacudí amablemente por los hombros y le pregunté que por qué no se habían rendido antes y así hubiéramos ahorrado sangre derramada inútilmente por defender un gobierno ilegal y de bandidos; me contestó que resistieron tanto porque ellos creían que los íbamos a fusilar. Precisamente eso hubiera querido el gobierno que hiciéramos con ustedes, le contesté, para abrir un odio mortal entre nosotros que en fin de cuentas somos cubanos y hermanos y sinceramente lamentamos tanto la muerte de esos jóvenes soldados y marineros como si fueran compañeros nuestros. Y así por el estilo estuve hablando un *rato con él. Al lado estaba quejándose el herido que el anterior había sacado, me pidió agua y levantándole la cabeza le puse la cantimplora en los labios, manaba sangre abundantemente por la herida de un muslo, mientras di algunos gritos llamando al Che para que lo atendiera le di mi pañuelo al otro prisionero para que le fuera haciendo un trinquete en la pierna herida.*

El herido me había oído dando órdenes de que requisaran todo lo que fuera propiedad del gobierno y respetaran las pertenencias de los soldados y entonces me dijo, inclinándose de lado, záfame aquí por favor, y me indicaba el cinto, después añadió, el cuchillo por favor. Se lo zafé y se lo coloqué sobre el pecho, inmediatamente añadió, "no, es para ti ya que eso es del gobierno", le di las gracias por el magnífico cuchillo comando que colocándomelo en la cintura, sustituía al que perdí dentro de la mochila en el combate de la Alegría.

Ya habían salido de la casita de guano otros dos prisioneros y el campo de la acción era completamente nuestro. Los muchachos ya estaban en las casas requisando balas, cananas, rifles, cantimploras, mochilas y cuantas cosas de utilidad encontrábamos que fueran propiedad del gobierno y que tan bien nos venían a nosotros. En total habíamos tirado unos 600 a 700 disparos, ya que muchos novatos dispararon sin cesar, y algunos llegaron a agotar todo el parque que llevaban. Además, por la índole del ataque, no mucho menos parque se podía haber gastado.

El Che relata en su diario respecto al combate:

Nos fuimos arrastrando hasta unos 40 metros de la posición enemiga y Fidel inició el tiroteo con dos ráfagas de ametralladoras seguidas por los disparos de todos los fusiles disponibles. Se conminó a rendirse a los soldados pero sin resultado alguno. El ataque se había iniciado a las 2:40 de la madrugada, después de unos minutos de fuego se ordenó tirar las granadas. Luis Crespo tiró la suya y yo la mía, sin que explotaran, Raúl Castro tiró dinamita, se dio

190

orden de quemar la casa de guano y Universo probó pri-mero pero volvió precipitadamente cuando dispararon cer-ca, después fue Cienfuegos también con resultado negativo y luego Luis Crespo que la incendió y yo. Resultó que el objetivo nuestro era un rancho lleno de cocos. Luis Crespo cruzó bordeando una caballeriza o chiquero y le salió un soldado a quien hirió en el pecho. Yo le quité el fusil y lo usé de parapeto durante algunos minutos para tirarle a un hombre a quien creo haber herido. Luis Crespo le quitó la canana al herido y se trasladó a otro lugar. Cienfuegos se parapetó tras un árbol y disparó sobre el sargento que huía, pero no pudo abatirlo. El fuego había casi cesado en los dos frentes, y la gente de la casa de zinc se rindió. Cienfuegos entró al patio de la casa de guano encontrando solo heridos.

De los diez enemigos, uno ha huido, hay dos muertos y cinco heridos, tres de los cuales morirán posteriormente. Los muer-tos y heridos son sacados del cuartel. Mientras el Che aplica un torniquete a uno de los soldados, los combatientes recogen las armas, el parque, ropa y demás equipos. Luego le pren-den fuego al cuartel y a la casa del mayoral. El Che apunta al respecto:

Yo les di fuego a todas las dependencias de la casa de Honorio y alguien al cuartel que presentaba un espectáculo impresionante pues lo habíamos convertido en una criba. Se dio orden de retirada hacia nuestro campamento con los tres prisioneros militares, a los que se dejó en libertad y se les entregó alguna medicina para los heridos. Se dejó también en libertad a los 5 detenidos civiles, haciéndole una seria advertencia al presunto chivato, y se inició la marcha a las 4:30 de la mañana rumbo a Palma Mocha adonde llega-mos al amanecer.

El combate ha durado cerca de cuarenta minutos.

Fidel ordena que se entreguen los medicamentos a los soldados para que atiendan a sus heridos. Los guerrilleros no han sufrido ni un rasguño.

Los combatientes se retiran hacia el río. Llevan a los dos soldados ilesos y a un herido leve para que recojan las medicinas.

Raúl escribe:

Como no teníamos medicinas allí, nada pudimos hacer por el momento con los heridos. Acordamos, pues, que los dos prisioneros y el herido leve nos acompañaran hasta el campamento para darles allí medicinas y que ellos los curaran hasta por la mañana que llegaran sus compañeros, ya que por lo avanzado de la hora, nuestro médico no podía atenderlos debidamente, si no con mucho gusto lo haríamos. Le prendí candela al cuartel, la única casa que quedaba sin arder, y después de colocar los heridos distantes del fuego, nos marchamos. El herido que me regaló el cuchillo, creyendo que nos íbamos, empezó a gritar lastimosamente: "no me dejen solo que me muero". Él ignoraba que momentos después volverían 3 de sus compañeros con medicinas nuestras para curarlos.

Tomamos rumbo hacia el campamento. Me puse al lado de un prisionero y echándole un brazo por arriba de los hombros, así fui hablando con él de la ideología de nuestra lucha, del engaño de que eran víctimas ellos por parte del gobierno y todo lo concerniente al tema que el tiempo y lo corto del camino nos permitió. Él me pidió que anotara su nombre y que en el futuro no me olvidara de él, ya que era pobre, que mantenía a su mamá, y él no sabía lo que iba a pasar. Nos despedimos de los prisioneros con un abrazo; soltamos a los civiles presos, uno de ellos nos serviría de guía, y nos encaminamos rumbo a Palma Mocha por un camino que bordea la costa.

Desde lejos, se veían arder sobre los cuarteles de la opresión, las llamas de la libertad. Algún día no lejano sobre esas cenizas levantaremos escuelas.

DE LOS LLANOS DEL INFIERNO
A LA TRAICIÓN

Jueves 17 de enero de 1957

Aproximadamente a las cuatro y media de la madrugada, la columna guerrillera al mando de Fidel deja atrás La Plata y emprende la marcha en dirección al este, por el camino que bordea la orilla del mar. En su diario, Raúl describe esta marcha en los términos siguientes:

Ya amaneciendo, íbamos todos supercargados, no habíamos dormido nada la noche anterior, que tuvimos una faena, como diría el general Bayo, pero los nervios en tensión y la emoción del triunfo nos daban un gran impulso para subir las empinadas crestas rocosas de las montañas de la costa por un buen trillo. Nosotros llamamos buen trillo a cualquier cosa que no sea romper el monte con el pecho. Así llegamos a Las Cuevas, donde vive el anciano Torres; años antes, Chicho [Osorio] le había quitado el hermoso cocal [cocotal] que está cerca del cuartel de La Plata y por cosas del destino, a él es al primero que informamos del fusilamiento de este malvado.

Al amanecer, la columna se descuelga sobre el río Palma Mocha, a unos ochocientos metros de su desembocadura. El destacamento prosigue el camino río arriba. Fidel ha decidido continuar la marcha de día y, por primera vez desde el inicio de la lucha mes y medio atrás, fuera del firme del monte, intencionalmente a la vista de los vecinos de la zona. Intuye que, después de la acción de La Plata, el enemigo se lanzará a perseguir a la guerrilla.

Tal parece como si quisiera dejar un rastro bien claro para invitar a esa persecución. Busca un lugar apropiado donde medir las fuerzas con el enemigo en la situación más característica de la lucha guerrillera: la emboscada sobre una tropa en marcha.

De izquierda a derecha, de pie: Guillermo García (con casco), el Che, Universo Sánchez, Raúl, Fidel y Crescencio Pérez Montano; agachados: Jorge Sotús (traidor) y Juan Almeida. Sierra Maestra, mayo de 1957. Foto de las tomadas por Andrew Saint George.

La columna rebelde comienza a tropezar en su avance con un cuadro doloroso. Veamos cómo describe Raúl este episodio.

Seguimos subiendo por la margen del río Palma Mocha, un avión caza pasó de largo por la zona, nos buscaban pero no nos vieron y se fue a dar vueltas por otro lado. Nos encontramos con un espectáculo tristísimo. Decenas y decenas de familias campesinas que habían sido desalojadas. Mientras nosotros subíamos después de un combate, ellos bajaban para la costa con todas las cosas que habían podido recoger y echarse a las espaldas: mujeres en estado de gestación; niños descalzos, pálidos y lombricientos; gallinas y gallos finos en jabas de yarey; los echaban de sus tierras, que el mero hecho de cultivarlas en terreno tan abrupto es digna acción de un premio, para satisfacer los apetitos geófagos de la compañía de los Núñez Mesa, tierras que eran del Estado, ellos en complicidad con funcionarios venales de gobiernos corrompidos las habían hecho jurídicamente suyas y ahora expulsaban a los campesinos en masa, sin tener piedad de esos niños, de esas mujeres, de esos hombres que en la Sierra habían dejado en el duro bregar parte de sus vidas. A estos Núñez Mesa, algún día les haremos como a Chicho, su esbirro. [...]

Pero, ¿qué había pasado? Pues unos dos o tres días antes, uno de los mayorales de la compañía [Miro Saborit] acompañado del cabo Abasolo [Bassols], habían pasado por la zona y advertido a todo el mundo que recogieran sus pertenencias y el día 17, por la mañana, estuvieran concentrados en la playa, pues iban a bombardear la zona, porque por ahí estaban los revolucionarios. Ese, naturalmente, era el pretexto. En el acto descubrimos claramente la traidora jugarreta: se trataba de que unos cuatro días antes el gobierno había suspendido las garantías constitucionales en toda la isla por 45 días e imponiendo además el dogal de la famosa Ley de Orden Público, la compañía probablemente de acuerdo con algunos miembros del ejército, incluyendo algunos jefes, y tomando como pretexto de que los campesinos nos protegían y ayudaban, acordaron efectuar bajo el manto de opresión de una tiranía y el silencio a que obliga una suspensión de las garantías, un desalojo campesino en masa. A una zona completa la iban a dejar deshabitada. Dos días después los volverían a echar de sus tierras, igual operación harán en otras zonas de la Sierra.

El Che, por su parte, anota lo siguiente:

Caminamos a buen paso subiendo el río Palma Mocha donde nos encontramos con un espectáculo lastimoso, todas las familias de la zona en éxodo hacia la costa debido a las amenazas que un cabo y un mayoral, Miró, les habían hecho referentes a un supuesto bombardeo de la aviación contra los rebeldes. La maniobra era clara, desalojar a todos los campesinos y luego la compañía se apoderaría de toda la tierra abandonada. Desgraciadamente la mentira de ellos coincidió con nuestro ataque, de modo que los campesinos respondían a nuestras exhortaciones con tímidas evasivas y la mayoría dejó sus hogares pese a todo.

Volvamos al diario de Raúl:

A lo largo de todo el río nos íbamos encontrando en los bohíos de las márgenes, por donde baja el camino, concentradas las familias de los alrededores y de monte adentro, dispuestas a bajar a la costa. En cada casa donde encontrábamos estas concentraciones improvisábamos un mitin, y los convencíamos para que retornaran a sus hogares y siembras abandonadas. En una de estas casas, mientras descansábamos un poco y se organizaban nuestros mítines-relámpagos, cada uno de su parte, nos colaron un abundante y sabroso café. Infinidad de familias volvían a sus hogares, albergando tal vez alguna ligera esperanza de que no los desalojaran. Nosotros sabíamos que eso sería por breve tiempo, ya que cuando nos alejáramos de esa zona, volverían a desalojarlos, esta vez por la acción directa del ejército, que veía a los campesinos como aliados naturales nuestros. [...]

En uno de los bohíos donde se concentraban los campe-
sinos [...] nos encontramos a una familia llorando [la de
los Peña]. Era que el día anterior entre el cabo Abasolo
[Bassols] y un mayoral, creo que el propio Chicho, le habían
detenido un hijo y se lo llevaron preso para La Plata. Efec-
tivamente, era uno de los prisioneros que momentos antes
del ataque el cabo conducía para el cuartel del Macho. Al
enterarse la familia del ataque a La Plata, los lamentos
aumentaron de tono por la idea que se hicieron de que ahora
seguro le mataban a palos al familiar en El Macho; la con-
solamos como pudimos, y F. [Fidel] le entregó 10 pesos a
una hermana del detenido que ya tenía un caballo listo para
irlo a ver.

Así íbamos encontrando en las desgracias de estos hu-
mildes campesinos las fechorías de los Abasolos [Bassols]
y los mayorales como Chicho y compañía.

Alrededor del mediodía la columna guerrillera llega a El Jubal,
a la casa del campesino Emilio Cabrera. Raúl narra:

Llegamos al mediodía a un punto conocido por "Palma
Mocha Arriba", en casa de un campesino de apellido Ca-
brera comimos un cerdo y nos dimos tremendo banquete de
dulces de coco, pránganas y hasta una cerveza "Hatuey"
nos tomamos cada uno, ya que al lado de la casa había una
bodeguita casi vacía, ya que el día antes había pasado el
cabo Abasolo [Bassols] y un mayoral y cargando dos mulas
de mercancías, se las llevaron, diciéndole al dueño que la
expropiaban por orden del gobierno. Ellos saquean valién-
dose de infames mentiras, que aunque fueran ciertas no de-
jaban por eso de ser infames, mientras nosotros pagábamos
religiosamente todo cuanto consumíamos. Allí nos encon-
tramos con un tal Corría, que según informes de Chicho
era confidente del gobierno; allí se nos presentó y nos ayudó
con un cuero que había en la tiendecita a remendar algunas
de nuestras botas; las mías por ejemplo, desde días antes del
combate de La Plata ya estaba caminando con una planta
casi en el suelo. F. [Fidel] se portó benévolo, y agarró a

Corría y le echó una reprimenda; ya que sinceramente una vez Chicho se llevó preso a Corría y este asustado y para que lo dejaran que no tuvo el valor de afrontar la situación y prefirió ponerse al servicio de Chicho, pero una vez muerto este, tal vez Corría vuelva al buen camino sin necesidad de ejecutarlo como a Chicho.

[...] Después de la suculenta comida, bajamos a reposar al río, el más bello que hasta ahora he visto por la Sierra; yo, aunque estaba muy cansado, me fui de posta con Ciro [Redondo], cubriendo un trillo que subía para la casa. Oscuros nos fuimos para el bosque cercano y dormimos a pierna suelta.

El Che concluye sus anotaciones de ese día con estas palabras:

Caminamos toda la mañana hasta un bohío con tienda donde nos sirvieron un opíparo banquete de puerco. Quedamos todo el día descansando en las orillas del río, de agua cristalina, y dormimos en alto esperando la llegada de los soldados la que no se produjo.

Viernes 18 de enero

Por la mañana, Fidel ordena distribuir las armas y el parque recogidos en el asalto al cuartel. Todavía hay uno de los campesinos incorporados a la tropa que no acaba de comprender el principio colectivista que ha infundido Fidel a la guerrilla desde los primeros momentos: el botín de un combate, aunque lo hubiese ganado uno solo, corresponde a todos por igual. El Che anota ese día:

Al amanecer Crescencio trajo la noticia de que había soldados cerca presumiblemente, y se decidió emprender la marcha inmediatamente, pero antes Fidel quiso completar el reparto de balas que se había estipulado en 40 por fusil.

Poco después la columna inicia la marcha a lo largo de un trillo casi oculto loma arriba. Antes del mediodía, llegan a una especie de meseta descampada en la ladera de la montaña. Esta parte es conocida en la zona como Los Llanos del Infierno. De un golpe de vista, Fidel se percata de que ha encontrado el lugar que está buscando. El camino sale del bosque frente a una pequeña altura en la que hay una casita, mitad forrada y mitad sin forrar, donde vive un campesino llamado Delfín Torres. El monte forma una especie de herradura alrededor de todo el descampado. Por el firme del fondo baja hacia el río un arroyo, al que el Che da el nombre de Arroyo del Infierno.

(Actualmente no hay casa alguna en esta altura, como no está tampoco la otra que se levantaba al final del descampado, en su parte baja, casi en línea recta con la primera. De esta otra vivienda quedan todavía algunos horcones casi ocultos por la hierba. Tampoco existen los sembrados de malanga que en aquel momento cubrían casi todo el claro entre las dos viviendas.)

Raúl narra así la llegada a este lugar:

A media mañana emprendimos la marcha para instalarnos, según los planes del E.M. [Estado Mayor] en los finales de "Palma Mocha". Aquí llegamos como a las once de la mañana, este punto es conocido por el nombre del "Infierno de Palma Mocha", nos quedamos en el bosque mientras inspecciona una patrulla, hay dos casas, como a unos 150 ó 200 metros una de la otra, la primera en un altico y en medio de un claro; la segunda más cerca del bosque por el otro extremo, ambas habían sido abandonadas.

Las dos casas están deshabitadas cuando llega la columna guerrillera. En la subida los combatientes han tropezado con Delfín Torres y su familia, que vienen bajando para cumplir la orden de evacuación de los mayorales y el ejército. El campesino no quiere regresar pero al cabo, accede a acompañar al grupo hasta arriba y seguir luego camino con su esposa embarazada y sus niños pequeños hasta la costa. Fidel le da un poco de dinero.

Desde lo alto de la entrada, se divisa un cerdo en el patio de la casa de abajo.

—Mire, Crescencio –dice Fidel–, así vamos a hacerles a los guardias.

Y de un disparo preciso derriba al animal. Manuel Fajardo baja a buscarlo para preparar la comida. Raúl apunta en su diario:

Desgraciadamente el cochino era un verraco, pero entre guerrilleros, en asuntos de comida, qué más da una cosa que otra. [...] Comimos, como siempre, con apetito voraz, aunque todo el mundo o casi todos andaban con descomposición de vientre a causa de las harteras que nos dábamos cuando teníamos oportunidad.

Se organiza el campamento en el monte. Raúl anota:

Ese día se dejó una escuadra de posta, las otras en posición de combate y el resto, el E.M. [Estado Mayor], reconociendo el terreno para instalarnos allí hasta que el ejército fuera a buscarnos, ya que F. [Fidel] tenía la seguridad de que iría.

El Che, por su parte, observa:

Caminamos hasta el bohío de Delfín [Torres], uno de los últimos colonos de la zona, donde comimos y dormimos aprovechando que él se iba también para la costa, se decidió tomar esta posición como definitiva por unos días.

Sábado 19 de enero

Al día siguiente de la llegada a Los Llanos del Infierno, Fidel distribuye definitivamente el personal en las siete posiciones que ha decidido establecer, después de un examen cuidadoso del terreno, y da las órdenes pertinentes para preparar la emboscada.

En la vanguardia, ubicada junto al camino en el punto en que este sale del bosque, se coloca Julito Díaz junto con Camilo Cienfuegos, Calixto Morales y Reinaldo Benítez, todos con armas semiautomáticas. La misión de este grupo será dejar pasar la avanzada del enemigo e impedir después que suba el resto de la tropa.

Hacia la izquierda, siguiendo la línea del monte, ocupa posiciones una escuadra que está compuesta por Daniel Motolá, Julio Zenón Acosta, Nango Rey y Felicito Jordán, al mando del primero. Motolá tiene la Thompson capturada en La Plata, Felicito un fusil corriente de cerrojo y los otros dos, fusiles Springfield.

Le sigue el grupo de Guillermo García, en el que están Ignacio Pérez, Yayo Castillo y Pancho González. Guillermo tiene un fusil Remington semiautomático, y los otros, fusiles Springfield.

Después viene la escuadra de Juan Almeida, que incluye a Crescencio Pérez, Rafael Chao y Sergio Acuña, todos armados con fusiles Springfield.

Más abajo, comenzando a cerrar la base de la emboscada, Raúl cuenta con Ciro Redondo, Armando Rodríguez y José Morán. Los dos primeros llevan sus fusiles de mira telescópica, Rodríguez tiene una Thompson y Morán un fusil semiautomático.

Cierra la formación, por el extremo izquierdo, la escuadra de Fidel, integrada por el Che, Calixto García, Manuel Fajardo, Luis Crespo y Universo Sánchez. Todos menos Fajardo, que conserva su ametralladora Thompson, llevan fusiles de mirilla. De esta posición a la casa de abajo hay apenas unos quince o veinte metros.

A la entrada, en un pequeño alto frente a la posición de la vanguardia, Efigenio Ameijeiras, René Rodríguez, Sergio Pérez y Manuel Acuña –los dos primeros con fusiles de mirilla, y los otros con fusiles corrientes de cerrojo– tienen la misión de cerrar el cerco e impedir que cualquier soldado enemigo que caiga en la emboscada pueda escapar.

Raúl se refiere a estos preparativos en sus anotaciones del día 20:

Con F. [Fidel] y el Che fuimos recorriendo las distintas escuadras, que esta vez eran seis, para que cubrieran toda la zona en la que pensábamos tener un encuentro, pero ahora estábamos preparando el terreno a nuestro gusto. Como ya dije, este punto es conocido por el nombre de Infierno de Palma Mocha, está cerca del Turquino, ya que de sus faldas solo nos separa una montaña.

Al llegar a la tumba, lugar donde tienen su estancia de siembra, a la derecha nos quedaba un gran claro con una elevación que iba en aumento hasta toparse de nuevo con el bosque. Esta elevación de la derecha pudiéramos decir que estaba casi al nivel del límite del bosque de la izquierda, el que formaba una especie de semicírculo de izquierda a derecha, y por el centro, el caminito por donde tenían que venir las tropas del gobierno; si se metían entre los dos fuegos estaban listos. [...]

La escuadra de Almeida y la mía cubrían el trillo que para pasar de una casa a la otra tenían que atravesar una punta del bosque, donde estábamos parapetados nosotros, o de lo contrario podían ir de una casa a la otra por el claro, donde había un pequeño trillo que atravesaba el sembrado, pero donde serían fáciles blancos de la escuadra de F. [Fidel] que estaba a mi izquierda. [...] Para evitar que ellos se refugiaran en la elevación que teníamos al frente, o sea, a la derecha viniendo por el camino, se colocaron dos mirillas telescópicas y dos rifles corrientes. Se les había formado una letra C y por el único boquete que tenían abierto, era un claro sobre el que pendían las mirillas telescópicas de 3 escuadras.

Fidel recorre las posiciones acompañado, entre otros, por Raúl, el Che y Guillermo. Se acercan a la escuadra de Julito. El Che y Guillermo van delante. Llevan puestos sendos cascos del ejército, ocupados en el combate de La Plata. De pronto se escucha una voz de alarma y un disparo que provienen de la vanguardia guerrillera.

Raúl narra el hecho en los términos siguientes:

Estando en el recorrido y terminando de colocar las escuadras, con F. [Fidel] y el Che, además de Guillermo y otros, como íbamos por dentro del bosque y no habíamos

Facsímile del diario de campaña de Raúl.

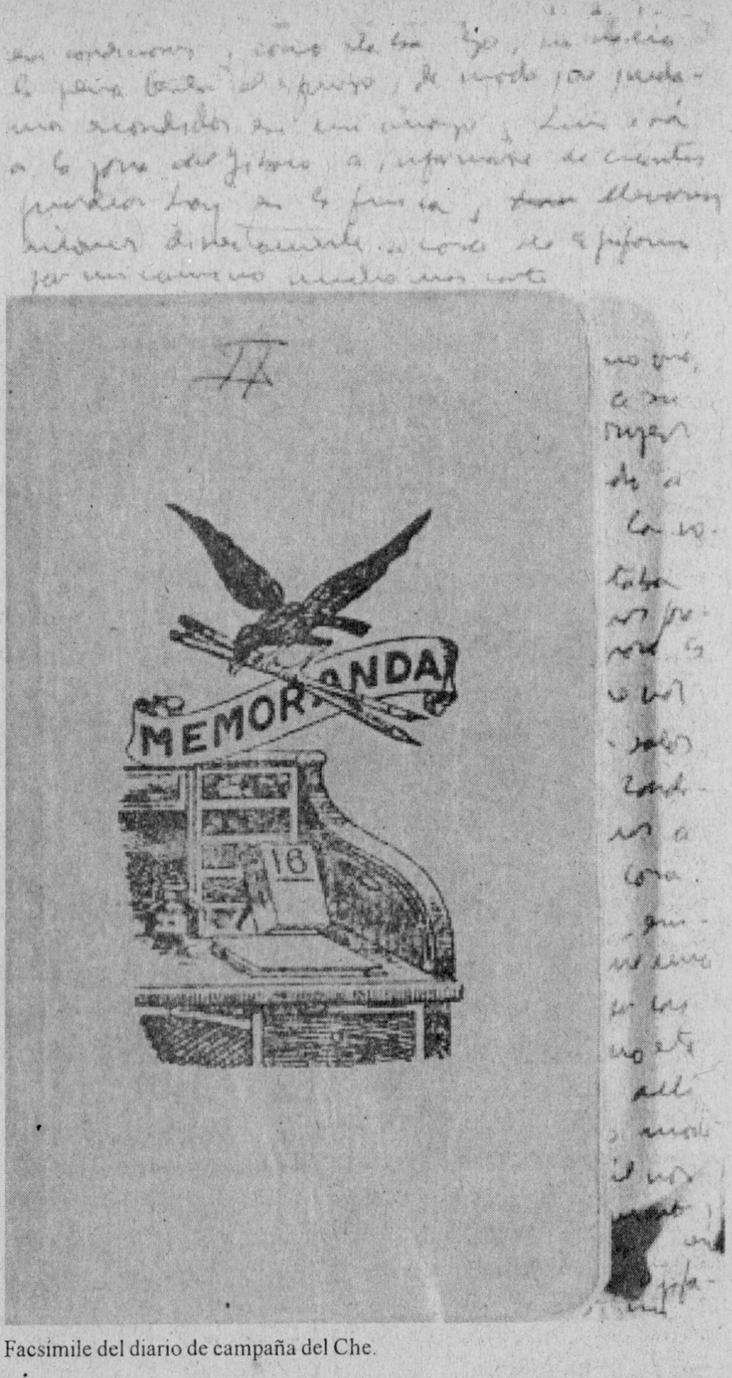

Facsímile del diario de campaña del Che.

avisado, vinimos a salir por la parte de atrás de la escuadra de Julito. Este tenía su rifle desarmado, pues lo estaba limpiando. El Che venía con un casco de sargento [era de cabo en realidad] del cuartel de La Plata, y Cienfuegos, de la escuadra de Julio, al ver el casco, por orden de Julio disparó un tiro al aire para dar la alarma. Comprendiendo nosotros inmediatamente la confusión, nos protegimos con unas piedras, mientras emitíamos el chiflido identificador, con el que no bastó para identificarnos debido a la desconfianza de la escuadra de Julio, que cubría la entrada del camino por donde tenían que entrar los soldados, que tuvimos que hablarles para que cesara la alarma.

El Che asienta también en su diario el incidente:

Por la mañana fuimos con un grupo encabezado por Fidel a vigilar las posiciones, encontrándonos con que nos recibieron con un balazo, pues creían que era el enemigo y luego se echaron a correr. Benítez se lastimó la cara con unos bejucos. Se decidió cambiarlo por René [Rodríguez] en la escuadra de avanzada. Se ha conseguido un muchachito que vive un kilómetro abajo, encargado de conseguir algunas cosas y de avisar si viene el ejército.

Esa misma mañana, en efecto, llega el dueño de la casa de abajo, Manuel Cintras, con su familia y un muchacho que es el dueño del verraco que ha sido víctima del hambre inagotable de los combatientes. A este último se le pagan quince pesos por el animal. Raúl anota:

Esteban [Galán Arias, el dueño del cochino] honradamente confesó que su verraco no valía más de 12 pesos.

Raúl escribe ese día:

Los campesinos creían que nosotros dormíamos en los bohíos y lo cierto [es] que nuestro campamento estaba dentro de la espesura del bosque, situadas estratégicamente las escuadras; por lo menos provisionalmente, ya que mañana se colocarán [...] en su punto definitivo hasta que venga el combate.

Domingo 20 de enero

Este día no ocurren incidentes notables en el campamento. Fidel sigue esperando, convencido de que sus planes darán resultado.

Raúl anota ese día:

Finalmente, se le ordenó a cada escuadra que hiciera un refugio donde tenían que permanecer, además de un tramo de trillo o caminito dentro del monte, para comunicarse con las demás escuadras, así que el campamento guerrillero tenía comunicación interna, sin tener que asomarse al camino público ni salir al claro.

La cocina se preparó en igual forma, dentro del monte, en medio de la hilera de pequeñas chabolas, que por dentro del monte tenía desde la de F. [Fidel] hasta la de Julio [Díaz] unos 500 metros, en línea recta habría unos 300 metros. Se iba a comer por escuadra la abundante comida de estos días, sin límite de cantidad, nos servían frijoles, arroz con carne de cerdo y viandas, las descomposiciones de estómago, como sucedía casi siempre que teníamos abundante comida, era casi general y los pedos era ya asunto colectivo y sin excepción. Si el enemigo no venía a buscarnos, nos quedaríamos aquí descansando de las caminatas y reponiéndonos del hambre de días pasados. Porque como dice nuestro médico, el Che Guevara, el guerrillero debe ser como el león, que come hasta hartarse cuando hay, y cuando no hay, no come.

Ese mismo día, Eutimio Guerra solicita permiso a Fidel para ir hasta su casa en El Mulato. Este viaje arrojará resultados fatales en las semanas subsiguientes. Los treinta combatientes se quedan solos, aunque mantienen contacto con algunos campesinos de la zona que se han comprometido a avisar la presencia de los guardias.

Raúl agrega:

A lo lejos, se veían algunos bohíos todos abandonados, estamos muy cerca del Turquino y del pico del Volcán, ya por la tarde la neblina lo cubre todo, imposibilitando la visibilidad de los aviones, que no han hecho nada en estos días por buscarnos. Mi escuadra fabricó la mejor chabola, con pencas de palma, algunas yaguas y como colchón para dormir mucha paja de arroz.

Lo único malo es que no tenemos qué fumar. Se le dieron 20 pesos a Esteban, un campesino amigo para que nos trajera cigarros y tabaco pero aún no ha llegado. Eutimio fue a su barrio del Mulato y debe llegar mañana o pasado.

El Che asienta en su diario:

Por la mañana fuimos con Crescencio a una exploración de donde trajimos algo de café y una máquina de moler maíz. El día transcurrió sin que hubiera novedad alguna, salvo que el informante nos dijo que se han retirado todos los pequeños grupos de soldados rumbo al Macho, y solo en Las Cuevas han quedado 10. Los partes del Estado Mayor indican que hubo una batalla en la zona de La Plata con la que el ejército tuvo dos muertos y cinco heridos, y nosotros 8 muertos, no se sabe si es fantasía del Estado Mayor u 8 campesinos, con los que tomaron represalias. Eutimio partió rumbo a sus [palabra ilegible] con algunos mensajes y con ello nuestro grupo asciende a 30 hombres, ya que el compadre de aquel, Enrique [Suavo] y el prisionero que nos sirvió de guía [Evaristo Mendoza] ya se habían separado el día de la batalla, llevándose cada uno un arma que no le correspondía, a saber una escopeta y el revólver 45 que fuera de Chicho Osorio. Me ha empezado un poco de asma que me molesta por las noches.

Lunes 21 de enero

Los cálculos de Fidel han sido exactos.

Al conocer la noticia del combate de La Plata, el alto mando de la tiranía despacha por mar hacia la zona una compañía de tropas escogidas a las órdenes del teniente Ángel Sánchez Mosquera. Son alrededor de cuarenta y cinco hombres, pertenecientes al batallón especial de infantería que es objeto de asesoramiento y equipamiento norteamericanos como parte del programa de asistencia militar interamericana. Se trata de tropas bien entrenadas y equipadas para la lucha antiguerrillera en la Sierra, y a su cabeza viene uno de los oficiales jóvenes más brillantes y decididos con que cuenta en esos momentos el ejército.

Detrás de esta fuerza marcha una columna de trescientos hombres al mando del comandante Joaquín Casillas Lumpuy, que debe tender el cerco a la guerrilla.

La tropa de Sánchez Mosquera desembarca en la boca del río Palma Mocha, siguen el rastro de la columna guerrillera, y por las informaciones que reciben llegan a El Jubal en la tarde del día 21. Ese día la actividad en el campamento guerrillero no se altera. Raúl escribe en su diario:

Por la mañana salí de patrulla con Crescencio y dos más [...] y a pesar de ir con Crescencio, nos perdimos; esta es un área que tiene como 200 kilómetros cuadrados de bosques. Ayer Crescencio con F. [Fidel] y otros fueron también de patrulla y descubrieron cantidad de arroz y frijoles, además de una gran estancia con muchas viandas cerca de aquí. Por la tarde exploré con Crescencio y Universo [Sánchez] un camino, al parecer con muy poco uso, no llegamos a su final, porque parece que era un atajo que sale al camino real.

Por la tarde, el Beny [Reinaldo Benítez] me peló como a un muchacho chiquito dejándome una malanguita o mechón de pelos en la parte delantera; lo preferí así porque aquí el pelo molesta y además, con la gorra impermeable me suda mucho la cabeza. También ya oscureciendo me di un baño con un agua helada que bajaba de la montaña en un bello arroyito que tenía muchas cascadas [el del Infierno]. ¡Caray! Es la tercera vez que me baño desde que salí de México. Hoy comimos harina a discreción, me llené y me llevé un poco que me sobró para comérmela por la madrugada, cuando me despertara como me sucedía siempre, ya que 12 horas para dormir es mucho. Fui a la chabola del E.M. [Estado Mayor] y estuve conversando un rato con F. [Fidel]. Yo era de la opinión de que las tropas no venían.

La anotación completa del Che en esta fecha dice como sigue:

Día sin novedad mayor. Luis Crespo y Calixto García salieron de exploración visitando un bohío abandonado de la cercanía. Se oyen explosiones lejanas cuyo motivo se desconoce. La radio no da señales de vida para la fuerza de Batista. Se esperan con ansiedad las noticias que pueda traer Eutimio de su viaje al Mulato. Las trincheras y comunicaciones están mejorando y presentan un aceptable grado de eficiencia.

Cerca de la medianoche, Guillermo y otros combatientes escuchan un disparo lejano. En ese momento no lo saben, pero lo que ha ocurrido es que una de las postas de la fuerza enemiga acampada en El Jubal ha disparado sobre uno de los campesinos obligados a servir de prácticos y lo ha herido en una pierna.

Martes 22 de enero

Raúl comienza las anotaciones de su diario con este pequeño incidente:

Por la madrugada, en vez de despertarme yo, me despertaron varios ratones traviesos que se estaban dando un banquete con mi harina; si fuera en época de escasez me importaría poco y me comería hasta los ratones, pero habiendo abundancia de comida como hasta ahora, dejé de comérmela. Estos ratones son tan atrevidos que uno me pasó por la cabeza, ya que tenía la lata cerca y cuando encendí un fósforo, aprovechando que estaba dentro de la chabola, a un metro de mí estaba aún parado en las dos paticas de atrás y mirándome asombrado. Lo tuve que espantar para que se fuera.

Alrededor de las cinco de la mañana se escuchan varios disparos lejanos. Fidel ordena que se ocupen las posiciones, inspecciona personalmente las escuadras y ratifica las instrucciones. Comienza la tensa espera previa a todo combate.

Raúl escribe:

No había pasado mucho tiempo pues sería un poco más de las cinco de la mañana oímos varios disparos de armas semiautomáticas, sabíamos que no eran muy lejos y en el acto comprendimos que se trataba de la tropa adversaria que estábamos esperando; corrí al E.M. [Estado Mayor] donde no habían oído los disparos e informé de lo sucedido. Inmediatamente se ordenó la movilización de las escuadras. El propio F. [Fidel] las visitó una por una ratificándoles las instrucciones a cada una y ordenándoles que tomaran posesión de sus respectivas trincheras, fabricadas previamente en sitios estratégicos, y cada uno ocupó su sitio y empezó la lenta espera. Ahora el caminito secreto que habíamos preparado por dentro del monte facilitaba grandemente la comunicación entre todas las escuadras. Desde el E.M. a su posición, que venía a quedar en un altico, a unos 15 metros de la segunda casita, aunque algo más alta que esta y con varios orificios en la espesura para las mirillas, habían construido un camino al tacto, que era para usarlo de noche: consistía este en atar un bejuco con otro hasta hacer una larga cuerda desde la chabola del E.M. hasta su posición. Al parecer, nuestros informantes con la presencia del ejército, probablemente ya en camino, no pudieron llegar a informarnos con tiempo de la cantidad de tropas que se acercaban. Por lo que daríamos cualquier cosa por saber es ¿por qué ellos hicieron esos disparos que denunciaron su presencia? Aunque el resultado hubiera sido igual porque estábamos alertas; entre nosotros surgieron algunas interpretaciones del caso. La mía es la que más aceptaron los muchachos: que al jefe de la columna, al igual que [a] toda la tropa que nos persigue no les interesa mucho trabar combates con nosotros, deducción que hacemos por los informes que tenemos; ellos a su vez sabían que estábamos cerca y probablemente el jefe le dijo a un subalterno que estaba de posta: "al amanecer dispara varios tiros con el pretexto de que viste algo, diste el alto y no te respondieron, por si esa gente está por ahí (nosotros) que se vayan". Calculando probablemente que nosotros no queríamos trabar combate frontal.

La espera se hacía lenta y nerviosa, algunos aprovechamos y nos comimos las cosas de reserva, leche condensada, miel, algunos pedacitos de pránganas y dulces de coco, sabiendo ya que el combate era inminente. Ciro [Redondo] me acompañaba en mi posición y entre los dos, mientras uno vigilaba el otro dividía los comestibles. En una oportunidad, pasó el Che Guevara con sus cosas de comer y le cambié un poquito de miel con ron por un huevo crudo. Iban pasando, mientras tanto, las horas, completándose seis. Algo más de las once, se mandó que uno por cada escuadra fuera a la cocina, donde le darían un poco de harina de la que sobró ayer para su respectiva escuadra.

Después de comer un poquito, me fui a conversar con F. [Fidel], quien se había sentado en su chabola que quedaba un poco detrás de mi trinchera a reposar un rato.

Faltan pocos minutos para las doce cuando llega René Rodríguez a donde están Fidel y Raúl.

—¡Ahí está la gente! –dice el combatiente en un susurro.

—¿Quién, Eutimio? –pregunta Fidel.

—No, los soldados.

Raúl. Sierra Maestra, mayo de 1957. Foto tomada por Andrew Saint George.

El Che. La Mesa, Sierra Maestra, principios de 1958.

El Che anota al respecto:

Por la madrugada se oyen tiros aislados en dirección al río Palma Mocha. Nos pusimos en situación de espera amaneciendo sin novedad. No hubo desayuno ni comida. A las 12 en punto estábamos con Calixto García en nuestra guardia cuando él vio una figura en la casa sin distinguirla bien, la miramos con mirilla y era un soldado. Calixto fue a avisar, pero ya el "Flaco" [René Rodríguez] lo había hecho y nos apostamos.

La tropa enemiga, en efecto, ha comenzado a ascender hacia el Infierno poco después del amanecer. Pero antes ha rematado a sangre fría al campesino herido la noche anterior. Son los disparos que se han sentido desde la posición guerrillera.

En medio de extremas precauciones, los guardias suben. Al frente avanza una vanguardia de seis hombres. Cerca del mediodía la avanzada sale del bosque, la tropa se detiene y los exploradores reconocen el lugar.

Sobre el alto de la primera casita aparecen los seis guardias. Avanzan con cautela, llegan hasta la casa y algunos entran. Poco después, tres de ellos empiezan a bajar por el sembrado de malanga. Otro se queda agachado en cuclillas, observando y con el fusil listo.

Los que han bajado están llegando a la segunda casa. Un poco más y tropezarán con las posiciones rebeldes de la escuadra del Estado Mayor. Desde su posición, muy cerca del Che, Calixto García y Luis Crespo; Fidel observa los movimientos del enemigo. Su deseo es que el mayor número de ellos penetre en el área totalmente rodeada por los tiradores rebeldes.

Cuando los tres soldados de la exploración enemiga bajan por la pequeña hondonada hacia la segunda casa, Fidel calcula el tiempo que tardarán en aproximarse a ella y realiza el primer disparo contra el soldado que vigila el desarrollo de la exploración. El guardia cae mortalmente herido.

Raúl describe así estos primeros momentos del combate:

Eran como las doce del día, había que esperar que F. [Fidel] hiciera fuego para iniciar las descargas. Llegaron 6 de ellos [de los guardias] con muchas precauciones, arrastrándose hasta la primera casita, sacaron algunos trapos que había allí, ya con más confianza tres de ellos fueron para la otra casita, atravesando la estancia y rehuyendo el trillo por el que tenían que atravesar varios metros de la punta de bosque en la que estaban las escuadras de Almeida y la mía. Estos últimos soldados, dentro de la casa, estaban a muy escasos metros de la escuadra de F. [Fidel]. Este grupito constituía la punta de vanguardia de la tropa adversaria. Pocos momentos después se iniciaba el tiroteo y varias decenas de fusiles que apuntaban a aquellos asustados soldados abrieron sus bocas de fuego; de la primera descarga cayeron 3 ó 4 de ellos. Desde la posición del E.M. [Estado Mayor] se veía a un soldado arrastrándose y ocultándose perfectamente pero ignorando la procedencia de los disparos, uno de nuestros francotiradores de mirillas lo fulminó a unos 150 ó 200 metros, dejándolo en la misma posición que tenía sobre el suelo. Después de la primera descarga se oyó el grito de un soldado herido: ¡Ay mi madre! y todavía se oían los lamentos. El Che Guevara fue el que más se distinguió en esta acción, matando a un adversario y sobre todo llegando a él y quitándole el Garand y la canana llena de balas. También F. [Fidel] con su certera puntería.

Mientras tanto, Sánchez Mosquera manda a ocupar posiciones en el alto con el grueso de la tropa. Pero su avance es detenido por la escuadra de Julito Díaz. Leamos el relato de Raúl:

La réplica de ellos no se hizo esperar, y [a] la escuadra de Julito, que estaba en la entrada, le tocó recibir casi todas sus descargas. La trinchera de Julio fue demolida a tiros. Los nuestros replicaban y se cree que allí tumbaron algunos soldados; sus ametralladoras 30 (probablemente trípode) barrían la zona de Julio, pero más bien al azar que apuntando a un punto determinado. De momento se hizo una pausa, y del E.M. [Estado Mayor] se oyó una voz de mando que ordenaba a la escuadra de Guillermo recogiera los rifles de los soldados muertos, al parecer oída por los sorprendidos adversarios que en el acto iniciaron otro nutrido tiroteo, obligando a J. [Julio Zenón] Acosta [a] retornar a su posición, después de salir con la idea de capturar el parque y las armas de los soldados caídos en la primera casita.

Tanto Pancho González como Julio Zenón Acosta han intentado salir al claro a cumplir la orden de Fidel, pero se ven obligados a regresar por la concentración de fuego enemigo sobre ellos.

Abajo, el tercer soldado que ha atravesado el limpio antes del inicio del combate se ha refugiado en la casa.

El Che narra el episodio en estos términos escuetos:

Aparecieron 6 y luego quedaron 3 en el rancho más alto, Fidel abrió el fuego y el hombre cayó inmediatamente gritando "¡Ay mi madre", los dos compañeros cayeron inmediatamente. De pronto me di cuenta de que un soldado estaba escondido en la casa II [la de abajo] a escasos 20 metros de mi posición. Le veía solo los pies de modo que le tiré a rumbo, al segundo disparo cayó. Luis [Crespo] me traía una granada que Fidel mandaba porque le habían dicho que había más gente en la casa, Luis me cubrió y yo entré pero afortunadamente no había nada más. Recogí el arma y la canana y miré al hombre, tenía un balazo debajo del corazón con salida en el lado derecho, estaba muerto. Nos retiramos al Estado Mayor pues Julito, que había llevado con su escuadra el peso del ataque, notificó que estaban tratando de rodear nuestras posiciones. Yo pedí permiso para ir con Luis a rescatar los 3 fusiles Garand que quedaron en el bohío I [el de arriba], pero Fidel se opuso.

Otros dos soldados enemigos han muerto también a esta altura del combate. La acción ha durado unos treinta minutos. Sánchez Mosquera ordena rodear las posiciones rebeldes por ambos lados. De la escuadra de Julito llega el aviso a Fidel.

El mando rebelde calcula que la fuerza enemiga consta de trescientos hombres y, para evitar los riesgos de un cerco, se dispone la retirada monte arriba.

Raúl escribe:

Ya llevábamos 25 minutos de tiroteo y nuestro plan se había cumplido a cabalidad: le íbamos a hacer un típico ataque guerrillero, que ya los muchachos han calificado la táctica con el nombre de "muerde y huye". Se dio la orden de retirada, la que se empezó a hacer en forma ordenada. Momentáneamente dejábamos 4 compañeros de la escuadra que cubría la parte sur, porque tenía un claro delante y tenía que hacer un rodeo muy largo para alcanzarnos. Tomamos la montaña que nos sirvió de parapeto rumbo norte y después hacia el oeste.

Los combatientes se retiran ordenadamente hacia el noreste, por dentro del bosque. Detrás quedan los compañeros de la escuadra de Efigenio, que deben dar un rodeo mayor. Como a las dos horas de camino, estos se integran a la columna; la tropa guerrillera está intacta. Raúl comenta:

Otra vez habíamos tenido un encuentro y ni un solo herido de nuestra parte. [...] Esa noche nos agarró en una ladera, cerca de (Camaroncito de La Plata) y ahí dormimos. Lo mismo que en La Plata, dijo F. [Fidel] antes de este combate: "por la táctica que usamos, si tenemos una baja es porque nos la haremos nosotros mismos".

El combate de Los Llanos del Infierno fue una típica emboscada guerrillera, brillantemente concebida y ejecutada por Fidel. Se cumplieron en él varios axiomas de la lucha de guerrillas: causar bajas al enemigo sin sufrir bajas propias, sostener el encuentro en el terreno escogido y preparado al efecto, desvincular rápidamente el contacto mediante una retirada organizada.

El enemigo sufrió seis bajas, de ellas cinco muertos, de una tropa élite de paracaidistas, y se le ocupó un arma y algún parque. Pero, lo más importante, como apunta el Che en sus recuerdos de la guerra, se liquidó su vanguardia, fundamental para una agrupación en marcha. Para los combatientes guerrilleros, el combate demostró la posibilidad de vencer a una fuerte tropa enemiga en operaciones.

Esa tarde, la columna continúa la marcha por el firme de Palma Mocha, a más de mil trescientos metros de altura, con rumbo noreste, hasta que la noche los sorprende en el borde de un pendiente acantilado.

El Che termina sus apuntes del día con la siguiente reflexión:

Se completó la retirada de toda la gente menos el grupo de la posición I, que debía retirarse por el arroyo abajo, todos nosotros cruzamos un arroyo para ir subiendo loma rumbo al río La Plata. Al rato de andar se nos unió el grupo de 4 individuos ya antes dicho. Seguimos caminando este monte malo, cruzando la cima y durmiendo en la otra falda, pues no se podía avanzar más. Se hizo un recuento del combate en términos generales. [...] Como victoria será dudosa, pero el hecho de no haber sufrido bajas y hecho varias al enemigo es en sí una victoria. La moral de la gente se entona más.

Miércoles 23 de enero

Desde días antes, Fidel había decidido moverse de regreso a la zona ya conocida de Caracas después del combate con la tropa que sabía iría en persecución de la guerrilla. Allí piensa establecer campamento durante varios días a fin de dar descanso a los combatientes y preparar las condiciones para la realización de la entrevista de prensa y la reunión que tiene proyectadas.

Desde los últimos días del mes de diciembre, luego del reagrupamiento del primer núcleo guerrillero en la finca de Mongo Pérez en Cinco Palmas, Fidel ha tenido presente en todo momento dos cuestiones: la necesidad de establecer un contacto directo con los dirigentes del Movimiento en el resto del país, y la conveniencia de dar a conocer públicamente la presencia combatiente de la guerrilla en la Sierra.

Ya a finales de enero, el tiempo transcurrido hace apremiante de poner fin a las especulaciones y mentiras. Por eso urge reactivar las gestiones para conseguir un periodista.

Al amanecer del día 23, Fidel ordena reiniciar la marcha en dirección general hacia el oeste. Los combatientes comienzan a bajar por el barranco pedregoso al que llegaron la noche anterior. Abajo se vislumbra, en ocasiones, el cañón boscoso del río La Plata.

Alrededor de las once de la mañana la columna llega a una casa a la orilla de un gran claro. Dentro hay solamente dos mujeres y unos cuantos niños. Fidel entra en la casa, donde las mujeres cocinan malangas para un grupo de campesinos que se encuentran trabajando.

Fidel ordena que no toquen lo que se está cocinando. Disciplinadamente, todos obedecen aunque no han comido nada desde el mediodía anterior.

Mandan a buscar a uno de los hombres que están trabajando cerca y a los pocos minutos aparece Emilio Arias, conocido por Binda, que se ofrece para conducir a la tropa hasta la casa cercana de un pariente donde podrán comer.

Continúan la marcha hacia abajo y llegan a la casa de Emilio Mijares, quien los recibe atentamente y manda a preparar algo de comer.

En el diario de Raúl, los incidentes de ese día aparecen narrados como sigue:

Cruzamos el río La Plata y por aquí llegamos a un bohío donde apenas tenían qué comer, pero nos indicaron la casa de un amigo que vivía en los altos de Camaroncito, y hacia allí nos encaminamos con un joven que estaba aquí [Emilio Arias] y al que Chicho [Osorio] años antes le había asesinado al papá; nos sirvió de guía. En una ladera boscosa nos quedamos mientras Crescencio y dos más fueron a la casa para ir preparando las cosas; oscureciendo fuimos para allí. Quedaba el bohío en un alto que el aire batía constantemente. Durante ese tramo encontramos muy pocas casas habitadas. Muy amable esta familia, de un señor tuerto y de edad madura [Emilio Mijares], la esposa joven y bonita. Comimos y dormimos aquí. Estuve hablando aquí con un moreno de apellido Verdecia que había estado trabajando en la finca del padre mío [en Birán].

El relato del Che, por su parte, es el siguiente:

Con las primeras luces seguimos buscando el rumbo del Mulato pero no damos bien con el lugar de modo que tuvimos que caer en un bohío sobre un arroyo que resultó ser el río La Plata. El dueño no tenía malanga pero nos llevó a otro [el de Emilio Mijares] donde se nos preparó una comida que estuvo lista ya de noche. El dueño del primer bohío [Emilio Arias] resultó ser hijo de uno de los muertos de Chicho Osorio y se mostró encantado con la noticia de su muerte, la que había recorrido la zona pero sin confirmación. La comida fue bastante frugal y nos acostamos distribuidos cerca del bohío con el estómago a medio o a cuartos llenos.

El lugar es conocido con el nombre de La Platica. Ese mismo día, a poco más de cinco kilómetros río abajo, en El Naranjal, está acampada una parte considerable de la tropa de Joaquín Casillas, que ha salido en operaciones para perseguir a la guerrilla.

Eutimio Guerra, de regreso de su visita a El Mulato, tropieza en El Naranjal con las fuerzas del enemigo y es hecho prisionero. Conducido ante Casillas, este, en lugar de asesinarlo, logra obtener el consentimiento de Eutimio para conducir al ejército hasta la posición de la guerrilla, a cambio de su vida y una recompensa en dinero.

Casillas ofrece a Eutimio diez mil pesos, el grado de comandante del ejército y la propiedad de la finca que él escoja, si logra asesinar a Fidel o localizar la posición de la columna guerrillera de manera que pueda ser cercada y aniquilada. Eutimio acepta. La ambición ha podido más que su trayectoria anterior. Casillas le entrega un salvoconducto para que pueda atravesar las líneas del ejército.

El día 25 Eutimio parte a cumplir su traidora misión. El antiguo luchador contra la tiranía latifundista, el aparente arquetipo del campesino consciente de la explotación de su clase, el profundo conocedor de la zona de la Sierra al oeste del pico

Turquino y de sus habitantes, el poseedor de múltiples contactos, el hombre que ha llegado a ser, por la fuerza de las circunstancias, los ojos y oídos de la guerrilla y su práctico al parecer insustituible, el individuo de plena confianza de los combatientes guerrilleros, se ha convertido en un infame y peligroso traidor a sus compañeros, a su propia clase y a sí mismo.

Jueves 24 de enero

Este día, Raúl anota en su diario:

Temprano bajamos al río Camarones, afluente de La Plata, y seguimos nuestra ruta. Al mediodía estábamos por los bajos de Camaroncito, donde hacía poco, ya que aún había gallinas amarradas, todos los vecinos habían abandonado el lugar. Íbamos revisando bohío por bohío, en uno de ellos maté un lechoncito y otro ejecutó un pato que nadaba en la charquita de un arroyito. Lamentablemente no teníamos a quién pagarle. Subimos un poco y nos situamos en el bohío más estratégico, cerca del monte rocoso, del que tomamos posiciones de combate, abiertos en forma de abanico. El team de cocina en el bohío preparando de comer.

El Che, a su vez, escribe:

Antes de que amaneciera salimos del bohío para volver a bajar al río La Plata. Entramos caminando lentamente a una zona de la cual los campesinos habían sido desalojados. Tomamos un bohío e hicimos nuestra comida con un lechón que los campesinos habían abandonado en su huida.

La columna ha continuado esa mañana río abajo, hasta llegar a la zona de Camaroncito. Siguiendo la norma establecida por Fidel, no han marchado por el camino. En esta ocasión han bajado por el mismo río.

Una patrulla integrada por Juan Almeida, Crescencio Pérez, Julio Zenón Acosta y Yayo Castillo sale de exploración más abajo. Muy cerca tiene una casa Alfonso Espinosa, el campesino de conducta equívoca que se entrevistó con Fidel en El Mulato el 12 de enero. Pero la casa está vacía, como todas las de la zona.

La patrulla está en camino de regreso poco después del mediodía. Los cuatro combatientes se acercan a una casa cercana a la margen derecha del río. Allí, la patrulla rebelde tropieza con tres hombres que están sentados en la cocina, esperando al parecer que se termine de cocinar una gallina. Dos de ellos son jóvenes y el otro parece tener unos cincuenta años. Están vestidos de limpio y al punto se hacen sospechosos. Crescencio los interroga:

—¿Son de por aquí?

—No –responde uno de ellos–. Somos de la zona de Baire, pero queremos conseguir una finca por acá.

La historia no convence a nadie. Crescencio los encañona con su pistola. Almeida los registra y les encuentra un revólver 45, una pistola Colt 45 y un revólver 38 de cañón largo. Dos de los detenidos confiesan ser soldados que andan de exploración, y el más viejo dice ser un guardia rural retirado de Ocujal que les está sirviendo de práctico.

Tomemos ahora el relato que hace Raúl del incidente:

Ciro [Redondo] y yo salimos de patrulla a inspeccionar la parte de atrás de nuestra posición, donde solo encontramos una estancia abandonada y regresamos después de comernos algunos ajíes crudos. Desde [...] lo alto, una de las postas divisó con la mirilla a tres paisanos entrando en una casa, pensamos que se trataba de mayorales de la compañía que estaban registrando los bohíos para comprobar si los habían abandonado y me fui con una patrullita a situarnos en los alrededores de un bohío desocupado. No llegaron y ya oscureciendo volvimos al campamento; no habían pasado 10 minutos cuando me avisaron que en la misma casita estaba la patrulla de Almeida y Crescencio con 3 prisioneros, guardias rurales vestidos de paisanos que fueron sorprendidos por nuestra patrulla mientras cocinaban una gallina en un bohío abandonado. Eran los tres que nuestra posta había divisado en la lejanía. Me llegué de nuevo a la casita y ordené que les vendaran los ojos y los condujeran al E.M. [Estado Mayor], con una frazada que traían venían sujetándose uno con otro y delante los conducía un hombre nuestro.

Fidel y Crescencio empiezan a interrogar a los detenidos. Dicen nombrarse Ibrahim Herrera Sosa, Félix Rosales y Plácido Reyes. El primero había salido de Bayamo, donde estaba radicado a las órdenes del comandante Rafael Morales, el mismo que había dado un trato correcto a Fidel cuando el Moncada, y en Estrada Palma se le había unido el segundo. Informan de la presencia de una fuerte tropa en El Naranjal, apenas tres kilómetros río abajo. La captura de estos espías puede quizás haber evitado una sorpresa a la guerrilla. Retomemos el relato de Raúl:

A los tres se les dio comida, se les dijo que se les pondría en libertad, que con lo único con que nos quedaríamos era con las armas. [...] Traían dinero y relojes que nos hacían falta, pero siguiendo nuestros principios, todo eso se les respetó. Los llevamos a dormir al bohío donde cocinamos y a la mañana siguiente, cuando nos íbamos de madrugada, F. [Fidel] le mandó una amable carta al comandante Morales, devolviéndole los prisioneros y a ellos se les pidió que nos firmaran un papel, expresando que los habíamos tratado correctamente. Conversando aparte con uno de ellos, F. [Fidel] en tono amable, había logrado algunas otras informaciones de gran utilidad.

El Che, a su vez, apunta lo siguiente:

Al anochecer Crescencio había salido de exploración con Almeida, Eduardo y Julio Acosta, trajo 3 prisioneros guardias rurales, vestidos de civil que juraron por la salud de todos sus parientes ser 3 pobres inocentes. Las declaraciones coincidían bastante entre sí, pero parecía que la cosa ya estaba arreglada entre ellos. Lo único positivo es que supimos que el comandante Casillas, presumiblemente el asesino de Jesús

Menéndez o su hermano, está en la zona de Palma Mocha a donde fue enviado con refuerzos. Contra la opinión de los drásticos, entre los que me contaba, los prisioneros fueron interrogados y detenidos durante la noche y puestos en libertad, enviándose por intermedio de uno de ellos una carta al capitán Morales, Jefe de Guarnición de Bayamo, donde prestaban servicio.

Fidel ha decidido dejar libres a los detenidos al día siguiente, a pesar del riesgo evidente que entraña esta conducta. Considera que es preferible que estos tres, al igual que los prisioneros de La Plata, sean los primeros propagandistas dentro de la tropa enemiga del hecho de que los rebeldes no dan muerte ni maltratan a los soldados capturados en combate, incluso, ni a los que realizan misiones de espionaje.

Viernes 25 de enero

Por la mañana, la columna emprende el ascenso del enorme macizo de la loma de El Jigüe, cuyo firme está a más de mil trescientos metros sobre el nivel del mar.

La subida les toma casi todo el día. Al caer la noche, los combatientes establecen su campamento dentro del bosque. Raúl apunta en su diario:

Hoy caminamos mucho, por un trillo, llegamos a una gran altura; comimos un poco de azúcar que nos quedaba, y aunque andábamos con Crescencio, este no conocía bien la zona y estábamos completamente perdidos. Dormimos en un alto y termina el día sin mayores importancias. Pasamos lugares cuyos nombres no sabemos y por estar desalojados, no pudieron informarnos.

El Che anota:

A las 4 y 30 nos pusimos en marcha dejando encerrados a los prisioneros en un cuartucho de paredes de yagua y emprendimos la subida para caer en el Magdalena y luego al

Caracas, al Mulato; al subir la cresta de una loma nos acordamos de que ese día se cumplía el segundo mes de nuestra salida de México y lo festejamos escuchando un poco de radio en lo que dio la coincidencia de que se ejecutaba una ranchera. Seguimos subiendo y bajando lomas durante todo el día, haciendo una frugal comida con la última lata que nos quedaba y dormimos en un alto ventoso e inhóspito. Hicimos un balance de la jornada transcurrida, la última escaramuza no había estado tan bien, pero la toma de los prisioneros dio una pistola Star 38 con 3 cargadores llenos, un revólver 45 y uno 38. Por lo menos había dos armas útiles para armar hombres.

Sábado 26 de enero

Poco después del amanecer, la columna se pone nuevamente en marcha. Los treinta combatientes no han comido nada en todo el día anterior. Raúl escribe:

Comenzamos a caminar a las 7 a.m. por un bosque intransitado, con mucha neblina. Este bosque lleno de árboles podridos, las pajas secas y las hojas en el suelo hacían varias capas en las que se hundían los pies, los gajos llenos de musgos verdes le daban una apariencia fantasmagórica, de cuentos de brujas. Casi nadie traía nada en las mochilas para comer, solo agua.

El terreno ha comenzado a descender. Al mediodía la tropa se asoma a un claro en la falda de una montaña. Muy cerca está la casa de Rafael Aldama, quien vive allí con sus hermanos Lucas y Rosa. Con ellos está la madre, Tana, que ha ido de visita.
Veamos lo que narra Raúl:

A las 12 del día divisamos un bohío en los lindes del bosque, fueron algunos allí para informarnos de la ruta que llevábamos y para comer algo. Vivían allí dos hermanos y una hermana con un niño, el marido la había abandonado.

Después llegó de visita la mamá. No recuerdo exactamente de qué punto lejano venía a ver a sus hijos, nos trató con mucho cariño y nos dijo que en El Mulato habían incendiado 5 casas y que las cosas no estaban muy buenas por ahí. Eran las primeras noticias que teníamos de esos sucesos, y nos interesaban grandemente porque precisamente en El Mulato era donde pensábamos ir a descansar y a reponernos unos días.

Veamos cómo narra el Che este encuentro:

Seguimos siempre en la dirección deseada pero dando muchas vueltas y muy hambrientos. Como a las 12 caímos en la casa de unos mulaticos que nos atendieron bien preparando una comida sustanciosa, aunque insuficiente para nuestra hambre. Cuando estábamos preparando la comida llegó la madre de los muchachos la que no se tragó el cuento de que éramos soldados y enseguida se mostró partidaria de los revolucionarios. Nos indicaron el camino y partimos al anochecer. A eso de las 6 nos topamos con un guajiro al que obligamos a que nos llevara al Magdalena, con el propósito de seguir a un punto denominado El Roble, según le dijimos. A las 11 de la noche llegamos al río y allí mismo dormimos.

Raúl relata el final de la jornada de marcha:

A las 4 p.m. salimos de aquí y llegamos a otro lugar donde nos encontramos un señor (El Coco) que de noche y atravesando potreros nos llevó hasta las márgenes del río Magdalena, donde despedimos al guía y dormimos. En la casa que hice referencia anteriormente comimos arroz con vianda y algún pedacito de pollo de los dos que mataron.

Domingo 27 de enero

El destacamento guerrillero se pone en marcha con las primeras luces del día. Después de casi cinco jornadas de penosas caminatas, los combatientes están llegando a su destino. Raúl anota:

A las 6 y 30 nos pusimos en marcha, subimos por una fatigosa montaña. Durante 4 horas estuvimos ascendiendo hasta la cresta de la misma, por donde pasaba un trillito, desde aquí se divisaba El Mulato y decidimos acampar [hasta] que llegara la noche para atravesar el claro.

Han llegado al alto de La Olla, donde hacen contacto con varios campesinos de la zona que dan mayores informes acerca de los atropellos cometidos por el ejército días antes.

Uno de los que visita el campamento es Chichí Mendoza, dueño de la hermosa finca cafetalera en la falda de La Olla por donde cruzó la columna en su marcha hacia La Plata. Trae dos granadas que, según dice, dejaron olvidadas unos guardias que pasaron por su casa. Afirma haberles robado también un fusil Springfield y sesenta balas, que no muestra ni entrega porque —argumenta— necesita el arma para una venganza personal. La historia les parece bastante dudosa a los combatientes, y no se le insiste en lo del fusil. Fidel acuerda con él comprarle algunos víveres que se irían a recoger a su casa al día siguiente.

El Che narra el encuentro:

Al anochecer llegó un muchacho llamado Chichí García [Chichi Mendoza] muy hablador y nervioso que dice tener 2 granadas, las que prometió entregar y algunas mercancías como arroz y frijoles. Se tuvo también noticias de un lugar muy bueno, cerca del cual están las vacas de la compañía de Núñez. Comimos más o menos bien, pero una sola vez en todo el día. Dormimos en la casa desdeñando la advertencia de nuestra propia experiencia.

Raúl junto a Delsa Esther Puebla, *Teté*. Sierra Maestra, 1957.

Por la tarde, Manuel Fajardo y Julito Díaz están de posta cuando ven acercarse por el sendero a un individuo que viene en actitud sigilosa y con una pistola 45 en la mano. Al momento lo reconocen y le salen al encuentro alegremente. Es Eutimio Guerra.

El traidor ha buscado durante dos días el rastro de la guerrilla y lo ha encontrado esa misma mañana en El Coco, donde el grupo hizo campamento la noche anterior. Es interesante la anotación del Che en su diario:

Subimos temprano hasta un firme que ya habíamos pasado cuando fuimos a atacar La Plata [el de El Frío]. Allí pasamos el día sin comer, Guillermo fue a cocinar a casa de [hay un espacio en blanco, pero se refiere a Felo Garcés]. Al atardecer llegó Eutimio el que trajo una serie de noticias concretas. Llegó a Palma Mocha el mismo día del combate y lo oyó desde lejos. Estuvo todo el día escondido en una casa amiga donde fueron los soldados y se enteró entonces que los soldados pensaban atacar al día siguiente. Fue temprano a avisarnos por si todavía estábamos allí y se encontró las cenizas de las casas de Delfín [Torres] y tres cadáveres comidos por las auras. Nos siguió el rastro por el monte encontrando que detrás nuestro venía una tropa que fue atacada en el Infierno. Después se llegó hasta el Mulato donde encontró 11 casas quemadas pero no la de él.

El traidor ha preparado una astuta historia mezclando la verdad y la mentira. Es cierto que subió a Los Llanos del Infierno, pero con los guardias. Es cierto que vio las casas quemadas de El Mulato: las de las familias que él mismo denunció. La incongruencia de que su propia vivienda no fuera quemada no es observada en ese momento por los combatientes.

Al anochecer, se levanta el campamento. En vista de los acontecimientos en El Mulato, Fidel ha decidido permanecer algunos días en casa de Felo Garcés, el campesino de la falda de Caracas que ya se ha ofrecido a cooperar en lo que fuere necesario. Guillermo ha salido antes para avisarle y ayudarlo a preparar algo de comer.

En la casa de Felo, encuentran la comida lista. El campesino está solo; su familia se ha ido por temor a las amenazas de bombardeo.

Al llegar, Fidel se entera de que ha estado por la zona un enlace del Movimiento portador de mensajes de Faustino Pérez y Frank País. Pero, quizás aprensivo ante los movimientos del enemigo, el correo regresó sin esperar la llegada del destacamento.

También reciben la noticia de que anda cerca un grupo de refuerzo enviado desde Manzanillo.

Lo que no saben todavía es que ya para esa fecha Antonio, el hermano de Ciro Frías, ha sido asesinado en El Macho, después de sufrir atroces torturas y crueldades inenarrables. La saña homicida de los guardias los llevó incluso a asesinar al arriero de Ciro, un inocente muchacho de dieciocho años llamado Eliecer Tamayo, al que después de matarlo con cuatro bayonetazos y un tiro, lo arrojaron dentro de una de las casas de La Cueva del Humo a las que ese mismo día les dieron candela. Este era el lugar situado en la otra vertiente de la loma de Caracas cuyos dos vecinos, Hernán Pérez y José Savón, también hicieron contacto con Fidel durante la estancia anterior de la guerrilla en El Mulato. Todos estos crímenes son los primeros frutos de la traición de Eutimio Guerra y la villanía de otro campesino convertido en miserable delator.

Raúl escribe ese día:

Seguimos subiendo y llegamos cerca del monte donde pararíamos, que se llama [hay un espacio en blanco: se refiere al lugar denominado La Gloria de Caracas], está formando parte de las estribaciones de la montaña conocida por Caracas, la más alta de la zona. Llegamos a casa de Feliciano Garcés, o García, un campesino rubio que ya estaba solo porque según él la familia se fue porque pasó un avión y el piloto le hizo señas a la familia de que se fueran, por lo que recogieron todas las cosas y ni siquiera esperaron que él llegara. Aquí comimos carne de macho y frijoles que Guillermo había previamente preparado para cuando llegáramos. Dormimos aquí y así termina el día. Le entregaron a F. [Fidel] una

caja de tabacos Corona que había traido un compañero de
La Habana, Bebo Hidalgo, con varias noticias y encargos
del médico [Faustino Pérez] y Salvador [Frank País], pero
que se fue sin esperar. Supimos también que varios compa-
ñeros habían llegado de Manzanillo y que estaban cerca en
la loma de Caracas.

[...] Nos dormimos fumándonos los puros de F. [Fidel].

Lunes 28 de enero

Al amanecer, los combatientes se trasladan y establecen su campamento en el monte, junto a un arroyo.

Esa misma mañana Eutimio Guerra sale de nuevo, esta vez con la misión ostensible de localizar al grupo de refuerzo que viene con Ciro Frías y conseguir algunas provisiones. El traidor, en cambio, se apresura a establecer contacto con Casillas para informarle de la ubicación exacta del campamento guerrillero. Al respecto, el Che anota en su diario:

Eutimio nos abandonó por una semana debido a que tiene
a su madre enferma.

Después de la salida de Eutimio, Fidel decide dejar en el lugar escogido inicialmente solo la cocina, y mover el resto de la tropa doscientos metros más arriba, en la falda boscosa de la loma. Allí los combatientes preparan sus hamacas o construyen pequeñas cobijas.

El lugar es ideal. El monte espeso e infinito de Caracas y la proximidad del firme garantizan la retirada y ocultamiento de la tropa en caso de peligro, y hacen muy improbable las posibilidades de un cerco. Desde la posición en lo alto de la falda, además, se dominan con visibilidad perfecta todos los alrededores, y puede observarse sin dificultad cualquier movimiento que se produzca en la zona. Raúl narra ese día:

Nos levantamos temprano, y después de caminar un pedazo
nos internamos en la ladera de una montaña que es parte
de las estribaciones de Caracas, a la orilla de un arroyito,

al lado [de] dos buenas estancias del rubio Felo Garcés. Nos vendió gran cantidad de arroz, frijoles, dos machitos y nos indicó además en qué lugar del monte tenía varios quintales de arroz y frijoles, y que si nos hacía falta que los buscáramos, igual que una lata de manteca que tenía escondida. Él se iba a vender unos quintales de café que tenía, y después iría a unirse a su familia. Allí mismo al lado del arroyo Guillermo improvisó la cocina y preparó viandas con frijoles colorados. Después de comer, abajo se quedarían 10 hombres: 6 encargados de la cocina, dos team de a 3, y a los otros 4 para cuidar el campamento de cocina con las postas.

Los restantes subiríamos para arriba, unos 600 pies más alto que la cocina, casi en el firme de la loma, donde prepararíamos nuestras chabolas e instalaríamos nuestro campamento, pensando estar aquí indefinidamente descansando el tiempo que fuera necesario para organizar la segunda campaña.

Cerca del mediodía salen del campamento cuatro combatientes. Uno de ellos, René Rodríguez, lleva varias encomiendas de Fidel que debe trasmitir a los dirigentes del Movimiento en Manzanillo, Santiago y La Habana. Otros dos, los campesinos Sergio Pérez y Yayo Castillo, deberán acompañar a René hasta Purial de Vicana y entregarlo a Mongo Pérez; después están autorizados por Fidel a ir de visita a sus casas.

El último de los que se separan ese día es Nango Rey, uno de los integrantes del primer refuerzo enviado desde Manzanillo, a quien se le acepta su petición de no continuar en la guerrilla.

Después de la salida de este grupo, en el campamento guerrillero quedan veintiséis combatientes. Diecisiete de ellos son expedicionarios del *Granma*; otros siete son campesinos de la Sierra y los dos restantes son los que quedan del primer refuerzo de Manzanillo.

Raúl concluye así sus anotaciones de ese día:

Aproveché [la salida de los compañeros] y en un momento preparé mi testamento, dejando a Temita [la hija de José

Luis Tasende, combatiente del asalto al Moncada asesinado después de la acción] como heredera única de mis bienes. Si hubiera sabido la cantidad exacta de mi herencia, hubiera destinado una parte para que le construyeran una casita a la madre y la hermana de Ñico [López]. [...]

Subimos por la tarde al firme. Hicimos un mirador para otear los caminos que se veían en la lejanía. Por la tardecita, del campamento de cocina salió una patrulla para buscar la factura de Chichi [Mendoza].

Sobre este mismo tema, el Che apunta:

Por la noche se trajo un pedido hecho a Chichi Mendoza consistente en cigarros, tabaco, miel, azúcar, frijoles y arroz, sal, café, manteca y leche condensada.

Esa misma tarde, el grupo de René pasa por La Cueva del Humo, donde ven las casas quemadas el día anterior por los guardias. Dentro de una de ellas, la de Hernán Pérez, observan algo que parece el cuerpo carbonizado de una persona. Siguen la marcha apesadumbrados, pensando que se trata de Ramiro Valdés, quien se suponía hubiera estado al cuidado de las familias del lugar. Por la noche, los cuatro combatientes llegan a la casa de Florentino Enamorado, en El Ají.

En realidad, el cadáver de La Cueva del Humo es el del arriero de Ciro Frías. En ese momento, Ramiro está a muy poca distancia de allí, acampado en el monte con el nuevo grupo de refuerzo.

Desde el día 13, cuando la guerrilla partió de El Mulato hacia el combate de La Plata, Ramiro y Yayo Reyes habían quedado enfermos en la casa de Evelio Rodríguez. Alrededor del día 21 Eutimio llegó a la casa. Venía de dejar a los combatientes emboscados en Los Llanos del Infierno. Ramiro, que ya se sentía mejor del golpe que recibió días atrás en una rodilla, le pidió al guía que lo llevara donde se encontraba Fidel, pero Eutimio no accede.

El día 24 llegaron noticias a la casa de Evelio de que en La Cueva del Humo estaba Ciro Frías con el nuevo refuerzo, y los dos combatientes se trasladaron a ese lugar. Junto con Ciro, habían llegado otros ocho compañeros: Adalberto Pesant *(Beto)*, quien viene al frente del grupo, Juan Francisco Echevarría, Juventino Alarcón, Rudy Pesant, Chicho Fernández, Chucho Ramírez, Emilio Escanelle y Emilio Labrada. Traen cuatro fusiles Winchester calibre 44 sin parque, un Mendoza con cerca de trescientos tiros, tres Springfield y dos escopetas, además de abundantes provisiones y equipos que habían sido reunidos por los compañeros del Movimiento en Manzanillo.

Ramiro se hace cargo de inmediato del grupo y establecen emboscadas defensivas en la zona. El día 27 llega el enemigo con una fuerza numerosa. Como no disponen de armamento adecuado, se retiran monte arriba y se establecen en un nuevo campamento dentro del bosque en espera del arribo de Fidel, quien ese mismo día ha llegado a la casa de Felo Garcés, en la falda opuesta de la loma.

Martes 29 de enero

El día transcurre tranquilo en el campamento guerrillero. Raúl escribe:

Por la mañana nos dedicamos a construir las chabolas. Yo había hecho la posta de 4 y 30 a 6 a.m. y a esa hora empecé a construir un camino hasta el lugar donde se hacía la posta nocturna, apartando las hojas secas; ya que esa posta es más bien de oído, para caminar hacia ella sin hacer ruido. Repartí los tabacos que trajeron la noche anterior. Además se le entregó a cada uno un paquete de azúcar de dos libras para reserva. F. [Fidel] compraba cuantos granos tenía oportunidad, para dejarlos en depósito como reserva en vista de la política del gobierno de desalojar campesinos y quemarlo todo, con la idea de vencernos por el hambre, y a tal efecto, F. [Fidel] estuvo inspeccionando con Crescencio algunas grutas que sirvieran para el caso.

Ese día se produce un nuevo ingreso en la tropa. Se trata de Evangelista Mendoza, un sobrino de Chichí. Felicito Jordán recibe autorización para visitar su casa y sale del campamento esa tarde. Ramiro y su grupo están acampados a apenas mil metros de distancia. El Che comenta ese día:

Se han organizado las cosas de manera que la cocina quede abajo junto a un arroyo y el campamento a unos 200 metros arriba, en una posición rocosa. Allí hicimos unos bohiítos provisionales. El mío lo empezamos a fabricar con Luis [Crespo] y [Manuel] Fajardo. La comida fue abundante con promesa de serla más aún pues a [José] Morán lo enviaron a matar un puerco y mató dos. Morán está de jefe de guardia abajo y desarrolla una actividad múltiple saliendo en excursiones exploradoras a todos los bohíos cercanos. Tenemos un nuevo combatiente, un sobrino de Chichí Mendoza que se presentó siguiendo nuestro rastro, al que aleccioné sobre las condiciones en que entra al Movimiento. El muchacho tiene 20 años y según él entra para vengar la muerte de su padre hecha por un batistiano.

Al anochecer Fidel echó un discursito a la tropa para advertirle los riesgos de la indisciplina y la desmoralización. Tres delitos se castigarán con la pena de muerte: la insubordinación, la deserción y el derrotismo. Fui invitado a una pequeña excursión, pero me quedé para aclaraciones a Sergio Acuña y a Ignacio Pérez que se habían autoadjudicado discursos [debe querer decir "el discurso"] como en contra de ellos. Ya bien de noche, apareció en el campamento superior Crescencio que se había perdido del grupo. Bajé con Calixto García a buscarlo. Morán y el muchachito nuevo, práctico de la zona [Evangelista Mendoza], se quedaron en el bohío de Evelio [Rodríguez] esperando para hacer contacto con un hombre que nos conectará con Ciro Cabrera [Ciro Frías].

Esa misma tarde, René Rodríguez, Sergio Pérez y Yayo Castillo llegan a la casa de Fengue Lebrigio, en Tatequieto. También ese día, Eutimio Guerra arriba a El Macho, donde se entrevista con

Fidel, el Che y otro combatiente durante una práctica de tiro con pistola. Sierra Maestra, 1957.

Raúl con el combatiente Félix Mendoza. Sierra Maestra, 1957

Casillas y acuerdan el plan de acción para destruir el campamento guerrillero. Por la noche, Eutimio se traslada en *jeep* a Pilón. Lleva la misión de volar al día siguiente en una avioneta de reconocimiento para ubicar el lugar exacto del campamento guerrillero con el fin de dirigir un ataque aéreo.

Miércoles 30 de enero

Fidel tiene la intención de salir bién temprano a hacer una exploración y establecer contacto con el grupo de refuerzo que viene de Manzanillo.

Desde el sureste comienza a sentirse el ronquido de un avión que se aproxima. Dejemos que sea Raúl quien narre lo ocurrido:

Me tocó una posta de madrugada y a las 7 de la mañana aún dormía, un ruido cercano de avión me despertó, y entre el follaje de los árboles vi el avión de reconocimiento del ejército que tantos dolores de cabeza nos dio en los días del desembarco. Giró por arriba de nuestras cabezas, y con la presencia de otros aviones de combate, comprendimos todos en el acto que habíamos sido descubiertos y que el bombardeo y ametrallamiento era inminente.

Almeida fue a avisarles a las postas que se retiraran, ya había recogido mi mochila y fui con él hasta la última posta, donde estaba Almejeiras [Ameijeiras], y allí nos sorprendió una bomba que cayó en la cocina e inmediatamente comenzaron el ametrallamiento; las ráfagas se continuaban una y otra vez con muy pequeños intervalos, con el estruendo pavoroso de las 8 ametralladoras de cada avión y el rugido de sus motores.

En efecto, Eutimio Guerra, a bordo de una avioneta Beaver, ha ubicado el lugar exacto donde cree que sigue estando el campamento, y una escuadrilla de cinco aviones B-26 y F-47 ha comenzado un preciso y furioso bombardeo y ametrallamiento.

El efecto es devastador. Las rociadas de calibre 50 peinan el monte y tronchan las ramas del bosque. El estallido de miles de proyectiles hace pensar a algunos combatientes que el destacamento está siendo atacado por tierra.

Fidel imparte varias órdenes antes de comenzar a retirarse en dirección al firme. Desde el día en que llegó la columna a este lugar, ha dispuesto que, en caso de ataque y dispersión, el destacamento debe reunirse de nuevo en La Cueva del Humo, del otro lado del firme. Leamos el relato del Che:

La noche había pasado muy fría en el recién construido albergue cuando me despertó el ruido de los aviones volando a muy poca altura; los demás ya estaban empacando sus cosas cuando empezó el tiroteo de las ametralladoras, empezaron a llegar de abajo. Cienfuegos había perdido todas sus balas, le di 10. La gente huía hacia un cauce seco, cercano al campamento. Me quedé un rato a esperar los de la cocina que faltaban pero no llegaron, fui entonces al arroyo y pedí un fusil automático que cambié por mi mirilla para volver al campamento a buscar algunas cosas dejadas en la huida, entre ellas el radio, la situación era muy confusa, nadie sabía exactamente lo que pasaba. Las primeras ráfagas habían dado todas en el fogón pero no se sabía si también había tropas cerca. No hubo bajas de nuestra parte.

Fidel pide voluntarios dispuestos a recoger algunas armas de los que salieron dos días antes, guardadas en un punto no distante de la cocina. El Che se ofrece de inmediato. A él le encomienda esa importante misión y, además, esperar al personal de la cocina y la vanguardia.

El Che recoge algunas armas y otros efectos, y comienza a trepar en la dirección en que ha salido Fidel. Junto con Rafael Chao baja hasta el arroyo después que se calma el ametrallamiento, pero solo hallan los restos humeantes de lo que era la cocina. Al poco rato se encuentran con Guillermo García y Sergio Acuña, que estaban en la cocina, y luego se les agrega José Morán. El grupo, ahora de cinco, vuelve a subir por la falda;

todos van sobrecargados con lo que han logrado rescatar. El Che lo narra así:

La orden era reunión en Las Cuevas del Humo, lo malo era que de la Cueva del Humo yo solo conocía el nombre y una vaga dirección oeste siguiendo el firme de la loma. Cuando regresamos ya no había nadie y tuvimos que caminar siguiendo el rastro no muy claro. Al cabo de cierto recorrido acampamos al borde del camino, escondidos pero dominándolo, para comer algo de azúcar que llevábamos y descansar. Se aparecieron entonces Guillermo García con Sergio Acuña. Habían sido los últimos en salir de la cocina. Nos acordamos que Morán había dejado su mirilla en este lugar y decidimos Guillermo y yo buscarlo. Al llegar abajo apareció el Gallego Morán por el otro lado, hacía rato que los aviones no bombardeaban. De las declaraciones de Morán se deducía: primero, eran cinco aviones; segundo, no había tropas en las cercanías. Él había vivido un drama especial pues un chivato llamado Lalo Milán le había disparado a quemarropa sin herirlo. Morán traía el Springfield asignado al nuevo recluta que se le perdió en el tiroteo. Emprendimos el regreso cargados como mulos.

Raúl se retira en compañía de Almeida, Efigenio y Armando Rodríguez. En su diario escribe:

F. [Fidel] y un grupo tomó la falda de la loma que iba rumbo al oeste, protegiéndose entre las piedras y avanzando en los breves intervalos que tardaban los aviones en dar la vuelta, los cinco aviones. [...] La consigna era reunirse en la falda o estribaciones oeste de Caracas, ya que nosotros estábamos en el lado opuesto. Durante las dos horas que duró el ametrallamiento nos fuimos retirando gradualmente y estuvimos caminando largamente; pero desconocedores de la zona, no sabíamos con exactitud cuál era la loma de Caracas, a pesar de estar en sus estribaciones; pero nos alejamos un poco, y teniendo delante una cadena montañosa no sabíamos a cuál dirigirnos. [...] Por la infinidad de trillos que encontramos, tomamos uno muy poco usado, que

iba por todo el firme de una montaña. Por si acaso, empeza-
mos a racionar el azúcar y un poquito de miel que teníamos.
El desayuno: 2 cucharadas de azúcar, y el almuerzo, por la
tarde, otras dos cucharadas de miel. Teníamos el propósito
de buscar un bohío, y entre el rejuego de palabras e interro-
gaciones que hacíamos saber dónde quedaba nuestro ob-
jetivo.

El grupo de Raúl ha tomado un rumbo suroeste, ha llegado hasta el alto de El Mulato y allí ha tomado en dirección a Caimanes,
en una ruta que los aleja de La Cueva del Humo.

Otro de los grupos que logra reunirse está compuesto por
Calixto García, Calixto Morales y Manuel Acuña. Van rumbo
al oeste; pasan por La Cueva del Humo, y llegan esa noche a
la casa de Florentino Enamorado. De ahí en adelante toman la
ruta ya conocida hasta Purial de Vicana. Estos tres combatientes no volverán a unirse a la guerrilla sino a finales del mes
de marzo.

El grupo encabezado por Fidel se encamina derecho hacia
La Cueva del Humo. Antes del mediodía ha alcanzado el firme
de Caracas. Alrededor de las dos de la tarde hacen contacto
con los compañeros que están acampados en la zona desde
varios días atrás.

Fidel saluda a Ramiro y Ciro Frías, y da la bienvenida a los
nuevos en la tropa. Al no tener noticias de Raúl, solicita voluntarios para salir en la búsqueda de este y de los demás combatientes dispersos. Allí se entera de que, contrario a lo que se le
había ordenado, Eutimio Guerra no ha aparecido por la zona.

El grupo de Raúl sigue marchando en una dirección suroeste durante todo el día. Volvamos al diario del combatiente:

Caminamos todo el día; atardeciendo ya divisamos algu-
nos bohíos diseminados, con las mirillas, y estuvimos ob-
servándolos desde el bosque para ver cuál nos convenía
más. Ya oscuro completamente bajamos por un potrero y
llegamos a una pequeña casita de zinc. Tomadas todas las
precauciones del caso, entramos, les dijimos que éramos re-
volucionarios que habíamos salido de patrulla y que nos

habíamos perdido ya que nuestro destacamento estaba por Tatequieto (un lugar distante). Allí nos informaron que estábamos en El Caimán [Caimanes]. Eran dos hermanos, jóvenes ellos (nos contaron que por la mañana hubo bombardeo), con una hermana y un muchacho, medio morón, que trabajaba con ellos como empleado, al que le decían C. [tachado en el original el resto del nombre]. [...] Muy atemorizados al principio, por el terror que hay por la zona, poco a poco fueron entrando en confianza; a uno de ellos el ejército le había quitado un caballo con montura, se lo habían llevado para El Macho y aún lo tenían.

Raúl les pide que les sirvan de guías para marchar a Tatequieto. Uno de los muchachos recomienda que vayan a ver a Hernán Pérez, quien está en contacto con los revolucionarios y los puede ayudar. Este Hernán es precisamente uno de los vecinos de La Cueva del Humo.

Esa noche duermen en el monte, cerca de la vivienda, con un muchachito empleado de la casa que al día siguiente los conducirá en busca de Hernán Pérez. Raúl concluye sus apuntes con estas palabras:

Comimos bacalao con dos pedacitos de malanga que nos prepararon, tomamos abundante café y les di 5 pesos, tres por la comidita y 2 para el guía. Ellos no quisieron cobrarnos nada por la comida, y los 5 pesos se los dieron al guía C. Mientras preparaban la comida nos estuvieron contando que en ninguna tienda, ni siquiera en Camarones, que está en la playa, venden más de 3 libras de cada factura, que han matado mucha gente, etc., etc.

El grupo del Che y Guillermo, por su parte, ha seguido caminando también durante todo el día por dentro del monte rumbo a la zona de El Mulato. Por la noche, deciden acampar en un firme cercano al alto de El Mulato. El Che refiere así las vicisitudes de su grupo:

Al llegar al campamento aligeramos la carga comiéndonos toda la caña que traía yo, una lata de chorizos a medio vaciar y miel. Seguimos las huellas de nuestros compañeros hasta que al llegar a un camino se perdieron. Vimos ahí un espectáculo desolador; las casas de la gente simpatizantes con el Movimiento o por lo menos discrepantes del gobierno, convertidas en cenizas. Un gatito nos aulló lastimeramente y algún puerco se alejó gruñendo, eso era todo. Acampamos cerca de un arroyo y allí pasamos la noche.

Ese mismo día, René Rodríguez y sus acompañantes han escuchado el bombardeo de Caracas desde la casa de Juan Lebrigio, en La Cotuntera, y han proseguido la marcha en dirección a Purial.

Jueves 31 de enero

Durante toda la noche, los exploradores que han salido en busca de Raúl y los demás combatientes dispersos no han encontrado nada.

Esa mañana salen del campamento Ciro Frías y Juan Francisco Echevarría, con la misión de llegar a Manzanillo. Al mediodía aparecen en el campamento Raúl y sus cuatro compañeros. Dejemos al propio Raúl la narración de cómo se produce el encuentro:

Dormimos en una ladera del monte que colinda con el potrero, y después de amanecer subimos al firme y tomamos el mismo trillo que habíamos caminado el día anterior; ahora lo caminábamos para atrás hasta el mismo lugar donde lo habíamos iniciado. Resulta que le habíamos pasado a la estancia de Hernán [Pérez] por el lado sin saberlo. Eran un poco más de las ocho de la mañana cuando llegamos a la meta, y todos nos sorprendimos cuando encontramos hecha cenizas la casa de H. [Hernán]. Aún humeaban algunos de sus horcones; hacía como 3 días que se la habían quemado, igual que la de Savón y la del suegro de Hernán [se refiere a Evelio González]. Aquí en la Cueva del Humo solo había 3 casas y han acabado con el barrio, pues solo quedan las estancias abandonadas, con los animales sueltos y las cenizas de lo que antes eran pacíficos bohíos.

Alrededor de la casa de H. [Hernán] revolotearon asustadas varias [auras] tiñosas, y aunque nos extrañó que existiera alguna carroña en aquel montón de cenizas no le dimos importancia al hecho. Recogí un cubo casi carbonizado por el fuego por si teníamos que cocer algunas viandas y permanecer por los alrededores, pues sabíamos que por ahí andaban Ciro Frías y Ramirito con los compañeros que han llegado de Manzanillo. Además, aquel era el punto de reunión del momentáneamente disperso destacamento. Allí, le hicimos creer a C. [el guía] que nos íbamos para Tatequieto después de descansar un momento, y que nos indicara el camino pues seguiríamos solos; después de hecho esto, señalándole para las ruinas de un bohío, le dije: "¿Tú sabes por qué fue esto? Pues por hablar. Esta gente son amigas nuestras, pero seguro cometieron alguna indiscreción y este fue el resultado; por lo tanto guarden ustedes bien el secreto de que estuvimos por la casa de ustedes".

Nos despedimos y nosotros caminamos más arriba. En el vacío que había debajo de una roca grande encontramos un pedazo de saco de una mochila medio construida dejada recientemente, lo que indicaba que por ahí había gente nuestra. Nos apartamos un poco hacia la derecha, tomamos las 4 posiciones en unas rocas y en completo silencio estuvimos esperando. Sentimos ruidos de pisadas por el bosque, y no había pasado media hora desde que se fue C. cuando oímos el silbido de contraseña, esperamos que lo repitieran y después les contestamos inmediatamente.

Han hecho contacto con Julio Zenón Acosta, Beto Pesant y Emilio Escanelle, que habían salido nuevamente a patrullar desde el amanecer con el fin de buscar a los dispersos. Guiados por los tres combatientes, Raúl y sus compañeros suben la falda de Caracas y llegan al campamento poco después de las doce del día.

246

Sigue narrando Raúl:

Inmediatamente, de dos en dos atravesamos el claro de una estancia y otro bohío quemado, el de [José] Savón, y empezamos la subida de la loma de Caracas, donde llegamos al mediodía. El campamento estaba por la mitad de la loma, impenetrable por lo tupido de la vegetación. [...] Eutimio no llegó aquí, parece que cuando venía, más o menos ese día estaban dándole candela a las casitas de la Cueva del Humo y agarró las de Villadiego.

Se han vuelto a reunir veintiséis combatientes. Del grupo anterior faltan nueve: los cinco que andan con el Che y Guillermo, los tres que han tomado en dirección hacia Purial y Evangelista Mendoza, el último recluta, que no ha regresado después del ataque aéreo del día anterior.

En cuanto al grupo del Che y Guillermo, han seguido caminando todo el día por el monte sin lograr orientarse. Al mediodía han llegado a la zona de La Derecha de Caracas. En la casa de un campesino comen algo y reciben las últimas informaciones de los movimientos de las tropas enemigas. Al atardecer regresan a su campamento anterior en el monte para pasar la noche. El relato textual del Che es como sigue:

Tomamos posición en lo alto de una loma, dominando unos sembradíos donde presumiblemente está la Cueva del Humo. Con Guillermo, hicimos exploración por los alrededores y solo encontramos rastros de una tropa batistiana, de los nuestros nada. Sergio Acuña, que estaba de guardia, creyó ver dos personas una de las cuales llevaba gorrita, pero mientras nos llamaba se le perdieron y no los vimos. En vista de esto Guillermo y yo fuimos bien abajo, hasta unos bohíos que se veían vacíos en el fondo del valle. Allí no había nadie y no habían dejado nada tampoco, de modo que fuimos a la casa de un amigo de Guillermo en las riberas del Ají. El hombre se asustó mucho al verlo pero nos dio algo de comida y se ofreció a tener más en la casa pero no a traerla hasta donde estábamos por el peligro. Dijo que toda la mercancía que Ciro [Frías] había mandado fue tomada por los guardias y quemada, las mulas le fueron requisadas y el arriero muerto; la tienda de Ciro fue quemada y su mujer presa, aunque luego la soltaron. Los hombres habían pasado por la mañana al mando del comandante Casillas; habían dormido en la cercanía de la casa nombrada. Después echamos una buena caminata cuesta arriba llegando sin novedad al campamento.

En la falda de Caracas, los combatientes reunidos descansan en espera de la llegada de los que faltan. Cuenta Raúl:

Ya Fidel había llegado ayer mismo a las 2 de la tarde con su grupo y al carecer de comida todos estaban desayunando, almorzando y comiendo dulces. A nosotros nos sirvieron una contundente ración de queso con dulce, además de leche condensada y dulce de leche en barrita. Todas estas golosinas, en abundancia servidas, como hacía tanto tiempo que no las veíamos, nos alegraron mucho el estómago. También me alegró mucho encontrarme de nuevo con Ramirito, mucho más gordo y algo restablecido de su rodilla lesionada.

Camilo y Julio Zenón Acosta salen esa tarde con la intención de llegar al campamento bombardeado para recoger lo que hubiera quedado allí.

Raúl sigue narrando:

Recibí una carta de Mica [Micaela Riera, la tesorera del Movimiento en Manzanillo], además de los libros y el diccionario de francés para estudiar. Aquí en esta posición de la loma de Caracas sopla un aire frío que cala hasta los huesos ¡cómo será en la cima!

Ya oscureciendo, se oyeron dos o tres disparos como de arma corta y llevándose bastante tiempo uno de otro. [...] Por suerte, encontré por el campamento dos frazadas y me salvé, pues parece que el dueño no está por aquí. Hoy se vieron pasar varias veces los aviones pero no han encontrado objetivo. Todos estamos de acuerdo en que la ametrallada del día 30 fue motivada por la columna de humo que salía de la cocina, ya que sobre la misma concentraron todo el fuego. Se había ordenado que se empezara a cocinar a la una de la madrugada, para comer de día la comida fría, pero se cocinó dos días seguidos de día, y como salió bien se siguió, y ya al tercero vino la ametrallada.

Viernes 1ro. de febrero

La jefatura de operaciones del enemigo no se había limitado a organizar el bombardeo y ametrallamiento de la posición rebelde en la loma de Caracas, denunciada por Eutimio Guerra. El propio día 30 habían comenzado a moverse fuerzas de infantería desde distintos puntos para impedir la escapatoria de los combatientes sobrevivientes al ataque aéreo.

Tres contingentes participarían en esa maniobra. Uno de ellos saldría de San Lorenzo, avanzaría por el camino de El Tabaco a cruzar el firme de Meriño para establecer una línea de cerco entre Meriño, El Roble y El Coco.

La segunda columna saldría de El Macho, en la costa, y subiría por todo el río Macío con la intención de impedir la retirada de los rebeldes hacia el oeste. Finalmente, el tercer grupo tomaría el camino del alto de El Macho para caer en El Mulato, peinar la zona bombardeada y seguir hacia el noreste hasta enlazar en El Coco con el primero de los grupos.

Esta última fuerza llega a El Mulato en la noche del día 31.

Sin embargo, los soldados no encuentran nada. La noticia deja atónito al comandante Casillas. Colérico, despacha al traidor Eutimio Guerra con la misión de que localice y ubique de nuevo la posición de los rebeldes.

Raúl anota en su diario:

Temprano se escuchó un nutrido tiroteo, más bien había avanzado algo la mañana y todavía J. [Julio Zenón] Acosta y Cienf. [Camilo Cienfuegos] no habían aparecido. Hacía mucho aire frío, desayunamos algunas lascas de dulce de

naranja. En forma de abanico nos abrimos y nos parapeta-
mos, todos atentos y en silencio. Más tarde aparecieron
Acosta y Cienfuegos y contaron que estuvieron por el cam-
pamento, que al parecer ya todo lo habían recogido otros
compañeros. [...] Contaron que el tiroteo de por la mañana
fueron dos soldados que, acercándose a la casa de Felo,
antes de entrar le cayeron a tiro limpio. Ellos tienen ese
fatal defecto (para ellos) de anunciarnos su presencia, pues
siempre están tirando tiros.

En vista de la proximidad de los guardias, Fidel decide no
seguir esperando. Alrededor de las tres de la tarde se levanta
el campamento y la columna empieza a descender la ladera en
dirección a La Derecha de Caracas. A dos horas de camino,
la vanguardia tropieza con el Che, Guillermo, Chao y Morán.
     Estos cuatro combatientes han sentido el tiroteo de por la
mañana. Poco después, Sergio Acuña, que estaba de posta,
desaparece tras dejar abandonado su fusil y su canana; ha decidido desertar.
     El Che narra estos incidentes como sigue:

El día frío y ventoso se había presentado sin aparentes se-
ñales de encuentro. No hicimos exploraciones por la maña-
na, debido al cansancio y a la caminata anterior. A eso de
las 11 de la mañana se oyó un tiroteo al otro lado de la loma
y después, más cerca, unos gritos lastimeros como de al-
guien pidiendo auxilio. Todas estas cosas acabaron con el
ánimo de Sergio Acuña y a mediodía, silenciosamente,
abandonó el campamento, dejando el arma, la canana y su
frazada. Se llevó un sombrero guajiro, una lata de leche
condensada y tres chorizos.

Pocas horas más tarde, los cuatro miembros restantes de este
grupo sienten ruido de gente que se acerca. Apenas se preparan para la defensa cuando ven salir del bosque a Crescencio,
seguido por la larga fila de los demás compañeros. Se reúnen
de nuevo treinta combatientes.

Regresemos al relato del Che:

Al rato oímos ruido y cuando nos aprestamos a la defensa, apareció Crescencio con una larga columna integrada por casi todos los nuestros y el grupo de Manzanillo. [...] Todos juntos comimos en la zona un puerco, malanga, y bajamos por el mismo camino hasta llegar a un claro donde se vieron linternas que brillaban en el valle abajo. Se resolvió entonces dormir en el bosque para seguir de día. Los manzanilleros dijeron no ser verdad la noticia de la toma de la mercadería, ellos tenían una buena cantidad, incluido un equipo de cirugía y mudas de ropa para todos. Todo ello quedó bien escondido en el monte. Yo ligué un calzoncillo y camisita con iniciales bordadas por las muchachas de Manzanillo.

Siguen juntos la marcha en dirección a El Ají, pues Fidel ha decidido llegar hasta la casa de los Mendoza, ya que considera que es el lugar más seguro de toda la zona.

Raúl termina sus notas de ese día con lo que sigue:

Nos fuimos a un bohío o casita semidestruida, que era de lo poco que quedaba en pie en la Cueva del Humo, y Guillermo en un latón de manteca hizo un guisado de puerco con viandas. El puerco lo requisamos en un bohío abandonado. Después de caminar un largo trecho, pensábamos pasar por un lugar donde se suponía que había tropas, pero los incesantes ladridos de los perros nos hicieron retroceder, meternos en el monte y dormir como pudimos. Ciro [Redondo], Almeida y yo nos colocamos en una laderita después de dar 20 tropezones y nos acostamos juntos.

Ese mismo día René Rodríguez ha llegado a Manzanillo. Allí le informa a Celia Sánchez de su viaje a La Habana, donde, entre otras misiones, debe poner al tanto a Faustino Pérez de la situación real de la guerrilla, y ratificarle la orientación de que busque un periodista dispuesto a subir a la Sierra a fin de divulgar internacionalmente la lucha entablada en Cuba.

Faustino había establecido contacto en La Habana con los directores de *Prensa Libre* y *Bohemia*, pero sus gestiones resultaron infructuosas. La cautela y el temor ante la represalia gubernamental habían podido más que el instinto periodístico en estas dos figuras principales de la prensa nacional no comprometida con la dictadura. Por otra parte, después de la extensión de la censura a todo el país el 15 de enero, resultaba inútil pretender la colaboración de ningún órgano de prensa cubano. De ahí que, inevitablemente, todos los involucrados en el problema llegaron a la misma conclusión: el periodista tenía que ser extranjero, lo que equivalía a decir en aquellas circunstancias, que casi con toda seguridad sería norteamericano.

Sábado 2 de febrero

Fidel avanza lentamente a fin de poder determinar los movimientos enemigos en la zona.

Raúl apunta ese día:

Pasamos el día aquí completo. Guillermo y [Emilio] Labrada salieron de exploración y parece que se perdieron, aunque no hay problemas pues ellos conocen el punto hacia donde vamos. Salimos oscureciendo y caminamos bastante. Se había hecho bastante tarde, había que caminar con precaución y nos metimos en los alrededores de otro bohío abandonado. Hoy comimos una sobrita de la comida del día anterior.

En realidad, no se han desplazado mucho y siguen en la zona de La Derecha de Caracas. En su diario, el Che anota:

Segundo mes del desembarco en Belice [Belic] se cumple hoy. No hay novedad digna de apuntarse durante todo el día que transcurre entre exploraciones de los prácticos y sueño nuestro. A las 6 de la tarde iniciamos la bajada por el monte para tomar luego el camino que habíamos recorrido con Guillermo el día anterior. Guillermo y Labrada, el último guajiro incorporado, fueron de exploración sin fijar bien el lugar de reunión posterior y el resultado fue que no aparecieron por ningún lado. Fui con Julio [Zenón] Acosta y Camilo hasta la casita donde nos habían dado comida el otro día, pero allí no estaban tampoco. Dormimos en un bohío abandonado y yo pude por primera vez dormir en cama, pues en un platanal estaba escondida una.

Ese mismo día René Rodríguez llega a La Habana, establece contacto con Faustino y le trasmite las instrucciones de que es portador. En lo que respecta al periodista, Faustino decide utilizar a Javier Pazos, miembro del Movimiento e hijo de Felipe Pazos, conocido economista y colaborador también del Movimiento, quien sostiene buenas relaciones con algunos corresponsales de prensa norteamericanos residentes en La Habana.

Domingo 3 de febrero

Para los treinta combatientes que componen la tropa guerrillera, este día será una jornada de hambre y sed. Raúl escribe:

A las 9 y 30 llegamos a un bohío que está en la Derecha [de Caracas], Menier se llama el dueño [Alberto Mainer Calzada] y según nos dijo le habían informado que hace como 3 días le habían ahorcado un hijo de 21 años en El Macho. Tenía muy poco que comer en su casa, y como desayuno nos sirvió unos plátanos hervidos y un té de caña santa. Inmediatamente seguimos camino y llegando al firme de una loma, tomamos por él hasta un farallón. Desde arriba se divisaba El Tabaco. Abrimos brecha por un manigual y caminando por un estribo llegamos a las 6 p.m. a un firme más chico, donde dormimos. Ya no teníamos casi nada que comer.

La marcha es difícil por los firmes y las faldas de esta zona, sobre todo cuando es preciso evitar los pocos trillos y caminar por dentro del monte. En los firmes, además, no hay agua, y la sed es ese día el peor enemigo.

El Che avanza a fuerza de voluntad, pues viene sufriendo de un ataque de paludismo. Por la noche cae desplomado en el lugar donde se decide acampar. Al día siguiente no podrá seguir a la columna, y Luis Crespo y Julio Zenón Acosta se quedarán acompañándolo.

Ese día, el Che apunta en el diario:

A las 5 de la mañana emprendimos la marcha sin rumbo determinado y sin Guillermo García. Pronto llegamos a un bohío habitado donde nuestra presencia hizo el efecto de una bomba, pero nos dieron sin embargo unos plátanos hervidos, que fue toda nuestra comida en el día. Cruzamos el arroyo de la Derecha y seguimos subiendo loma para caer presumiblemente en las posiciones del viejo Eustaquio [Eligio Mendoza], no obstante, Crescencio se equivocó y caminamos todo el día sin dar con el bohío, acampando al final de un firme de la misma loma.

Lunes 4 de febrero

El día 4 la columna guerrillera llega a casa de Florentino Enamorado, en El Ají. Raúl escribe:

A la 1 y 30 de la tarde, después de dar varias vueltas inútiles pues el tío Crescencio estaba un poco errático en el rumbo, llegamos a casa del amigo del Ají. En el lugar donde dormimos se había quedado el Che, al parecer con fiebre palúdica. L. [Luis] Crespo y Julio [Zenón] A. [Acosta] se quedaron acompañándolo. Comimos bien ese día. Allí ya estaban Guillermo y Labrada. [...] Me quedé a dormir en la casa para recoger temprano un sopón de gallina para el Che y llevárselo allá. Llovió bastante por la noche. Salvo dos o tres que quedaron conmigo, el resto se fue a dormir al monte, al lado de la estancia del amigo.

Para el Che, la jornada es difícil. Veamos lo que narra él mismo:

Por la noche me dio uno de mis esporádicos ataques de paludismo y amanecí totalmente agotado, de modo que no

254

pude seguir la marcha. Se quedaron a acompañarme el guajiro Luis [Crespo] y Julio [Zenón] Acosta. Como a las tres horas probé caminar pero debía hacerlo en ritmo muy lento y deteniéndome, pues me daban desmayos. Julio fue entonces adelante a avisar que viniera alguien a cargar mi mochila para aligerarlo del peso al guajiro [Crespo] que la llevaba. Yo seguí sufriendo una terrible diarrea que me hizo pujar diez veces en el transcurso de la jornada. Al ponerse el sol llegamos a un lugar de rastros pobres y allí mismo hicimos campamento soportando durante la noche un aguacero, que por fortuna no nos mojó gran cosa.

Ese mismo día, en la capital, Faustino y René se entrevistan en la oficina de Felipe Pazos con la corresponsal en La Habana del periódico *The New York Times*, la señora Ruby Hart Phillips. Se le explica el interés de Fidel de recibir un periodista en la Sierra.

Interesada en la proposición, la periodista pregunta si puede ser ella misma. Se le responde que las condiciones del viaje serán difíciles y que sería preferible un hombre. La norteamericana expresa que establecerá contacto con su periódico y ofrece una respuesta en el plazo de dos o tres días. En consecuencia, cablegrafía de inmediato al editor internacional del *Times* en Nueva York, Emanuel R. Freedman, y le sugiere que Herbert Matthews, jefe de la plana editorial de su diario, viaje urgentemente a La Habana para un asunto importante.

Martes 5 de febrero

Al amanecer del día 5 sale del nuevo campamento rebelde, en la casa de Florentino Enamorado, un pequeño grupo de combatientes a recoger al Che. Leamos el relato de Raúl:

Temprano partimos una patrullita acompañados de Julio [Zenón] Acosta, que había llegado la noche anterior para buscar ayuda para traer al Che, y en 2 horas 50 minutos hicimos el recorrido que el día anterior hicimos en medio día. Ya no estaban allí, y al cabo de 4 horas y pico los encontramos por el rastro. Ayudándoles a cargar sus cosas llegamos pronto al campamento.

El Che, narra:

Habíamos errado el camino, pero, por fortuna, pronto lo encontramos. Mi desgano para caminar es muy grande y avanzamos muy lentamente. Como a las 11 y 30, nos encontró una patrulla comandada por Raúl, que traía un sopón de pollo, el que me vino a las mil maravillas. Llegamos al campamento y luego bajé a la casa para dormir junto con el gallego [Morán], enfermo de una pierna y, según él, con fiebre.

Crescencio le ha planteado a Fidel la conveniencia de dividir la tropa en dos grupos. Argumenta que de esa manera será más fácil eludir el cerco que seguramente ha tendido el ejército en la zona. Por otra parte, hay combatientes en condiciones físicas bastante deterioradas y necesitan descansar. Fidel está consciente de que algunos hombres se encuentran agotados, y prefiere quedarse con un grupo escogido. En consecuencia, se hace la selección del personal que deberá acompañar a Crescencio. Al respecto, el Che escribe:

Ese atardecer salió rumbo a La Habanita un grupo capitaneado por Crescencio en el que iban: su hijo Ignacio, Ramiro, que no tiene su rodilla perfecta, Benítez, Pancho, Chao, Rudi [Rudy] Pesant, Antonio Fernández y Jesús Ramírez, el que dio la nota discordante diciendo que a él lo habían traído engañado porque le dijeron que venía a un campamento con mucha defensa antiaérea y no a caminar como mulo, sin alimentos ni agua. Todos quedarán reponiendo sus fuerzas y como tropa de reserva, lo mejor queda con nosotros.

Raúl, apunta:

Por la tarde, después de comida nos dividimos en 2 grupos: Crescencio con 8 compañeros más y el resto, unos 20 con F. [Fidel], pensamos hacer una excursión larga para

despiste. Los que quedan con Crescencio, los más estropea-
dos, tratarán de descansar. Ese día apareció Eutimio, que
no lo vemos desde unos días antes del ametrallamiento del
campamento del Mulato.

Por la tarde, en efecto, llega Eutimio Guerra. Viene vestido de
limpio, y trae algunas balas y víveres. El traidor ha demorado
tres días en localizar al destacamento luego de tomarle el rastro en La Cueva del Humo. Un poco por olfato campesino
y otro por conocimiento de los lugares a los que puede acu-
dir Fidel, termina encontrándolo en casa de Florentino Enamorado.

Esa misma tarde sale Crescencio con su grupo. Por la noche cruzan el río Macío y se encaminan hacia las faldas de El
Lomón. En jornadas sucesivas pasan por Cayo Probado y
llegan a la finca de Domingo Torres, en La Habanita, donde
descansan unos días.

En el campamento de El Ají han quedado ahora veintiún
combatientes, además de Eutimio Guerra.

Ese día, el Che también anota:

A las 12 de la noche, Enamorado, el dueño de la casa, nos
despertó con el anuncio de que bajaba tropa a caballo, por
supuesto salimos rápido con toda la carga, pero era una
falsa alarma. Dormimos el resto de la noche en la cocina.

Ese mismo día, la oficina central del *New York Times* le avisa
a su corresponsal en La Habana que su sugerencia ha sido
aceptada y le anuncia la próxima llegada de Matthews.

Miércoles 6 de febrero

El único acontecimiento notable este día es el regreso de Manzanillo de Ciro Frías y Juan Francisco Echevarría . Los enlaces
vienen con muchas noticias.

Ciro informa que René ha pasado por Manzanillo y que los
compañeros del Movimiento en esa ciudad están activos en

Raúl y otro combatiente junto a una familia campesina. Sierra Maestra, 1957.

apoyo a la guerrilla. Trae cartas de Celia y Frank, mensajes interceptados al enemigo por la red clandestina del Movimiento en Santiago y otras informaciones.

Sin embargo, la noticia de la traición de Eutimio no había llegado al Movimiento en Manzanillo el día que los correos partieron de regreso al campamento. No será sino varios días después cuando Celia conozca que un colaborador, trabajador del aeropuerto de Pilón, vio a Eutimio abordar la avioneta desde la que dirigió el bombardeo del día 30.

También en Santiago, el Movimiento ha tenido noticias de la existencia de un traidor. Alguien escuchó una conversación entre dos oficiales del ejército y lo informó a Vilma Espín; otro colaborador del Movimiento, empleado de la compañía telefónica, interceptó una llamada militar en la que se mencionaba al traidor, incluso por su nombre.

Desgraciadamente, estas informaciones llegan después de la salida de Ciro Frías de Manzanillo, y en los días posteriores no es posible hacer contacto con la guerrilla. La anotación del Che es elocuente:

El día pasó sin ningún acontecimiento activo [salvo] la llegada de Ciro Frías, que venía con Echevarría trayendo tres nuevos voluntarios, un primo, Sergio Frías [Nieves Cabrera, Pipo], y dos hermanos, Enrique y Miguel Díaz. Las noticias que traían eran muy buenas: Faustino había colectado 30 mil pesos y esperaba llegar a los 50 mil, el sabotaje seguía en toda la isla, [el general Martín] Díaz Tamayo [jefe del Estado Mayor del ejército batistiano] parecía permeable a una voltereta. Mensaje interceptado en el ejército y noticias de otras fuentes indican que el descontento era muy grande. También traían una noticia triste pero aleccionadora: Sergio Acuña que había ido a casa de unos primos se dedicó a hablarles cien cuentos de sus hazañas y de las armas que tenía; resultado: lo chivateó un tal Pedro Herrera, vino la guardia comandada por el cabo Roselló, lo tomó prisionero, lo torturó, le dio cuatro tiros y lo colgó. Es probable que haya hablado bastante, de modo que tenemos que salir de la casa de Florentino, una de las que él conoció. El Gallego Morán está enfermo, mitad de enfermedad real y mitad de su teatro inveterado. Eutimio salió de recorrido y trajo 50 latas de leche y algunos tabacos.

A su regreso, Eutimio le pide a Fidel hablar a solas con él. El jefe guerrillero accede, y se adentran en uno de los cafetales seguidos a poca distancia por Universo Sánchez, siempre pendiente de los movimientos de Fidel. Eutimio mira inquieto hacia donde está el combatiente.

—Fidel, yo quiero saber qué perspectivas tenemos, y cuál es mi futuro en todo esto.

A Fidel le extraña doblemente la pregunta. Primero, por el pensamiento interesado que revela. Segundo, porque para eso no tenía Eutimio que haber insistido tanto en hablar a solas y apartado del campamento.

Esa noche, Eutimio se acuesta junto a Fidel a la hora de dormir. La noche está fría. Bajo la manta el traidor tiene su pistola. La oportunidad es propicia y Eutimio interroga a Fidel acerca de la ubicación de las postas. Evidentemente está sopesando las posibilidades de escapar una vez cometido el crimen por el que se ha vendido.

A Fidel le llama la atención tanta insistencia. Pero todavía en su mente no aflora la sospecha de la traición.

Sin embargo, esa noche a Eutimio Guerra le falta valor para decidirse a jugar la carta de una acción personal. Prefiere que sea el ejército el que destruya a la guerrilla y a Fidel. En su diario, Raúl anota:

El día en calma y normal. Nos instalamos en el firme y bajábamos a comer al cañado; por la noche íbamos hasta el bohío.

El día 7 la columna abandona la casa de Florentino Enamorado. Raúl escribe:

A las 8 a.m. la aviación bombardeó la loma de Caracas por espacio de 15 ó 20 minutos. De allí salimos hace como 3 ó 4 días. A los dueños de la casa los vimos muy asustados, y hoy a la una de la tarde nos fuimos de aquí.

Estuvimos caminando poco tiempo, pues en un cañón, en las laderas de los "Altos de Espinosa", nos sorprendió un fuerte aguacero que duró más de una hora; habíamos caminado 2 horas. Ya era de noche y decidimos quedarnos aquí.

El Che anota en su diario:

Después de un almuerzo bueno partimos con rumbo desconocido, alejándonos de la casa. En realidad lo que hicimos fue caminar un par de kilómetros y acampar en la quebrada de un arroyo seco. Anocheciendo, fue una comisión encabezada por Ciro Frías a la casa de este a buscar algunos alimentos. Iban también Universo, Julio [Zenón] Acosta, Echevarría y el primo de Ciro [Frías], S. [Pipo Cabrera]. A poco de salir ellos cayó un aguacero descomunal que acabó con nuestras precarias defensas contra el agua y nos hizo dormir medio mojados e incómodos toda la noche.

El campamento se establece momentáneamente en el fondo de un profundo cañado por el que corre un arroyito. A los dos lados, los firmes ascienden para unirse arriba en un punto conocido como el alto de Espinosa.

Al llegar, Fidel sitúa postas en el arroyo y en los firmes laterales. Piensa proseguir la contramarcha hacia el este pasando por la loma de Caracas.

La aviación ha comenzado a bombardear todos los días ese punto precisamente. En una ocasión, cuando los aviones se dirigen a Caracas, el ametrallamiento comienza al pasar a baja altura por encima de la tropa rebelde. A Eutimio se le escapa un comentario nervioso:

—Yo no les dije que tiraran aquí.

Los combatientes atribuyen la expresión al sentido del humor del campesino.

El traidor se separa de nuevo ese día. Quiere apresurarse a informar al mando enemigo en El Macho la nueva posición de la guerrilla. En La Habana, Ruby Phillips informa a Javier Pazos que ha recibido de su periódico una respuesta afirmativa, y que será enviado un representante que llegará en las próximas horas. Esta información es trasmitida a Faustino y a René.

Viernes 8 de febrero

Este día, al parecer, no ocurren hechos notables en el campamento guerrillero al pie del alto de Espinosa. Raúl anota:

Anoche Ciro F. [Frías] y 3 compañeros más salieron a ver qué encontraban y en un bohío vacío cocinaron 4 gallinas y cantidad de viandas, además de una cerveza Hatuey y muchos caramelos que le quedaban a Ciro escondidos en casa de una amiga, y con ese banquete desayunamos hoy. A las once de la mañana empezó de nuevo el bombardeo y ametrallamiento de la loma de Caracas, muy cerca de nosotros, y donde estábamos retumbaban las explosiones. Aunque ya ha habido varios raids, todavía nos infunde bastante terror la aviación.

Esa misma mañana, después de recibir las nuevas noticias de Eutimio Guerra, Casillas parte de El Macho con una fuerte tropa. Al mediodía han subido por todo el río Macío y han llegado a la altura del arroyo de Caimanes, a menos de cinco kilómetros en línea recta del campamento guerrillero, pero un hecho les impide seguir avanzando y tender el cerco que tienen proyectado.

262

Veamos cómo lo refleja Raúl en su diario, desde el punto de vista de los combatientes rebeldes:

Por la tarde cayó un aguacero mayor que el del día anterior.

Con F. [Fidel] y el Che hicimos una chabola que llovía más adentro que afuera. A dos buenos haraganes me busqué para este trabajo. Ahora, al fantasma del hambre y del ejército hay que añadirle el de la lluvia diaria y con ella la humedad, el frío y el dormir incómodos, completamente empapados. Los méritos del guerrillero no son precisamente sus combates contra el ejército, sino su lucha contra el medio. A mí, particularmente, a lo que más miedo le tengo es a las lluvias, que por lo regular nos dejan calados hasta los huesos. Pues las capitas que tenemos, o sudan, o les pasa el agua; la cuestión es que no nos protegen mucho.

Pero el aguacero de esta tarde ha sido una suerte. Eutimio regresa después del mediodía y por la tarde, manifestando una disposición que en él resulta insólita, se ofrece para cubrir la posta del arroyo. Evidentemente, su plan consiste en dejar pasar a los soldados para que puedan caer de improviso en el campamento rebelde. Pero llueve tanto esa tarde y esa noche que los guardias deciden no continuar la operación que han iniciado y esperar al otro día.

El Che resume los acontecimientos de la jornada con estas palabras:

El día trajo con las primeras luces la agradable sorpresa de 5 gallinas guisadas por el grupo expedicionario [la patrulla que había salido con Ciro Frías] y un bote de azúcar. Traían además diversas conservas, cervezas y granos. Después de la noche de agua venía espléndidamente esa comida. El grupo trajo la noticia de que había visto a Eutimio en una casa cercana donde fueron a pedir la llave de la casa de Ciro. Eutimio había salido con el pretexto de buscar unas balas que se le habían quedado al comprar la leche, de modo que su presencia en esta casa no estaba ni justificada ni autorizada. Pasamos el día en total tranquilidad escuchando por la mañana el bombardeo de Caracas por la aviación. Al atardecer, cuando acabamos con Raúl las clases de francés que iniciábamos, empezó a llover y con la misma persistencia y los mismos perniciosos efectos del día anterior. Apenas escampado fuimos a la cocina, donde bajo la dirección de Guillermo la cuaba empezaba a arder. Cerca de las 10 estuvo un mal potaje con yucas, que la gente devoró y empezó el segundo turno, el de la mañana, compuesto de arroz, frijoles y viandas. Nos quedamos con Luis Crespo y yo a ayudar a los cocineros, acostándonos a la 1 ó 2 de la mañana.

Esa noche, el enemigo duerme cerca y se prepara para entrar en acción al día siguiente. Mientras tanto, en el campamento guerrillero, Raúl escribe:

Hoy empecé a estudiar francés con el Che, quien tiene una magnífica pronunciación y es muy inteligente. El texto, editado por la Alianza Francesa, es magnífico.

Y EL TIEMPO ESTÁ
A NUESTRO FAVOR

Sábado 9 de febrero de 1957

El 9 de febrero de 1957 es un día de actividad normal en el aeropuerto de Rancho Boyeros, en La Habana. A la hora señalada en el itinerario, toca tierra el vuelo diario de la *National Airlines* procedente de Nueva York. Entre los pasajeros baja un matrimonio de mediana edad. Él es alto, delgado, ligeramente encorvado de hombros y de ojos claros con mirada penetrante. Herbert Lionel Matthews tiene a la sazón cincuenta y siete años. En su carrera como periodista, le ha tocado participar como testigo en algunos de los acontecimientos más trascendentales del siglo.

Ocupa en 1957 la posición de jefe de la plana editorial del poderoso diario norteamericano *The New York Times*, para el que redacta editoriales y reportajes especiales sobre América Latina. Es, en suma, uno de los periodistas más prestigiosos e influyentes en los Estados Unidos, y está considerado un individuo de posición liberal dentro de la gran prensa norteamericana.

Matthews y su esposa han llegado a Cuba en respuesta al urgente mensaje de la corresponsal del periódico en La Habana.

Ese mismo día, el destacamento guerrillero está acampado en una profunda garganta boscosa en plena Sierra Maestra. Raúl anota lo siguiente:

Anoche cayó tremendo aguacero, que con la paciencia que cabe esperamos acurrucados debajo de nuestras pequeñas capas de nylon. La conducta de Eutimio tenía intranquilo a F. [Fidel]. La mañana iba pasando lentamente, con la humedad que siempre dejan dentro del bosque, mientras no llega el sol, los aguaceros de la época. Acurrucados debajo de una chabola mal construida y a la carrera el día anterior, estaba yo sentado escribiendo mi diario, pensando más tarde estudiar francés con el Che, que habíamos empezado el día anterior.

De izquierda a derecha, de pie: Enrique Escalona, *Quique*, Ramiro Valdés y Raúl; sentados: el Che, Charles Ryan (estadounidense que durante varios meses combatió en las filas del Ejército Rebelde) y Universo Sánchez. Sierra Maestra, 1957.

Estábamos acampados en un cañón que está en las laderas de la montaña conocida por "los Altos de Espinosa", cerca del Ají. Mi tarea me la interrumpió Universo [Sánchez] cuando me dijo que tuviera recogidas mis cosas, pues había una columna grande de tropas del gobierno muy cerca de nosotros.

Esa mañana, Eutimio Guerra ha vuelto a salir del campamento. Está inquieto. El día anterior no ha ocurrido lo que esperaba y quiere saber si ha habido algún cambio de plan.

A media mañana, Emilio Labrada, uno de los combatientes más nuevos, está de posta cuando ve acercarse por la otra ladera a un campesino. Se trata de Adrián Pérez Vargas, un vecino reciente de la zona. Trae un machete y dos sacos, que empieza a llenar con los boniatos que va escarbando. En un momento determinado, levanta la vista de su trabajo. Labrada, que está observándolo desde el borde del monte, cree que ha sido descubierto y sale afuera. El combatiente da el alto al campesino y le ordena que lo acompañe. A los pocos minutos llegan al campamento guerrillero.

En el interrogatorio, Vargas le informa a Fidel que el día anterior ha llegado una tropa numerosa a la zona al frente de la cual viene el comandante Casillas, y que los guardias están acampados en un alto del firme de Caimanes. Fidel pregunta si es posible verlos y el campesino responde afirmativamente. Suben de nuevo el firme y Fidel observa el campamento enemigo con la mira telescópica de su fusil. Entre las demás informaciones que brinda Vargas, el campesino afirma que esa mañana ha visto a Eutimio Guerra "por allá abajo".

Sin querer y sin saberlo, el detenido ha tocado un punto neurálgico. Fidel insiste de inmediato en el tema. Quiere estar seguro de lo que acaba de escuchar. Le pregunta al prisionero qué ha visto hacer a Eutimio esa mañana. Eutimio ha salido con el pretexto de ir a buscar algunas provisiones a la tienda de Celestino León, cerca de la cual precisamente está acampada la fuerza enemiga. Desde el día anterior han llegado los soldados y, sin embargo, Eutimio pudo salir y visitar de nuevo la tienda de Celestino. Suponiendo que la víspera no los haya visto, hoy, mucho antes de llegar al lugar donde están acampados los guardias, tiene que haber sabido que estaban allí. Y, sin embargo, no ha regresado.

En una fracción de segundo, pasan por la mente de Fidel los detalles de la conducta de Eutimio que le habían producido una extraña sensación de intranquilidad. Cobran sentido sus frecuentes salidas, la facilidad con que se mueve entre las líneas del ejército, su habilidad para conseguir provisiones y balas, las incongruencias de sus relatos, su aparente broma respecto a los aviones el día 7, su incapacidad para localizar al grupo de refuerzo en La Cueva del Humo antes del ataque aéreo del día 30. Y, por añadidura, el campesino detenido habla de movimientos de la tropa enemiga el día anterior, y Eutimio se había ofrecido a cubrir la posta esa tarde. De un golpe, Fidel arriba a la certeza de que Eutimio ha traicionado miserablemente.

Luego de trasmitir la orden a todos los combatientes de que recojan sus mochilas y estén listos para partir, Fidel baja de nuevo al campamento. En el firme queda el campesino detenido, custodiado por algunos rebeldes. A los pocos minutos llega Raúl. Leamos lo que narra:

Subí hasta donde tenían al prisionero, en la ladera izquierda del cañón de nuestro campamento. Serían poco más de las 12 del día. Conversé un rato con él y después, con la ayuda de la mirilla, me puse a mirar hacia el punto que me señalaron los compañeros que cuidan al prisionero, y como a 6 kilómetros, no tanto en línea recta, sobre una colinita y árboles apenas, en un potrero se veía en formación de partir una columna de tropas que pasaban de 100, y por el prisionero sabíamos que exactamente eran 140 hombres, equipados con las más modernísimas armas automáticas y semiautomáticas. Estaba en formación y un rato después partió de uno en fondo y bastante unidos, demasiado, rumbo suroeste. Indagué con el campesino a qué lugar podían ir por aquel camino y me dio una explicación que no me aclaró mucho. Mandé aviso al E.M. [Estado Mayor] del rumbo de la columna, cuya retaguardia ya se perdía de vista en una pequeña ondulación del camino, mientras de fondo le servían las casitas del barrio de "Los Corrales", muy próximo de donde estaban ellos acampados.

En realidad, los soldados han emprendido la marcha río arriba. Según el plan trazado de acuerdo con las indicaciones de Eutimio Guerra, la idea de Casillas es dividir su fuerza en tres grupos al llegar a la boca del río de La Derecha. Uno de estos seguiría por el río Macío y subiría por todo el firme hasta alcanzar el alto de Espinosa desde el suroeste. Los otros dos tomarían por el río de La Derecha y se subdividirían más adelante. Una tropa subiría por uno de los firmes que enlaza con el mismo alto desde el sureste, con lo cual cerraría con el primer grupo un cerco completo en forma de V sobre las alturas dominantes del cañón donde se encuentra la guerrilla. La tercera de las fuerzas, mientras tanto, entraría por el arroyo –es decir, por la abertura de la V– para chocar con el campamento rebelde, que quedaría de esta forma completamente rodeado.

El plan está bien concebido. Eutimio Guerra ha llevado al destacamento guerrillero a una verdadera ratonera. Retomemos el relato de Raúl:

Bajé entonces y encontré a F. [Fidel] dando órdenes para que fueran comiendo los muchachos el arroz y los frijoles fríos que se habían cocinado la noche anterior, comí muy poco pues me había caído mal la comida algo cruda de la noche anterior, y partí con un grupo de compañeros hacia la ladera opuesta. A mitad de la subida de la loma, esperando allí mientras llegaban los demás compañeros, me entretuve escribiendo mi diario. F. [Fidel] a unos 100 metros del lugar seguía hablando con el prisionero obteniendo nuevos datos que el campesino, más bien con ánimo de ayudarnos, le estaba brindando; desde nuestra posición no veíamos a F. [Fidel] ni este a nosotros. Al poco rato llegó F. [Fidel] con el resto de los compañeros.

Fidel, en efecto, ha dado la orden de levantar el campamento y subir hasta el propio alto de Espinosa, esto es, al vértice de la V que forman los firmes del cañón donde se encuentran. Entre la comida que quedaba del día anterior había algunos de los caramelos traídos por Ciro Frías. La ración de Eutimio estaba guardada, y Fidel dice significativamente a los combatientes que pueden comérsela. Luego sube a media falda y sigue interrogando al campesino. Cuando Fidel comunica a los demás su convicción de que Eutimio es traidor, la reacción general es de estupor e incredulidad:

—Pero, ¿cómo? ¿Eutimio? ¡No puede ser!

—Sí, Eutimio. Nos está traicionando. Estoy seguro.

Ya son cerca de las dos de la tarde. Ciro Frías y Luis Crespo salieron de exploración desde por la mañana y todavía no han regresado. Fidel está impaciente. Se mueve inquieto. Intuye el peligro. Libera al campesino y luego sube con el resto de la tropa hasta el alto. Abajo, en el campamento, quedan Almeida y Julio Zenón Acosta en espera del regreso de los dos que faltan. En el alto, los combatientes ocupan las posiciones indicadas por Fidel. El jefe guerrillero piensa invertir la sorpresa. Raúl sigue narrando:

Después de estar un rato conversando con Guevara y conmigo (ya había soltado al prisionero), F. [Fidel] manifestó por el interrogatorio que le había hecho al prisionero, su temor de que nos tendieran un cerco y recalcó la rara actitud de Eutimio. Estaba inquieto como si olfateara el peligro como un sabueso. Íbamos a partir a las 2 p.m. Mientras esperábamos a los dos compañeros que faltaban, a medida que pasaban los minutos iba aumentando la preocupación del jefe máximo del "26 de Julio" y a tal extremo que ordenó partir media hora antes y esperar en el firme de la loma. Y esto es precisamente lo que nos salvó. Mientras ascendíamos y caminamos un trecho por un trillo del firme y esperábamos, nos dio las 3 de la tarde cuando llegaron los 4 compañeros, los 2 que faltaban y los dos que los esperaban.

El Che relata lo siguiente en su diario:

El día pareció que no tendría de particular más que alguna exploración expoliativa, de las que iniciaron Ciro Frías y el guajiro Luis [Crespo] hizo una. Sin embargo, a eso de las 11 de la mañana, Labrada hizo prisionero a un tal [hay un espacio en blanco: se refiere al campesino Adrián Pérez Vargas] que resultó ser primo de Crescencio y dependiente de Celestino, el bodeguero de la leche; los informes de este hombre indicaron que 140 [guardias] estaban en casa de Celestino. Efectivamente, estaban en un alto pelado desde el que se les vio salir en formación. Mientras interrogábamos al prisionero, ocupamos la altura de la loma, esperando además el regreso de los dos compañeros y de Eutimio. La rara conducta de Eutimio se hacía más sospechosa al informar el prisionero que el mismo [Eutimio] había indicado que al día siguiente sería bombardeada la zona. A la 1:30 se resolvió dejar en la retaguardia a Almeida y Julio, y los demás subimos a un firme no muy distante para esperar los acontecimientos.

La llegada de Almeida, Ciro, Julio Zenón y Crespo provoca que la atención de la tropa guerrillera, emboscada convenientemente en el monte, se distraiga. Los que llegan informan que todo está tranquilo en la zona. Fidel comienza a hablar con Ciro Frías acerca de las conclusiones a que ha llegado respecto a Eutimio. En ese momento, Ciro Redondo pide silencio. Ha escuchado muy cerca el ruido de un palo partido por la pisada de una persona. Casi al mismo tiempo, Fajardo exclama:

—¡Es Eutimio!

Ha visto fugazmente al traidor, que cruza rápido entre la espesura. Viene sirviendo de práctico a la fuerza enemiga.

Los combatientes se incorporan, al tiempo que suena un disparo seguido de una descarga de armas automáticas. Es la tropa que viene a tender el cerco por el lado sureste, que se ha visto sorprendida por la presencia de la guerrilla en un lugar donde no esperaba encontrarla. El Che sigue narrando:

Al poco rato llegaron Ciro y el guajiro [Crespo]; no habían visto nada extraño.

Estábamos en esa conversación cuando Ciro Redondo creyó ver u oír algo, yo estaba más apartado y no presté

273

atención cuando sonó un disparo y luego una descarga; in-
mediatamente se llenó de descargas y explosiones provoca-
das por el ataque concentrado sobre el lugar donde habíamos
acampado anteriormente.

A pocos pasos de Fidel, Julio Zenón Acosta cae fulminado
por las primeras descargas. Para este campesino, fiel y valioso combatiente, ningún epitafio mejor que las siguientes palabras del Che:

> Fue mi primer alumno en la Sierra; estaba ha-
> ciendo esfuerzos por alfabetizarlo y en los lu-
> gares donde nos deteníamos le iba enseñando
> las primeras letras; estábamos en la etapa de
> identificar la A y la O, la E y la I. Con mucho
> empeño, sin considerar los años pasados sino
> lo que quedaba por hacer, Julio Zenón se ha-
> bía dado a la tarea de alfabetizarse. [...] Por-
> que Julio Zenón Acosta fue otra de las grandes
> ayudas de aquel momento y era el hombre in-
> cansable, conocedor de la zona, el que siem-
> pre ayudaba al compañero en desgracia o al
> compañero de la ciudad que todavía no tenía
> la suficiente fuerza para salir de un atolladero;
> era el que traía el agua de la lejana aguada, el
> que hacía el fuego rápido, el que encontraba la
> cuaba necesaria para encender fuego un día
> de lluvia; era, en fin, el hombre orquesta de
> aquellos tiempos. [...] El guajiro inculto, el
> guajiro analfabeto que había sabido compren-
> der las tareas enormes que tendría la Revolu-
> ción después del triunfo y que se estaba
> preparando desde las primeras letras para ello,
> no podría acabar su labor.

La maniobra prevista, que podía haber puesto en grave
peligro la supervivencia de la guerrilla, fracasa gracias, una
vez más, a la previsión de Fidel. "Nacimos de nuevo", apunta

Raúl en una nota al margen en su diario de campaña al comienzo de ese día.

La mayoría de los combatientes rebeldes se retiran en dirección norte o noroeste, y se reúnen durante la retirada en tres grupos. Uno de estos, el menos numeroso, está compuesto por Luis Crespo, Juventino Alarcón, Enrique y Miguel Díaz y Pipo Cabrera. De ellos no volverá a saberse hasta una semana después.

Fidel sale acompañado por Raúl, Ciro Redondo, Manuel Fajardo, Efigenio Ameijeiras, Juan Francisco Echevarría y José Morán. Raúl apunta en su diario:

Nosotros tomamos por la inmensa ladera de la montaña, siempre a la derecha, rumbo noroeste en busca del "Lomón", montaña de la zona en cuya cima habíamos quedado de reunirnos en caso de dispersión. Durante dos horas sonaron tiros por todas partes, muchos de los cuales nos silbaron por el lado. Rompíamos los bejucos sin andar deteniéndonos en las zarzas que se nos clavaban en las carnes, de las manos sobre todo. Por fin llegamos a un potrero. Fajardo rompiendo delante, detrás yo y más atrás F. [Fidel], y así sucesivamente fuimos arrastrándonos por la yerba de paraná. Oíanse aún disparos cercanos, y mucho antes se oían muy opacos los disparos de ametralladora en el cañón del campamento que tan a tiempo abandonamos.

Han comenzado a bajar en dirección al arroyo de Limones y el río Macío, con la intención de cruzar al otro lado y enfrentarse a la fatigosa subida de El Lomón. Fidel está consciente de que Eutimio conoce ese punto de reunión, pero cuenta con que el resto de los combatientes seguirán disciplinadamente sus instrucciones y también acudirán allí. Prefiere correr el riesgo con tal de reunir de nuevo el destacamento, por tercera vez disperso.

El grupo más numeroso que se retira del alto de Espinosa está compuesto por Juan Almeida, quien toma el mando, el Che, Camilo Cienfuegos, Guillermo García, Ciro Frías, Julito

Díaz, Universo Sánchez, Beto Pesant, Yayo Reyes, Daniel Motolá, Emilio Escanelle y Emilio Labrada. El Che escribe en su diario:

El campo quedó vacío y yo me encontré solo entre una profusión de mochilas abandonadas. Yo corrí hasta la mía pero estaba desbaratada por mí para sacar la manta, en el tejemaneje de arreglarla a toda carrera dos balas de ametralladora o M-1 se clavaron a un par de metros [de] donde estaba, creí que me tiraban y salí zumbando, apenas con la manta que tenía sobre los hombros. Allí quedó, con los libros, medicinas, un rifle y todo lo mío. Cuando reaccioné y me di cuenta [de] que esas balas eran casuales, ya era tarde y mi vergüenza fue mayúscula. Cuando íbamos a retaguardia con Almeida un par de balas nos volvieron a dar de cerca. [...] Tomamos un camino oblicuo alejándonos del Lomón de Tatequieto, que era a donde nos debíamos encaminar en caso de dispersión, para después volver, cruzar el río y tomar la Maestra. La persecución estaba cercana. Se oían disparos aislados de M-1 que no se alejaban mucho de donde nosotros íbamos.

Los combatientes de este grupo siguen durante toda la tarde una dirección paralela a la de Fidel por dentro del monte, unos doscientos o trescientos metros más arriba en la misma ladera. Más o menos a idéntica hora que el otro grupo llegan al borde del potrero al que también arribó Fidel, pero deciden esperar la noche para cruzar el descampado. El Che sigue narrando:

Ya a las 5 y 15 llegamos a un lugar abrupto en que el monte se acababa. Tras algunas vacilaciones, decidimos esperarlos allí [a los guardias]. Si venían, abrirles fuego, si no, esperar la noche y seguir. Afortunadamente ya no aparecieron y pudimos seguir nuestra ruta con Ciro [Frías] de guía. Antes, Julio [Díaz] y Universo [Sánchez] habían propuesto una división en dos patrullas para acelerar la marcha y dejar menos rastros, pero nos opusimos para conservar la integridad del grupo. Bajamos por un arroyo hasta llegar al río

Limones y lo seguimos un poco; tomando luego un trillo que nos llevó a un monte escarpado y cerrado, allí hicimos noche.

Los que acompañan a Fidel, mientras tanto, han terminado de atravesar a rastras el potrero y han seguido avanzando. Pasan el arroyo de Limones y llegan al borde de otra alturita descampada sobre el río. Sigamos con palabras de Raúl:

Decidimos esperar la noche, por lo peligroso que era atravesar otro potrero que teníamos delante, y en una zanjita llena de matojos decidimos esperar la noche. Teníamos la esperanza de que lloviera como en días anteriores para escapar bajo la lluvia, pero el sol estaba más resplandeciente que nunca. Los minutos eran los más lentos que he vivido en mi vida. Aún se sentían los disparos que al parecer ellos hacían a los matojos y demás lugares que ellos suponían podíamos estar ocultos. Ya oscureciendo fue que empezó a llover muy tenuemente, cuando ya no hacía falta. Salimos y atravesamos el potrero, pensando que podían tener copados los trillos de los alrededores, pretendimos atravesar el río más arriba y después de avanzar varios metros en una hora, vimos que era imposible el empeño por encontrarnos tremendo farallón. Bajamos por fin por el trillo y en el río nos tomamos una botella de miel con agua y decidimos llenar la botella con agua para reserva, en la espera del "Lomón". Caminando llegamos a Arroyones, donde atravesando el río tuve la desgracia de caerme de cabeza en el mismo, empapándome completamente y sin tener más nada que ponerme, pues no pude recoger la mochila en el encuentro. Empezamos a subir, y después de haber roto con el pecho de Fajardo y algo con los nuestros una tupida manigua, llegamos a las 2 de la madrugada a las laderas boscosas del "Lomón".

A menos de cuatro kilómetros de distancia en línea recta, los guardias han seguido peinando furiosos los alrededores del alto de Espinosa durante toda la tarde. Casillas no puede explicarse

En primer plano: Paulino Fonseca Gutiérrez y Raúl; detrás: Julio Díaz González y Pedro Sotto Alba. Sierra Maestra, marzo de 1957.

El Che junto a Orlando Pupo. Finca de Epifanio Díaz, Sierra Maestra, 1957.

qué ha pasado, cómo es posible que su astuta encerrona no haya dado resultado. No sabe que, una vez más, la guerrilla ha sobrevivido gracias a la intuición y la astucia mayor de su jefe.

Domingo 10 de febrero

La noche del día 9, el grupo de Almeida cruza el arroyo de Limones. Los combatientes siguen caminando en dirección al norte y paran a dormir un rato en lo alto de la loma de Las Dos Hermanas. Al día siguiente reanudan la marcha. Al respecto, el Che apunta en su diario:

Día de quietud total. Labrada fue enviado a comunicarse con Fidel en el Lomón con el encargo de reunirse con nosotros en La Habanita trayendo órdenes. Por la noche hicimos una corta caminata desde las Dos Hermanas, donde estábamos, a La Habanita, donde dormimos.

Los combatientes del grupo de Fidel pasan la mañana en la falda nordeste del propio Lomón. Han alcanzado un pequeño rellano a poca distancia del firme. Raúl escribe:

Menos mal que Fajardo me prestó una toalla seca y una camisa, y con una frazada de Morán dormí con Ciro [Redondo], enjorquetado con un palo entre las piernas para no rodarnos para abajo, y a pesar de todo pudimos dormir a causa del inmenso cansancio que traíamos. Al levantarnos subimos más arriba, donde decidimos esperar hasta las 12 del día; allí, al lado del tronco de un árbol grande preparé con la pelusa que cuelga de los árboles [la guajaca] una buena cama para dormir. Ya no había dudas de la traición de Eutimio, y lo peor del caso [es] que él sabía que el punto de reunión era el "Lomón", y si estábamos allí corriendo el riesgo de otro encuentro o cuando menos con un bombardeo de la aviación, era por lealtad a los compañeros que probablemente y obedeciendo la consigna irían para allá.

Subiendo, llegamos a un llanito que hay antes de llegar a la cresta y donde hay sembrado un cafetalito. Paramos, mientras el gallego Morán y Chav. [Juan Francisco Echevarría] iban a explorar. Al rato regresaron y de una estancia que estaba en una falda a la izquierda del cafetal, trajeron una papaya, una mano de plátanos maduros y varias cañas. Magnífico desayuno. Decidimos dar el último empujón, y después de atravesar un trillo que atraviesa la loma por la mitad de la última parte, trillos que los hay en casi todas las montañas, llegamos a la cresta. Mientras descansaban los demás, me fui de exploración y encontré un magnífico lugar debajo de una inmensa roca cubierta de árboles, con un gran saliente de piedras, que nos protegería del agua, del frío y la aviación.

Nos fuimos para allí. Colocamos una posta por si llegaba alguien de nuestra gente. Ese día comimos un poquito de leche condensada y sardinas en pequeña proporción. El tema, como es natural, seguía siendo el caso de la traición de Eutimio. No llovió ese día, que teníamos techo y dormimos bien.

Ese mismo día, en La Habana, Herbert Matthews se reúne en la oficina del *Times*, en la calle Refugio, con Felipe y Javier Pazos. Ya la señora Phillips lo ha impuesto de la cuestión, y el veterano periodista se ha quedado estupefacto. Felipe Pazos pregunta diplomáticamente si el *Times* enviará un reportero más joven o si Matthews se siente en condiciones de subir a la Sierra. El periodista sonríe y afirma que irá él mismo.

Javier Pazos dice que comunicará la respuesta de Matthews a sus contactos. Faustino es puesto al tanto de la situación y se informa también a Celia en Manzanillo.

Lunes 11 de febrero

La noche ha sido tranquila para los combatientes acampados en la cima de El Lomón. Poco después del amanecer, Fidel envía a Morán y Echevarría a la casa de Raúl Barroso, en Tatequieto, al pie de la falda suroeste de El Lomón. Los dos combatientes suben al mediodía acompañados por el campesino. Barroso informa que en La Derecha de la Caridad de Mota, al noroeste de El Lomón, vive una familia amiga con la que se puede contar. Se ofrece a ir hasta allá e indica el mejor camino que pueden tomar los combatientes para llegar al lugar sin contratiempos.

Raúl narra en su diario:

Por la mañana me fui con Ciro R. [Redondo] a recorrer la explanada y después de no ver a nadie, recogimos 3 naranjas agrias y varios limones que llevados a la cueva sirvieron de desayuno. Tempranito salieron también Morán y Chav. [Juan Francisco Echevarría] para El Tranquilo [Tatequieto], a casa del señor de las 12 p. [se refiere a Raúl Barroso y a la oración "Las doce palabras" que el campesino le enseñó en su paso anterior por ese lugar]. [...] Antes de irse nos estuvo contando las noticias que había oído y son tan infantiles que solo traslucen las ganas de estos campesinos de que ganemos nosotros: Pues dicen, nos contaba atónito, que de 140 guardias que subieron solo bajaron 9. (??) Naturalmente que los demás se deben haber quedado arriba porque los agarró la noche, pero no muertos como suponen nuestros amigos.

Tomamos por el trillo indicado [por Barroso], que tenía muy poco uso, por no haber huellas y por las telas de araña que a nuestro paso encontramos, y llegamos a más de media tarde a un potrero donde teníamos que esperar. En el bosque tuvimos necesidad de saciar la sed con los bejucos de agua [bejuco de parra] que nos había enseñado el viejo Crescencio.

A la caída de la tarde llegan a su destino: la casa de los hermanos Dionisio y Juan Oliva. Por la noche, los campesinos traen viandas, carne de puerco y café.

Sigue narrando Raúl:

Por la tardecita los chiflidos de contraseña nos pusieron en contacto con los hermanos "Aceite" [Oliva], después de las palabras preliminares y de algunas aclaraciones. marchamos por el cañón de un débil arroyito de muchos matojales, y nos detuvimos en una casita de guano bastante destartalada y que ellos tenían abandonada; allí nos quedamos, a 80 metros estaban las casas de ellos. Nos trajeron viandas con carne de puerco y después del traguito de café nos acostamos a dormir. A la 1½ nos repartimos las postas.

Por su parte, los combatientes del grupo de Almeida pasan este día moviéndose por las inmediaciones de El Lomón. Emilio Labrada no ha regresado. Ahora son once los que se dirigen al encuentro con Fidel. El Che escribe:

El día lo pasamos a pocos pasos de donde habíamos dormido. Cometimos un error muy grosero caminando por el firme de la loma a plena luz del día y sin monte, pero afortunadamente no tuvo consecuencias. Encontramos un negrito amigo de Guillermo y nos dio de comer dos veces. No pudimos llegar al lugar en que habíamos hecho la cita con Labrada y cuando lo hicimos, por la noche, no estaba. Caminamos toda la primera parte de la noche hasta la 1 en que nos acostamos por no caminar a la luz de la luna. Ya al dormirnos estábamos a la vista del Lomón.

Martes 12 de febrero

Desde la posición que ocupa el grupo de Fidel se divisa perfectamente la cima de El Lomón. A media mañana, cinco aviones ametrallan el firme de aquella loma. A los combatientes les preocupa que algunos compañeros anden por esa zona. El grupo de Almeida, en efecto, ha llegado esa mañana a El Lomón. Veamos lo que narra y comenta el Che:

Al levantarnos y subir un cayo de monte nos encontramos con que no era firme como había asegurado Ciro [Frías], sino que por el contrario, había varios bohíos por las cercanías, sin embargo estaban abandonados y pudimos pasar la noche sin mayores contratiempos, a pesar de que un grupito en el que estaba yo, además de Motolá, Emilio [Escanelle] y Pesant nos perdimos durante media hora. Iniciamos la fatigosa subida del monte que cristalizó al mediodía, encontrando en la casa huellas de gente nuestra. Cerca de las 2 de la tarde llegamos a un claro en los firmes del monte que permitía ver abajo la casa de Raúl [Barroso]. Ciro y Emilio fueron hasta allí y al no encontrar a nadie fue a una casa cercana [la de Fengue Lebrigio, suegro de Raúl Barroso] donde algunos amigos nos dieron una frugal comida para todos y la noticia de que Fidel se encontraba con 7 hombres en la Derecha de la Caridad. Además se sabía ya que el chivato era Eutimio Guerra y no solo eso. Había sido el que ordenara el ataque contra nuestro puesto de cocina [en Caracas] creyendo que todo el campamento estaba allí. La historia empieza después de Palma Mocha cuando lo detuvieron en una [hay una palabra ilegible] cambiándole la vida, 10 mil pesos y el ser guardia, por la vida de Fidel [es decir, su vida, diez mil pesos y un cargo por la vida de Fidel]. Él entonces nos buscó, nos localizó y después se fue con el pretexto de la madre enferma. Después de conocida la inutilidad de la tentativa nos buscó hasta localizarnos en casa de Florentino [Enamorado] y avisó que íbamos para el lugar llamado el Burro; como cambiamos de itinerario tuvo que volver a salir con otro pretexto cualquiera, aprovechando las facilidades que tenía y ordenó el ataque que nos eliminaría, el que fracasó por la oportuna retirada ordenada por Fidel. Además se decía que Julio [Zenón] Acosta había muerto y un guardia también, además de varios heridos. Noticias sujetas a confirmación. En 55 minutos llegamos al lugar donde Fidel nos esperaba, encontrándonos con él, Raúl, Almejeira [Ameijeiras], Ciro [Redondo], Fajardo, Echevarría y el Gallego Morán que parecía curado de sus viejas dolencias. Por la noche fuimos a dormir a una de las casas del vecindario, integrado por familias unidas por parentesco todas ellas.

Se han reunido de nuevo dieciocho combatientes. Gran parte de la noche la invierten en comentar la traición de Eutimio. Raúl anota:

Ese día comimos viandas en abundancia y la carne de puerco que ya me estaba haciendo daño, máxime un verraco que era lo que nos estábamos comiendo. Por la noche, estando todos sentados al borde del bosque y comiendo a la luz de la luna, llegaron para sorpresa y alegría nuestra uno de los "Aceite" [uno de los hermanos Oliva] con 11 compañeros más. Después de los abrazos e interrogaciones, pidieron comida. Amenazaba llover y es terrible pasar una noche en un bosque bajo la lluvia. Decidimos bajar a la casa de un primo de los Aceite [los Oliva], que con su familia se fue para la casa del pariente de al lado, y allí pasamos la noche, con 2 postas situadas en lugares estratégicos. Antes habían matado otro puerquito y con viandas comimos todos.

Miércoles 13 de febrero

Las exigencias de las primeras semanas de campaña han impedido a Fidel dedicar atención al problema de organizar la reunión con los dirigentes del Movimiento, a pesar de su gran interés en ello y de que los jefes del llano están ansiosos por tener ese contacto para conocer la situación real y las necesidades más inmediatas. Hasta ese momento, el apoyo recibido del llano ha dependido en lo fundamental del ingente trabajo realizado por Celia Sánchez desde Manzanillo.

Al plantearse la subida de un periodista, tal parece que los proyectos de reunión quedarán aplazados momentáneamente. Si la reunión se efectuase primero, se correría el peligro de quemar la vía de acceso del periodista a la Sierra. Pero, en realidad, resulta imposible seguir dilatando el contacto. Fidel decide, por tanto, que las dos actividades se efectúen de manera simultánea.

El lugar escogido por Fidel para tal propósito es la finca de Epifanio Díaz, en Los Chorros, a pocos kilómetros al sur de Purial de Jibacoa. Situada casi en el llano, en las últimas estribaciones de la vertiente norte de la Sierra, la finca ofrece varias ventajas naturales: es lo suficientemente grande como para asegurar la permanencia de la guerrilla sin llamar la atención; está cubierta por potreros de hierba de guinea y cañadas boscosas que permiten el ocultamiento de la tropa, y tiene varios accesos relativamente fáciles para vehículos. Este hecho y el escaso relieve facilitan la llegada hasta allí de personas no habituadas a las marchas prolongadas por terrenos montañosos e intrincados.

El día 13, Juan Francisco Echevarría sale del campamento guerrillero en La Derecha de la Caridad con la misión de avisar al Movimiento en Manzanillo que la entrevista de prensa y la reunión del Movimiento tendrán lugar en la finca de Epifanio el 17 de febrero, en medio de todas las medidas de seguridad que sea posible ejecutar. El Che anota en su diario:

A media mañana llegó un suculento desayuno con puerco y viandas que nos descompuso el estómago más, pues el día anterior un macho lo había empezado a aflojar.

Ese día, ocurren dos hechos en el campamento de la guerrilla. Uno es la incorporación a la tropa de Luis Barreras, llamado el Maestro, hombre de antecedentes dudosos cuyo ingreso condicional acepta Fidel, entre otras razones, porque los campesinos amigos de la zona quieren librarse del personaje y porque Barreras puede delatar por imprudencia o interés la presencia de la guerrilla.

El otro incidente es el intento de deserción de José Morán, quien abandona el campamento sin autorización, poco después de la salida de Echevarría. Sin embargo, regresará dos días después y ofrecerá unas explicaciones poco convincentes. Quizás tratara de alcanzar al enlace para salir con él, y al no lograrlo no se atreviera a proseguir su huida solo.

Las notas del Che sobre estos dos hechos son interesantes:

El día estuvo caracterizado por dos sucesos: 1) La deserción del Gallego Morán. El mismo que se tragaba las lomas y los soldados, dejó su equipo y silenciosamente se marchó, aparentemente entre las huellas de Echevarría que había salido a pie para Manzanillo por la mañana. 2) La admisión de un nuevo miembro, maestro de profesión, que había peleado, según él, en el Moncada, es charlatán de siete suelas. El interrogatorio demostró que no había peleado nunca en el Moncada y su problema era una yunta de bueyes que se robó o que le dieron por robada en su tierra. Se le admitió para que se fuera de la zona, pues los vecinos sospechaban de él o mejor de su locuacidad pero se le previno sobre faltas a la disciplina. Se había decidido partir al atardecer pero, por fin, se decidió salir al día siguiente por la mañana.

Raúl observa ese día:

Volvimos al "campamento" del día anterior antes de que aclarara. Ya era pública la noticia de que el comandante Casillas había ofrecido 10 mil pesos por la confidencia que pudiera proporcionarle la cabeza de F. [Fidel] y que había ofrecido a sus superiores acabar con nosotros antes del día 15. Claro que estos cálculos estaban basados en la ayuda de la traición de Eutimio. Sabemos que después del fracasado complot del día 9, los guardias decían que cómo habíamos podido escapar si ya nos tenían copados y habían tomado todas las laderas, etc. Por la tarde vinieron las esposas e hijos de algunos campesinos que querían conocer a F. [Fidel]. Traían café endulzado con guarapo. [...] Hoy salió para O-M [Manzanillo] el compañero Chav. [Echevarría], volverá el 16 para la en-3-viu [entrevista] y nos veremos en el punto X [la finca de Epifanio Díaz]. También tuvimos un desertor: el gallego Morán. Se fue una hora después de Chav. [Echevarría], probablemente trataría de alcanzarlo, meterle algún cuento y tratar de salir con él. Desde hace días su conducta era rarísima y no en otra cosa podía terminar. Si lo agarramos, tendrá que vérselas con la pelona. Después de hablar con el Maestro y discutirse su caso, haciéndole las advertencias necesarias, se aceptó su ingreso, que le comuniqué yo, aunque le pedí que a pesar de todo lo pensara bien y me respondiera mañana.

Jueves 14 de febrero

Raúl comienza así sus anotaciones de esta jornada:

Hoy es el día de los enamorados y con todos estos sacrificios le estamos haciendo todos los días el mejor regalo a nuestra amada Cuba. A las 8 y 10 de la mañana, después de un buen desayuno de viandas y de que un campesino gordito y de ojos oblicuos, que el día anterior mirando un rifle Johnson exclamó muy graciosamente: "¡Ah cará, y este está preñado!", vino corriendo para pedir permiso, pues su mujer se había quedado abajo en la estancia y quería subir a conocer a F. [Fidel]; accedimos y al rato se aparecía su compañera a conocer a nuestro jefe. Nos despedimos con abrazos de aquellas buenas gentes, y partimos loma arriba en busca del firme.

La columna guerrillera emprende la marcha por la mañana. Fidel quiere acercarse a una jornada de camino de la finca de Epifanio Díaz, para asegurar su llegada a ese punto el día 16. Dionisio Oliva les sirve de práctico. Raúl asienta en el diario:

Eran las 10 y 30 cuando un tiroteo que no lucía muy distante nos detuvo a observar. Al parecer era por el alto de Piñonal [a unos cuatro kilómetros al este]; sonaban muchas ametralladoras y los disparos de morteros duraban toda la tarde. Desechamos el firme por oír demasiado cerca una ametralladora y seguimos caminando por la ladera izquierda. En uno de cuyos lugares, por donde iban las señas características de Crescencio, aparecieron al lado de unas sobras de bagazo y cáscaras de caña, la frazada y unos botines de marinero de Ramirito, probablemente los abandonaría por excesivo peso. [...] A las 4 p.m. nos sorprendió un aguacero torrencial, lo pasamos en un cañón que al poco rato empezó a correr algo y se convirtió en un arroyito. Esperamos pacientemente durante una hora, medio mojándonos, a que escampara la lluvia y después quedaría el goteo de las gotas de los árboles.

El práctico que los acompaña se ha adelantado hasta la casa de Diógenes Suárez, conocido por Prieto. Regresa después del aguacero y los encamina allí. Sigue narrando Raúl:

Mandamos a Aceite [Dionisio Oliva], que nos había servido de guía, y fue a ver a unos amigos que estaban cerca en el lugar de Cayo Smith [Cayo Probado], quien regresó después del aguacero y nos encaminamos dando resbalones hacia la casa que estaba bastante cerca. Hicimos un alto para oír el noticiero de la CMQ. Entre otras cosas, se oyó que el jefe de la Policía ofrecía 5 mil pesos de recompensa al que denunciara a algún terrorista. Eso solo quiere decir que las bombas deben de estar en La Habana como los tiros en la Sierra. A un lado dejamos a San Lorenzo y a otro las cabezas de la C. de M. [se refiere a las cabezadas del río Mota, en la Caridad de Mota]. Ya oscureciendo se sintieron 5 ó 6 morterazos más. Llegamos al bohío, donde ya nos tenían servido un soberano ajiaco, con repetición, raspita y todo. Después de tomar abundante café con guarapo y de conversar un largo rato, dormimos aquí mismo, previa posta cubriendo el único caminito que, desviándose del real, llega a la casa. La señora de aquí es hermana de aquellos que en X [se refiere a los Hernández de la Caridad de Mota] nos prepararon un fricasé de guanajo muy sabroso, y su padre le mandó a decir que si algún día pasábamos por aquí nos atendiera bien, y sus deseos estaban siendo de sobra satisfechos.

A continuación, el relato completo del Che de esta jornada:

Temprano, luego de un suculento desayuno, partimos lenta-
mente en dirección a La Habanita, casa de Domingo Torres,
pariente de Crescencio y amigo de Eutimio. Queríamos en-
terar a la gente de la actitud de este y calar a Domingo
Torres. Cuando llegamos a un claro, cerca del lugar, empe-
zaron los disparos de ametralladora y explosivos, alternan-
do con disparos aislados de fusil. El tiroteo duró media hora
sumiéndonos en la perplejidad de cuál sería su origen. La
zona era aproximadamente la de Piñonal cerca de La Haba-
nita. Seguimos camino y encontramos una frazada, una
Selecciones y las botas que parecían ser de Ramirito Valdés.
Lo que era indiscutible era que gente nuestra había pasado
por allí. Al llegar a la cañada de un arroyo seco, el guía fue
a investigar a ver si localizaba a unos amigos que vivían en
las cercanías, en el lugar llamado Cayo Probado. Poco
después de salir, se desató un aguacero torrencial que em-
papó a casi todos, dado el poco equipo impermeable que
llevábamos. Después de una hora de lluvia llegó el guía
Dionisio [Oliva] con la noticia agradable de que la casa
estaba cerca y ya había ordenado comida. Llegamos en un
rato y allí comimos y dormimos. El dueño Diógenes Suárez
nos informó que 15 hombres nuestros habían estado en casa
de Domingo, partiendo hace tres días con rumbo desconoci-
cido y que tiroteos como el oído solo se había producido
uno, el 9 de febrero. Parecía claro que se trataba de una
emboscada tendida con engaños de Eutimio a gente nues-
tra, pero ¿qué gente?, Crescencio, los faltantes de la última
dispersión [se refiere al grupo de Crespo], la gente de
Manzanillo o de La Habana.

En la mañana de ese mismo día, Quique Escalona localiza a
Frank País en Santiago de Cuba, y le informa las instrucciones
de Fidel en el sentido de que la dirección del Movimiento en
Santiago se traslade a Manzanillo para subir a la Sierra a sostener una reunión. Nardi Iglesias sigue en avión para La Habana

De izquierda a derecha: el Che, Ramiro Reitor, Ramiro Valdés, Isler Leiva, Ciro Redondo y, sentado, Eddy Reitor. Sierra Maestra, 1957.

a fin de comunicar a Faustino Pérez que debe estar en Manzanillo con el periodista lo antes posible, a más tardar en la noche del día 16.

Ese día también llega René Rodríguez a Santiago. Frank le informa de las nuevas orientaciones, y René sigue viaje a Manzanillo. Frank convoca rápidamente a Armando Hart, Haydée Santamaría y Vilma Espín. Les da a conocer las instrucciones recibidas y se decide el traslado inmediato a Manzanillo por carretera.

Faustino, por su parte, al recibir por Nardi Iglesias la confirmación de que la reunión va a tener efecto y que la subida del periodista está autorizada, avisa a Javier Pazos y comienza a ultimar los preparativos para el viaje.

Viernes 15 de febrero

Antes de la salida del sol, los combatientes se trasladan de la casa de Prieto para un cafetal cercano. El día se desenvuelve sin incidentes notables. Raúl narra:

Desayunamos un guisado de carne de puerco con un gallo y yucas. Subimos después al firme, posición estratégica. Nos despedimos de O. Aceite [Oliva], que tan útil nos ha sido. Pensamos pasar el día aquí y caminar por la noche hasta el punto X [la finca de Epifanio Díaz] de la en-3-viu [entrevista]. Nos llegaron informes que el tiroteo de ayer no fue ningún encuentro, sino que al parecer están peinando una zona para después meter la infantería. Como a las 11 y 30 empezó a oírse de nuevo el retumbar de los morterazos por la misma zona de ayer: Piñonales [Piñonal]. F. [Fidel] se ha dispuesto por fin a escribir el esperado Manifiesto. El sol está débil, probablemente nos caerá hoy otro aguacero.

No tardaron mucho en comenzar los morterazos por las zonas aledañas, algunos retumbaban muy cerca de nosotros. Al parecer usan varios morteros al mismo tiempo, pues

se sienten explosiones cercanas y lejanas. Desde una de nues-
tras postas se veía descender por el trillo de una loma a
once familias que huían del bombardeo; al pasar cerca de
esta sin que la vieran, iban hablando: "Dios mío, no van a
dejar un solo ruchín (jutía) ni nuestras cosechas podremos
recogerlas, van a acabar con todos nosotros".

Mientras duraba el bombardeo, ya algo acostumbra-
do a ello, me leí [en] una Selecciones *del año pasado el*
relato de Thenzind, el sherpa que en compañía de un in-
glés escaló el monte Everest. Después pensé que sumando
los metros de montaña subidos por nosotros, ¿cuántos
Everest habremos escalado?

Respecto a la actividad del enemigo y a otra novedad ocurrida
ese día, el Che comenta:

Ahora parece que todo el ruido fue una simple práctica de
la gente de Piñonal, al menos así lo dice el dueño de casa
[Prieto] que fue a averiguar en las cercanías del hecho. Se
oyeron durante toda la tarde disparos intermitentes de mor-
tero que según parecía tenían varios rumbos, pero la versión
más generalizada es que tiraban a la loma de las Dos Her-
manas, por donde habíamos pasado hace varios días. A la
hora de comer un riquísimo chilindrón de chivo tuvimos
una visita inesperada: el Gallego [Morán] con uno de sus
cuentos; al ir a cagar había visto a Eutimio cerca del campa-
mento y lo siguió durante todo el día, hasta que se le perdió
y no pudo llegar al campamento ese día. La verdad es que
Dionisio Oliva, que trajo al Gallego, dijo que Eutimio había
estado por la casa de él, pero al día siguiente de lo que el
Gallego dijera. En ese momento Dionisio estaba con noso-
tros, de modo que no pudo traerlo pues el imbécil [Eutimio]
sigue empecinado en creer que nosotros no sospechamos de
él. A Juan, hermano de Dionisio, le previno que efectivamen-
te estaba con los guardias y tiene el plan de matar a Fidel de
un tiro y abrirse paso con las granadas que lleva. El Galle-
go, que estaba en casa de Juan, quiso ir a matarlo pero este

se opuso, según la versión del mismo Morán, para no escandalizar al barrio. La verdad de la actitud del Gallego es muy difícil saberla, pero para mí se trata simplemente de una deserción frustrada al no encontrar a Echevarría, a quien presumiblemente pensaba utilizar de guía.

Ese mismo día René Rodríguez llega a Manzanillo procedente de Santiago, y hace contacto con Celia en la casa de René Vallejo. De allí es trasladado a la de Pedro Eduardo Saumell en espera de los demás compañeros que irán llegando de Santiago de Cuba y La Habana.

Antes de salir de Santiago, Frank le pide a Arturo Duque de Estrada que compre unos cuantos rollos fotográficos y un ejemplar del último número de la revista norteamericana *Times*. Ya Frank sabe por Celia que la reunión para la que han sido citados se efectuará simultáneamente con la entrevista y esta la realizará un periodista estadounidense de mucha fama. Por eso llevará una cámara y el ejemplar del *Times,* para que aparezca en alguna foto como forma de corroborar la fecha en que se toma.

Los santiagueros llegan sin novedad a Manzanillo en la tarde del día 15. Celia los recibe en casa de Pedro Eduardo Saumell, y al atardecer sale con Frank y Felipe Guerra Matos hacia la finca de Epifanio. Hart, Haydée y Vilma se distribuyen para pasar la noche entre la casa de Saumell y la de Manolín Arca.

Mientras tanto, en La Habana, Javier Pazos se comunica telefónicamente con Matthews en la oficina del *Times* a las cinco y media de la tarde del día 15, y le dice que esté listo en una hora para partir hacia la Sierra. A las diez de la noche, Javier Pazos recoge en el hotel al matrimonio norteamericano. En el automóvil, un Plymouth último modelo, está esperando Faustino. Va manejando Lilliam Mesa, la dueña del carro.

Esa misma noche, en Cayo Probado, la columna guerrillera se dispone a emprender la marcha al encuentro del periodista y los compañeros del Movimiento.

Raúl apunta en el diario:

Oscureciendo, nos acercamos al arroyo, donde nos llevaron un chilindrón de chivo picantico y abundante. Más tarde acompañé a F. [Fidel], que con su escolta y el Che iban a ver a un niño de la casa que estaba enfermo. Un rato más tarde empezó a lloviznar y como ya estaba oscuro se ordenó que subieran el resto de los muchachos. Nos dieron abundante café y partimos preparados ya para la larga jornada de veintipico de kilómetros de esta noche. Nos sentíamos como robles después de haber recuperado las fuerzas con tres o cuatro buenas comidas.

Como a la hora de haber salido de la casa de Prieto, los combatientes alcanzan el firme de la Maestra en La Habanita. Poco después de la medianoche, la columna reemprende la marcha. Raúl escribe al final de los apuntes de ese día:

Antes de medianoche pasamos por una bodega abandonada, pues estaba en una de las zonas desalojadas, propiedad de un amigo, el que después de llamársele reiteradas veces nos vimos obligados a forzar la puerta de atrás y proveernos de alguna latería. La luna llena, el cielo despejado y adornado de estrellas y la majestuosidad de la Sierra Maestra, le daban al viaje un aspecto de alegre excursión. La mayoría del camino la hicimos por el camino real, tomando todas las precauciones. Llegamos a la parte de la Sierra donde se dividen las aguas. Desgraciadamente para nuestras operaciones, en esta parte de la Sierra solo hay algunos cayos de monte, lo demás son potreros y algunos cafetales.

La descripción del Che es como sigue:

Al anochecer salimos de la hospitalaria casa del Prieto tomando rumbo a la de Epifanio [Díaz]. En el camino –camino real directamente– topamos con la bodega de Domingo Guerra [Torres] y como no había nadie la tomamos por asalto encontrándonos con un verdadero paraíso de latas. Comimos prácticamente a discreción y luego de dejar el rastro en sentido contrario, continuamos nuestra marcha guiados por Ciro Frías. A las 3 pasamos por un caserío llamado El Jíbaro y poco después llegamos a un cayo de monte que pertenecía al viejo Epifanio junto a un arroyo. Allí acampamos y yo, entre otras cosas, me comí dos latas de sardinas de las grandes, las que me cayeron bastante mal. Dormimos pocas horas, a las 4 y 30 nos acostamos.

Sábado 16 de febrero

La caminata nocturna de la columna guerrillera es larga, pero no resulta fatigosa. A las cuatro de la mañana llegan finalmente a las tierras de Epifanio Díaz. Raúl relata:

Nos agarra la madrugada del nuevo día aún en nuestra jornada. Ya hemos desechado el camino real y andábamos bordeando potreros cómodos de transitar, a pesar de las abundantes lluvias de estos días. Solo hay fango en los lugares donde se estanca el agua y el sol no llega por alguna arboleda. [...] Por fin, como a las 4 de la madrugada, estábamos en el potrero de la finca que era nuestra meta.

Después de una bajada difícil llegamos a un arroyito, a cuya margen pernoctamos lo que quedaba de noche. Algunos se lavaron los pies para refrescar el ardor que a veces se siente después de las largas caminatas. Yo, sin fuerzas para quitarme las botas ni los botines de marinero que desde el ataque a La Plata traigo, preferí dormir con los pies ardiendo y con las botas puestas.

Los combatientes se ponen en marcha nuevamente alrededor de las seis. Fidel ordena detenerse en un pequeño bosquecito, y manda a Ciro Frías a que se adelante hasta la casa de Epifanio para conocer con la familia la situación y ver si ya han llegado los compañeros que se esperan de Manzanillo.

Ciro apenas ha salido cuando tropieza con el grupo donde vienen Celia, Frank y sus acompañantes. A los pocos minutos está de regreso en el improvisado campamento con todos ellos. Fidel no conoce personalmente a Celia, y no ve a Frank desde el viaje de este en octubre de 1956 a México.

Al fin Fidel conoce a la mujer que, desde Manzanillo, en medio de la más estrecha vigilancia y la más brutal represión, ha cumplido cabalmente la tarea de garantizar la retaguardia de la guerrilla, la *Norma*, ya casi legendaria, cuya eficaz actividad preparatoria garantizó la supervivencia del núcleo guerrillero y mantuvo abiertos los enlaces, envió pertrechos y los primeros refuerzos en hombres y armas, y suministró informaciones esenciales.

He aquí la narración del Che sobre el encuentro:

Nos colocamos en un cayito de monte a la orilla de la finca de Epifanio y mandamos a Ciro a buscar noticias, pero inmediatamente volvió con buenas nuevas: allí con él venían: Luis Crespo, Juventino [Alarcón], los hijos de Epifanio y el primo de Ciro. Juventino tenía una leve herida en un dedo provocada por el rozón de una bala de fusil; de Manzanillo y Santiago estaban Frank y Celia Sánchez. Fuimos al campamento de ellos, distante del nuestro unos metros y se procedió al reparto de golosinas, lo que provocó, naturalmente, una serie de indigestiones.

Celia le informa a Fidel que a más tardar al día siguiente llegará Herbert Matthews, y que ya están concentrados en Manzanillo casi todos los miembros de la dirección del Movimiento. Discuten ampliamente las medidas que hay que tomar para hacer llegar lo antes posible a la Sierra el refuerzo de combatientes y armas que ya Frank prepara en Santiago. Acuerdan irlos concentrando poco a poco en casas dispersas en Manzanillo. Celia queda encargada de organizar el recibimiento, ocultamiento y envío ulterior del contingente y las armas.

Fidel les narra todas las incidencias del destacamento guerrillero desde el desembarco y la dispersión de Alegría de Pío. Comenta la situación creada con motivo de la traición de Eutimio Guerra. Celia y Frank aportan las pruebas que han obtenido de la traición gracias a informantes y colaboradores del Movimiento. Dice Raúl:

Abrazos apretados, alegría colectiva. Después de los primeros cuentos de ambas partes, acordamos trasladarnos para el campamentico cercano que tenían ellos por estar en mejor situación que este, e inmediatamente recogimos y nos marchamos. Pasamos un día muy contentos comiendo infinidad de golosinas que nos habían traído y sobre todo por tener entre nosotros, aunque sea por breve tiempo, aquellos queridos compañeros que, con los demás que vendrían esa noche, constituyen en una gran parte la flor y nata del "26 de Julio".

Fidel decide quedarse allí para esperar al resto de los compañeros y al periodista. Este último y sus acompañantes han llegado alrededor de las dos de la tarde a Manzanillo, a la casa de Pedro Eduardo Saumell, que es el punto de contacto previamente acordado.

Después que Matthews y su esposa quedan instalados, Guerra Matos parte en su segundo viaje hacia la finca de Epifanio. Lleva en esta ocasión a Hart, Haydée, Vilma y Faustino. Frank ya había propuesto la noche anterior que Vilma los acompañara a pesar de que en ese momento no forma parte todavía de la dirección del Movimiento. Su participación destacada en la lucha clandestina en Santiago, en particular con motivo del 30 de noviembre de 1956, y su posible utilidad como intérprete de inglés para la entrevista, deciden a Frank.

Raúl describe este segundo encuentro en su diario:

Por la noche nos trajeron alguna comida cocinada, pero no teníamos mucho apetito por las golosinas que comimos durante el día, casi sin restricción. Se conversaba animadamente, aunque con la garganta en voz baja como hacemos los guerrilleros. No recuerdo qué hora era cuando a la alegría anterior había que agregarle ahora la llegada del "Médico" [Faustino Pérez], de Jacinto [Armando Hart], la Pelusa [Haydée Santamaría], estaban además algunos

amigos encargados de traerlos, etc. Alborozados nos abrá-
zamos todos y empezó en diferentes grupos una animada
conversación. También había venido V-A Espina [Vilma
Espín], la simpática santiaguera que tan útil había sido a
su Movimiento: "26 de Julio".

Los recién llegados conversan con Fidel, Raúl y los otros compañeros. A algunos no los ven desde los meses del exilio en
México. A otros los conocen en ese momento.

—Estamos en óptimas condiciones y las perspectivas son
inmejorables –escucha Haydée decir a Fidel con la mayor confianza–. Solo necesitamos unos cuantos miles de balas y algunos hombres más armados, y Batista estará perdido.

Sobre la llegada del segundo grupo que viene desde Manzanillo, el Che escribe:

Al atardecer llegaron la hermana de Frank, Vilma [Espín],
con Haydée Santamaría y su marido Armando Hart. [...]
Había sin embargo un documento firmado por el 26 de Julio
en el que se planteaba una serie de decretos revolucionarios
bastante avanzados, aunque algunos tan líricos como el
anuncio de que no se establecerán relaciones diplomáticas
con las dictaduras americanas. Se anunció que por la no-
che vendría un corresponsal del New York Times *a entrevis-*
tarse con él [Fidel] y entonces salimos los miembros de su
escuadra; las visitas, entre las que se encuentra Faustino, a
dormir a un ranchito para esperarlo, pero el guajiro Luis
[Crespo], encargado de llevarnos, se perdió y después dando
vueltas dormimos en forma muy incómoda en el monte. Mi
aparato de vaporizaciones está roto, pero Haydée Santa-
maría padece de asma y me ha prometido el de ella.

Entretanto, Guerra Matos ha regresado a toda prisa a Manzanillo. Aproximadamente a las siete de la noche recoge a
Matthews, René Rodríguez y Javier Pazos. En el vehículo van
también Quique Escalona y Nardi Iglesias. La esposa del periodista se queda en casa de Saumell.

En Yara los detiene una patrulla, pero la historia que han preparado convence a los soldados: Matthews es un norteamericano rico interesado en comprar la arrocera de Gómez. Pasan por Estrada Palma, Caney y Cayo Espino. Al fin, alrededor de las doce de la noche llegan al punto donde deben comenzar a caminar.

Domingo 17 de febrero

Fidel y sus acompañantes se ponen en marcha antes del amanecer. Es preciso abandonar aquel descampado antes que se haga de día. Al poco rato de caminar se encuentran con Ciro Frías, que había salido a buscarlos. El periodista ha llegado al campamento hace algo más de una hora.

Poco después de la salida del sol llega Fidel al campamento. Ha dado instrucciones a sus acompañantes de adoptar aire marcial. Entra primero Raúl y saluda al norteamericano. A los pocos minutos aparece Fidel. Vilma y Javier Pazos sirven de intérpretes en la conversación, que se desarrolla bajo un ranchito de yaguas. Ha comenzado la histórica entrevista. Veamos el relato de Raúl:

Nos levantamos antes que saliera el sol, ya que por colinas no muy lejanas aseguraban que había militares acampados y no tardamos en dar con el campamento ya que Frías nos había salido a buscar, pues desde las 12 de la noche del día anterior estaban en el campamento el periodista americano del "New York Times", Mr. [hay un espacio en blanco: se refiere a Herbert Matthews], que con el Flaco [René Rodríguez] y Javier P. [Pazos] habían venido de La Habana; también algunos compañeros de O-M [Manzanillo]. Llegamos allí y abracé al "Flaco", que en realidad había cumplido lo que ofrecía, le di la mano al periodista y recordando mi rudimentario inglés escolar le dije: "¿How are you?". No entendí lo que me contestó y seguidamente llegó F. [Fidel], quien después de saludarlo, se sentó con él en la

300

chabola y empezó la entrevista periodística, que seguramente se constituirá en un "palo". Espinita [Vilma Espín] estaba presente por si fueran necesarios sus conocimientos del inglés, aunque el periodista dominaba al parecer el español.

Mientras ellos seguían en la entrevista, el oficial de guardia, Almeida, triplicó la vigilancia, tomando todas las medidas de seguridad que estuvieron a nuestro alcance dentro de aquel cayito de manigua, que más bien era una ratonera. Desgraciadamente esta es una zona completamente desmontada y fue un atrevimiento nuestro separarnos tanto de nuestros queridos bosques. Si aquí nos sorprendieran por efectos de un chivatazo, el 26 de Julio sufriría un colapso, pues por muy bien que saliéramos, corríamos el riesgo de perder alguna de nuestras valiosas cabezas. Nos tomaron algunas fotografías, estuve hablando un rato con el Flaco sobre las gestiones que hizo, y después de tomarle unas fotos a F. [Fidel] y al periodista, se fue con este y Javier.

Fidel relata a Matthews las peripecias de la guerrilla desde el desembarco cerca de la playa de Las Coloradas el 2 de diciembre.

—Ya llevamos setenta y nueve días de lucha –dice Fidel– y somos más fuertes que nunca. Los soldados están peleando mal. Su moral es baja y la nuestra no puede estar más alta. Hemos matado muchos, pero cuando les hacemos prisioneros nunca los fusilamos. Los interrogamos, los tratamos bien, nos quedamos con sus armas y equipos y los dejamos en libertad.

Y más adelante agrega:

—El pueblo cubano escucha por la radio todo lo relacionado con Argelia, pero no oye ni lee una sola palabra acerca de nosotros, gracias a la censura. Usted será el primero en hablarle de nosotros. Tenemos seguidores en toda la isla. Los mejores elementos, especialmente los jóvenes, están con nosotros. El pueblo cubano es capaz de soportar cualquier cosa menos la opresión.

De izquierda a derecha, en primera fila: Ciro Frías, Ciro Redondo y Juventino Alarcón; en la segunda fila: Manuel Fajardo, Juan Almeida y Universo Sánchez (agachado); tercera fila: Fidel y Celia Sánchez; cuarta fila: Camilo Cienfuegos y Raúl; última fila: Efigenio Ameijeiras y un combatiente no identificado. Sierra Maestra, primeros meses de 1957.

De izquierda a derecha: Raúl, Vilma Espín, Fidel, Armando Hart y Universo Sánchez; debajo: Haydée Santamaría y Faustino Pérez. Finca de Epifanio Díaz, Sierra Maestra, 18 de febrero de 1957. Foto tomada durante la visita que realizó la Dirección Nacional del M-26-7.

Fidel señala al periodista que la dictadura está utilizando contra el pueblo armas suministradas por los Estados Unidos, y añade:

—Batista tiene tres mil hombres sobre las armas contra nosotros. Yo no le diré cuántos somos, por razones obvias. El ejército opera en columnas de doscientos hombres. Nosotros en grupos de diez a cuarenta. Es una batalla contra el tiempo, y el tiempo está a nuestro favor.

El Che incluye la siguiente anotación en su diario:

Pasamos otro día en el mismo lugar, discutiendo planes de operaciones entre la gente alta del Movimiento. El periodista del New York Times *vino, teniendo como traductor a un hijo de Felipe Pazos, el famoso economista. No presencié la entrevista pero según los cuentos de Fidel el hombre se mostró amigable y no hizo preguntas capciosas. Hizo a Fidel la pregunta de si era antimperialista, contestando él que sí lo era, en el sentido de ambicionar despojar a su patria de las cadenas económicas, pero no en el odio a los Estados Unidos o su pueblo. Fidel se le quejó de la ayuda militar prestada a Batista, haciéndole ver lo ridículo que era pretender que esas armas eran para la defensa del continente cuando no podían acabar con un grupo de rebeldes en la Sierra Maestra.*

La conversación dura casi tres horas. El periodista toma abundantes notas en una pequeña libreta negra, mientras René Rodríguez tira algunas fotos con una cámara que ha traído de Manzanillo. Una de estas fotos, la de Matthews con Fidel, se hará pronto famosa en el mundo entero.

Raúl se acerca con Luis Crespo, sudoroso, y lo conduce a donde habla Matthews con Fidel. Dirigiéndose a este último, le informa:

—Comandante, ha llegado el enlace de la columna No. 2.

—Espere a que yo termine –contesta Fidel.

Se trata de impresionar a Matthews acerca de la cantidad total de tropas guerrilleras, sin decirle abiertamente una mentira.

Al final, el periodista cree haber contado unos cuarenta combatientes donde en realidad no hay más que veinte, y sale convencido de que el grupo que ha visto es parte de una tropa mucho mayor.

La entrevista termina poco antes de las once de la mañana. Matthews y Fidel se despiden cordialmente. El jefe guerrillero firma una página de la libreta de notas del periodista y pone la fecha.

Matthews emprende el regreso acompañado por René Rodríguez, Guerra Matos y Javier Pazos. Llegan a casa de Saumell alrededor de las cinco de la tarde. Casi inmediatamente, Matthews sale con su esposa y Javier Pazos hacia Santiago de Cuba. Esa misma noche toman el vuelo hacia La Habana, y el día 19 los norteamericanos viajan por vía aérea a Nueva York.

En el campamento guerrillero en la finca de Epifanio Díaz, mientras tanto, la actividad prosigue. Inmediatamente después de la partida del periodista, Fidel se reúne con los dirigentes del Movimiento que han subido hasta allí con ese fin.

Al respecto, Raúl anota:

Entre el Médico [Faustino Pérez], Jacinto [Armando Hart], Salvador [Frank País], F. [Fidel] y yo tuvimos una entrevista, donde el primero informó sobre sus actividades después de separarse de nosotros y expuso algunos planes de futuro inmediato que traían. En rasgos generales se trazaron los planes de las próximas campañas y se acordaron los trabajos a realizar en las distintas partes de la isla. Un breve paréntesis para un ligero refrigerio para continuar después.

Se ratifican las cuestiones discutidas el día anterior por Fidel, Frank y Celia, en lo que se refiere a los preparativos para el envío del contingente armado que Frank está reuniendo en Santiago de Cuba, y a las medidas que Celia debe tomar en Manzanillo para garantizar el recibimiento y ocultamiento de esos hombres.

Faustino informa lo que ha realizado en La Habana desde su bajada al llano el 23 de diciembre. Fidel insiste en que el

Movimiento en el llano debe priorizar el apoyo a la lucha guerrillera en la Sierra. Se discuten las diversas medidas que deben
tomarse para garantizar el mejor apoyo a la guerrilla. Se acuerda la redacción de un manifiesto al pueblo de Cuba que los
dirigentes del llano llevarán consigo cuando bajen, para su pu-
blicación.

La reunión ha durado casi cuatro horas. Aproximadamente
a las tres de la tarde irrumpe corriendo en el campamento Reynerio Márquez, el pariente de Epifanio. El muchacho viene casi
sin aliento, y al principio no se entiende lo que dice:

—¡El bicho! ¡El bicho! ¡Ahí está el bicho! –logra balbucear
finalmente.

—¿Qué bicho? –pregunta extrañado Fidel.

—¡Eutimio! ¡Ahí está!

Miguel Díaz y Reynerio caminaban hacia la casa de Epifanio,
a poco más de un kilómetro del campamento guerrillero, cuando Eutimio les salió al paso. Miguel está en antecedentes, pero
logra ocultar su sorpresa y su inquietud. El campesino no sabe
si el traidor ha llegado solo o con los guardias.

—Eutimio, viejo –le dice mientras lo abraza–, no se sabe lo
preocupado que está Fidel por ti. Te hacíamos muerto. Ven
para acá, para la casa, a tomar café.

Miguel quiere ganar tiempo, para poder mandar el aviso
a Fidel y tratar de determinar si Eutimio viene solo.

—Oye –pregunta el traidor–, ¿ya Fidel está aquí?

—No, todavía no ha llegado –le contesta astutamente el
campesino–. Pero me dijo Ciro que llega esta noche o mañana.

Entran en la casa de Epifanio. En la primera oportunidad
que se le presenta, Miguel le dice a Reynerio:

—Ve volando al campamento y dile a Fidel que Eutimio
está aquí, y que ahorita vamos para allá.

Raúl narra lo siguiente:

*Todo el mundo se levantó y F. [Fidel] tomó las disposicio-
nes necesarias para capturarlo. Una vez más F. [Fidel] acer-
taba contra la opinión de todos. Previendo que Eutimio, en
su afán de dar con nosotros, recorrería todos los lugares*

conocidos, calculó que también vendría por aquí, y tal como lo predijo, así sucedió; no solo que vendría, sino que vendría como en los casos anteriores, haciéndose pasar por amigo.

Fidel ordena a Almeida que se aposte en el camino con un grupo de combatientes para capturar al traidor; de ellos, solo Ciro Frías permanece visible, como si estuviera de guardia.

Reynerio ha subido a una pequeña altura y al poco rato avisa que se acercan Eutimio y Miguel Díaz. El traidor viene receloso, caminando detrás y mirando para todas partes.

—Compadre, ¡qué alegría! –dice Ciro cuando llegan a su lado–. Creíamos que se lo habían comido las auras.

Ciro lo abraza y le sujeta fuertemente los brazos. Fajardo salta y le pega el cañón de la Thompson en el costado. Juventino lo registra y le saca la pistola y dos granadas que el traidor lleva ocultas.

—Pero, ¿qué pasa? –grita Eutimio nervioso–. ¿Se han vuelto locos?

Julito lo increpa para que se calle. Los guardias están muy cerca y hay que evitar gritos y disparos. En un bolsillo de la camisa del traidor descubren dos papeles. Eutimio se desploma.

—No lean eso, por su madre –pide lastimosamente–. Denme un tiro, pero no lean eso.

Son los salvoconductos de Casillas y del coronel Pedro Barreras, jefe de operaciones del ejército. Raúl escribe:

Le ataron las manos y lo condujeron al campamento. Llegó donde estábamos, con el terror reflejado en el rostro y los ojos desorbitados por el miedo fue presentado ante nosotros el traidor que por tres veces había conducido al adversario a nuestros campamentos y en dos oportunidades estuvieron a punto de destruirnos. Teníamos como plan darle a entender que le daríamos una oportunidad de vivir si accedía a servirnos a nosotros en la misma forma que había servido al gobierno; primero dijo que sí, aunque a intervalos repetía que lo mejor era que le dieran un tiro.

Fidel se lleva aparte al detenido y lo interroga extensamente. Quiere confirmar todos los detalles de la traición. A cada momento Eutimio pide que lo fusilen. Es un hombre desmoralizado. Fidel lo recrimina duramente.

Raúl observa:

Convencido Eutimio de que nada lo salvaría decidió encerrarse en una obstinada terquedad de solo pedir que le dieran un tiro. Algunos dijeron o lo interpretaron como valentía, otros como resignación. Yo creo que realmente estaba asqueado de sí mismo y [era] una manifestación de cobardía para salir pronto del trance, su insistencia en que lo fusilaran. Tal vez torturándolo nos hubiera dado más información, pero ni siquiera con un traidor tan miserable aplicamos nosotros esos métodos.

Ya era casi completamente oscuro, cuando irrumpió un violento aguacero con algunos rayos tronantes; varios compañeros se quedaron custodiando al traidor, mientras los demás corrimos a protegernos como pudimos de la lluvia.

Ciro Frías se acerca. Comienza a hablarle a Eutimio lentamente, con la voz firme, pero se adivina que contiene una fuerte emoción.

—Compadre, ¿cómo usted ha sido capaz de hacer lo que ha hecho? Usted, mi compadre. Yo le bauticé un hijo y usted bautizó uno de los míos. Yo era amigo de su casa, amigo de verdad, y usted de la mía. Yo hice siempre todo lo que pude por usted, por ayudarlo. Antonio era su amigo y siempre lo ayudó. Su familia no pasó hambre por Antonio y por mí, compadre. Usted, compadre, ha matado a Antonio. Usted ha quemado vivo a ese muchachito que nunca le había hecho nada, a ese niño que era mi arriero. Usted ha querido matarme a mí, compadre, a mí y a mis compañeros. Usted ha matado a Julio, y usted era amigo de su padre. ¿Cómo ha sido capaz? Usted no tiene perdón, mi compadre.

Ha caído la tarde. El cielo se cierra y comienzan a desprenderse rayos atronadores. Empieza a llover.

El Che narra el dramático momento:

Yo estaba en la guardia cuando me avisaron que redoblara la vigilancia pues Eutimio estaba en casa de Epifanio. Se le mandó a buscar con una patrulla mandada por Almeida y se le redujo sin mayores contratiempos, secuestrándole 3 granadas y una pistola 45. La patrulla estaba integrada por Julito [Díaz], Ciro [Frías], Cienfuegos y Almejeira [Ameijeiras]. Eutimio fue llevado a presencia de Fidel y allí le mostraron un salvoconducto dado a su nombre como colaborador del régimen. Eutimio se puso de rodillas pidiendo que lo mataran de una vez. Fidel trató de engañarlo haciéndole creer se le perdonaría la vida pero Eutimio recordaba escenas de Chicho Osorio y no se dejó engañar. Entonces Fidel le anunció que sería ejecutado y Ciro Frías le espetó un sentido sermón a fuer de antiguo amigo. El hombre esperó la muerte en silencio y con cierta dignidad.

El grupo se dispersa por el campamento. Fidel le habla de nuevo a Eutimio. El traidor le pide que se ocupe de sus hijos.*

A los pocos minutos, cae un rayo tremebundo seguido casi de inmediato por el estampido ensordecedor del trueno. Ni siquiera algunos de los que están más cerca sienten el disparo con que se hace justicia. Son en ese momento poco menos de las siete de la noche. Raúl comenta:

No podíamos hacer descargas de armas por el ruido que estas producirían, por otro lado queríamos aplicarle la muerte menos dolorosa. Entonces, cuando el aguacero estaba más furioso y los rayos se hacían más continuos, se le disparó un

---

* La Revolución cumplió su palabra respecto a los siete hijos de Eutimio. Todos tuvieron la posibilidad de estudiar, y alcanzaron el nivel de escolaridad y calificación que desearon; el mayor de los varones es combatiente internacionalista y militante del Partido Comunista de Cuba. La viuda de Eutimio Guerra recibió en diciembre de 1977 la Medalla Conmemorativa XX Aniversario de las FAR, en reconocimiento a los excepcionales servicios que prestó al Ejército Rebelde durante toda la guerra y a su actitud consecuente con los principios de la Revolución, posición que mantuvo hasta su muerte en 1998. *(N. del A.)*

tiro por la sien derecha con una pistola calibre 32, que ape-
nas hizo ruido, confundiéndose este a los pocos metros con el
estrepitoso aguacero. Cuando sonó el disparo, eran las 7 menos
5 de una noche tormentosa y triste; marco apropiado para el
más peligroso y miserable enemigo que teníamos. Por ser
un Judas y estar entre nosotros. Le privábamos además a
Casillas de su principal carta de triunfo y del más experi-
mentado de sus sabuesos para seguirnos el rastro.

Hacía exactamente un mes, el 17 de enero, que había-
mos fusilado a Chicho Osorio, tristemente célebre por sus
fechorías contra los humildes campesinos, incluso persiguió
al propio Eutimio con saña, y ahora el 17 de febrero, con
unas horas de diferencia, fusilábamos al más miserable de
los traidores encontrados por nosotros. Había traicionado
por unas monedas la causa de sus compañeros campesinos
y la de un pueblo entero, traicionándonos a nosotros.

Lunes 18 de febrero

Este día, Fidel comienza a redactar el manifiesto que ha prometido. Frank se dedica a tomar fotografías de la guerrilla. Fidel,
Raúl y otros combatientes leen y comentan los ejemplares del
periódico *Revolución*, órgano clandestino del Movimiento, que
han llevado los compañeros de Santiago.

Raúl anota en su diario:

F. [Fidel] empezó por la mañana a escribir el manifiesto
tantas veces exigido, escribió además varias cartas para
miembros de diferentes sectores del país y para distintos fi-
nes: acción, colaboración económica y nuevos contactos
de utilidad, o más bien reafirmación de contactos hechos
por los compañeros de visita.

Por indicación de "Norma" [Celia Sánchez] escribí una
carta a unos condiscípulos del colegio en mi infancia que
tienen buena posición apremiándolos para que nos presten
ayuda económica. Me bañé por la tarde, creo que es la cuarta

vez desde que vine de México, lavé las medias verdes y me puse el par de boticas nuevas que me trajeron. Escondí en la manigua las maltrechas botas que me habían acompañado lealmente, por lo cómodas que eran, en todos estos días de sacrificio y gloria.

Fidel le pone al manifiesto como fecha el 20 de febrero y lo dirige "Al pueblo de Cuba". Después de enumerar los hechos más importantes protagonizados por el destacamento guerrillero, al que el gobierno considera exterminado, denuncia el bombardeo indiscriminado de la Sierra, el asesinato de campesinos, la quema de casas y la expulsión en masa de los pobladores.

> La campaña de la Sierra Maestra –escribe– ha servido para demostrar que la dictadura, después de enviar a la zona de lucha sus mejores tropas y sus más modernas armas, es incapaz de aplastar a la Revolución. Y frente a esa situación de impotencia, cada día son más las armas en nuestro poder, más los hombres que se unen a nosotros, mayor la experiencia de lucha, más extenso el campo de acción, más detallado el conocimiento del terreno y más absoluto el respaldo de los campesinos. Los soldados están hastiados de la agotadora, extenuante e inútil campaña.

Afirma Fidel más adelante:

> Nosotros si es necesario estaremos diez años luchando en la Sierra Maestra. ¿Estará el país diez años con censura para que no se conozca la verdad? ¿Tiene otra salida esta situación que no sea la renuncia del dictador? ¿Les queda otro camino a los partidos políticos que respaldar la revolución que ha demostrado ya durante ochenta días su fuerza combativa y su pujanza creciente? ¿Perdonará la historia el crimen de cruzarse de brazos en esta hora decisiva de la patria?

311

Fidel y el Che. El Zapato, Sierra Maestra, 1957.

El manifiesto, primer documento programático de la Sierra, concluye con las orientaciones concretas que traza Fidel en nombre del Movimiento:

> La Revolución no se detendrá. Los próximos días serán testigos de que ni la censura, ni la represión, ni el terror, ni el crimen pueden hacer mella en la indomable voluntad de nuestro pueblo. La lucha se intensificará con ritmo creciente en todos los rincones de Cuba. Nada puede detener lo que está ya en el corazón y la conciencia de todos los cubanos.
>
> El Movimiento Revolucionario 26 de Julio lanza al país las siguientes consignas:
>
> 1°) Intensificar la quema de cañas en toda la zona azucarera para privar a la tiranía de los ingresos con que paga a los soldados que envía a la muerte y compra los aviones y las bombas con que está asesinando a decenas de familias en la Sierra Maestra. A los que invocan el sustento de los trabajadores para combatir esta medida, les preguntamos: ¿Por qué no defienden a los trabajadores cuando les arrebatan el diferencial azucarero, cuando les esquilman los salarios, cuando les desfalcan los retiros, cuando les pagan en vales y los matan de hambre durante ocho meses? [...] ¿Por quién estamos derramando nuestra sangre sino por los pobres de Cuba? ¿Qué importa un poco de hambre hoy para conquistar el pan y la libertad de mañana? A los timoratos que se escandalizan con esta consigna hay que decirles como Máximo Gómez: "¡Qué me viene usted a hablar de miserables hojas de caña, cuando está corriendo tanta sangre?".

Y cuando se acabe la caña quemaremos el azúcar en los almacenes de los centrales y en los muelles de embarque.

Frente a las consignas de que "sin azúcar no hay país" enarbolemos una consigna mucho más decorosa: "Sin libertad no hay país".

2º) Sabotaje general de todos los servicios públicos y de todas las vías de comunicación y transporte.

3º) Ejecución sumaria y directa de los esbirros que torturan y asesinan a revolucionarios, de los políticos del régimen que con su empecinamiento y terquedad han llevado al país a esta situación y todo aquel que obstaculice la culminación del Movimiento Revolucionario.

4º) Organización de la resistencia cívica en todas las ciudades de Cuba.

5º) Intensificación de la campaña económica para atender a los gastos crecientes del Movimiento.

6º) La Huelga General Revolucionaria como punto culminante y final de la lucha.

Después del mediodía, cuando Fidel está pasando en limpio el documento, se escucha un disparo. Raúl anota:

La impresión era de combate inminente, ya que en todos los que hemos tenido, detrás del primer disparo, que en algunas ocasiones se interpretó como "tiro zafado", seguía el atronador rugido de decenas de armas. Todo el mundo al suelo y a sus armas, las mujeres muy serenas esperaban el resultado de aquel minuto inenarrable, y por fin alguien avisó para consuelo de todos: "tiro de pistola zafado".

El culpable resulta ser José Morán. Está de posta con Ciro Redondo cuando ve acercarse a uno de los hijos de Epifanio, muy conocido para él. No obstante, le da el alto, palanquea la pistola y se pega un tiro en el muslo. Por las circunstancias, el hecho no parece un accidente. Nadie repara, sin embargo, en la significativa coincidencia de que este supuesto accidente ocurra al día siguiente del ajusticiamiento de Eutimio. La trayectoria posterior de José Morán permite al menos especular si su traición no databa ya de esta fecha, o incluso de antes.

El Che le cura la herida al lesionado y se decide dejarlo allí en espera de que lo vayan a buscar al día siguiente para bajarlo a Manzanillo.

El Che refiere el incidente en estos términos:

Temprano dimos fin al problema de Eutimio enterrándolo allí mismo. Se hicieron los preparativos para la partida de todos los grupos. [...] En ese momento sonó un tiro de pistola y todos nos pusimos a la defensiva, pero enseguida se oyó un grito de no es nada, no es nada, y apareció el gallego Morán herido con bala de 45 en una pierna. El orificio de salida estaba en el cóndilo externo del fémur, pero no pude saber la gravedad con que estaba interesado el hueso. Le hice una cura de urgencia, poniéndole penicilina y dejándole la pierna entablillada y estirada. En el momento del disparo Raúl y Fidel lo acusaron de habérselo dado adrede. Yo no estoy seguro de una cosa u otra. Ciro Redondo, testigo presencial, asegura que fue casual al precipitarse a detener a un muchacho montado que aparecía por allí y que resultó de la casa. Partimos al anochecer pero el gallego no se podía mover, de modo que quedó allí, solo y supongo que con la sensación del poco aprecio que se le tiene. Celia Sánchez quedó en enviarlo a Manzanillo a una clínica del Movimiento.

Felipe Guerra Matos y Quique Escalona han llegado al campamento a recoger a los compañeros que quedan del llano. Faustino y Frank salen primero. Vilma saca otra copia del manifiesto. Ya es de noche cuando se levanta el campamento y todo el grupo se traslada a la casa de Epifanio.

El Che sigue narrando:

Llegamos a la casa de Epifanio y allí nos dimos un banquete del que yo no disfruté debido a una aventazón terrible que me había dado el chocolate. Allí nos separamos de las muchachas y de Hart y de Echevarría y Motolá que son enviados en misión especial. [...] Dormimos cerca de la casa en un cayo de café con bastante comodidad.

Antes del amanecer, los compañeros del llano llegan a la casa de Guerra Matos en Manzanillo.

Martes 19 de febrero

El destacamento guerrillero se traslada la noche del 18 a un cafetal cercano a la casa de Epifanio. Pasan el día en un alto boscoso no muy lejos del arroyo Jicotea. El Che anota:

Un día quieto. [...] Nos limitamos a trasladarnos un poco más lejos, a un estrecho cayo de monte a orillas del río Jibacoa. Enrique Díaz trajo la noticia de la muerte de Chichí Mendoza a manos de los guardias. [...] Al marcharnos sucedió que Emilio [Escanelle], uno de los muchachos de Manzanillo, sufrió un ataque de hernia que supongo no sería disimulado y hubo que dejarlo hasta que consiga el braguero que tenía en su casa. De despedida comimos un fricasé de cordero en casa de Epifanio.

Raúl, por su parte, escribe:

La mayor parte [del día] la pasé estudiándome los documentos doctrinales que nos habían dejado. Magníficos trabajos de la Dirección Nacional de nuestro Movimiento. Me leí dos veces el magnífico periódico Revolución, *órgano oficial de nuestro Movimiento. Allá estaban cumpliendo cabalmente con su papel, los soldados de las trincheras de papel.*

Hoy tuvimos un almuerzo de arroz, frijoles, vianda y café. F. [Fidel] pidió que nos hicieran un carnero para por la noche. Oscuro bajamos, llegamos al bohío, comimos, reposamos esperando que saliera la luna y partimos a la 1 y 20 de la madrugada. [...] Nos despedimos de tan magnífica y valiente familia que era imposible pagarles por lo útil y por los favores que nos han hecho, y nos fuimos.

Se abre una nueva etapa en la guerra.

Índice

Este libro fue procesado en la
Empresa Gráfica Villa Clara,
y se terminó de imprimir en
el mes de enero de 2005.
La edición consta de 20 000 ejemplares.